Het wenshuis

Anne B. Ragde

Het wenshuis

Uit het Noors vertaald door
Marianne Molenaar

DE GEUS

Deze uitgave is mede tot stand gekomen dankzij een bijdrage van
NORLA (Oslo)

Oorspronkelijke titel *Eremittkrepsene*, verschenen bij Forlaget Oktober

Omslagontwerp Riesenkind

Dit boek is gedrukt op FSC-gecertificeerd papier

ISBN 978 90 445 1241 0
NUR 302

Het wenshuis

ZO VROEG WERD ze anders nooit wakker. Ze bleef met haar ogen wijdopen in het slaapkamerdonker naar zijn geluiden liggen luisteren. Eerst het doordringende gerinkel van de wekker, dat net zo snel werd afgezet als het begon. Hij had er beslist op liggen wachten. Het was half zeven, wist ze. Daarna bleef het wel een minuut volkomen stil tot ze hoorde hoe zijn deur zachtjes open en weer net zo zachtjes dicht werd gedaan, gevolgd door dezelfde gedempte geluiden van de badkamerdeur. Hij wist dat er vreemden te logeren waren en wilde geen lawaai maken. Want zo beschouwde hij hen toch in feite? Als vreemden die hier eigenlijk niet thuishoorden, die hem voor de voeten liepen en zich met dingen bemoeiden. Die jarenlange triviale routines en vertrouwdheid verstoorden.

Ze kende haar vader niet. Ze had eigenlijk geen idee wie hij was. Hoe hij eruitzag toen hij jong was, als kind of later op haar leeftijd. Er was geen enkel fotoalbum op de boerderij. Het was net een verhaal waarvan ze nooit deel had uitgemaakt en waar ze zich nu zomaar ineens middenin bevond. Maar vandaag zou ze vertrekken en zich weer in haar eigen verhaal inpluggen. Daar lag ze aan te denken, dat ze zou vertrekken voordat ze hem had leren kennen. De enige die ze kende, was de varkensboer: de man die het heerlijk vond de staldeur achter zich dicht te trekken, de man die een levendige, zangerige stem kreeg als hij over de verschillende eigenaardigheden van zijn zeugen begon, over de ondeugende streken van de biggen, over grote tomen en groeicurves. In de stal zag ze hem, in de stal bestond hij, als hij in zijn smerige overall over de hokken gebogen stond om een zeug van een kwart ton achter de oren te krauwen, met een brede glimlach naar het beest en met een opgewekte, blije blik.

Ze hoorde hem plassen, midden in de pot, dat kon hij niet laten al lagen er nog zo veel logés in huis te slapen. Ze luisterde naar de laatste druppels, hoorde hem doortrekken. De kraan van de wasbak daarna hoorde ze niet, alleen de deur die weer open en dicht werd gedaan, en hoe haar vader stilletjes de trap af liep naar de keuken. Ze hoorde hoe hij daar de ketel vol water liet lopen, waarschijnlijk op de oude koffieprut van gisteravond, toen werd het stil.

En in die stilte probeerde ze zich uit alle macht haar flat thuis in Oslo voor te stellen: de schilderijen aan de muren, de boeken in de kast, het glazen schaaltje met blauwe badparels op de rand van de wasbak, de stofzuiger in de veel te kleine gangkast, het antwoordapparaat met het knipperende lichtje als ze van haar werk kwam, de wasmand met vuil goed, de stapel oude kranten vlak achter de voordeur, het antieke blik met beschuit dat ze altijd stipt bijvulde, de kurkplaat met de afgescheurde bioscoopkaartjes en de foto's van honden en hun bazen. Ze probeerde alles voor zich te zien en dat lukte haar ook. En het maakte haar blij. Maar ze wist niet wie hij was. Ze wist niet wie ze achterliet. Ze kende zijn varkens beter dan hem.

Nu hoorde ze zijn voetstappen in het halletje en de buitendeur, ze greep op de tast naar haar mobieltje op het nachtkastje, het was tien voor zeven. Ze wachtte eerst het geluid van de staldeur af, die met een klap achter hem dichtviel, toen sprong ze uit bed in de ijskoude kamer, ze griste haar kleren naar zich toe en ging naar de badkamer om zich aan te kleden. Net als hij, op haar tenen. Alleen deed zij het razendsnel en niet zoals hij op zo'n oudemannenmanier. In de badkamer rook ze flauw de geur die er nog van hem hing. Het was er koud, de enige warmtebron was een verroest straalkacheltje aan de muur boven de spiegel. Terwijl ze haar handen waste, bekeek ze onderzoekend haar gezicht. Ze had geen zin om zich te douchen, ze wilde wachten tot ze thuis was, waar ze niet aan het uiteinde van een gladde badkuip naar formica platen hoefde te staan staren die langs de randen uitgezet waren van het vocht, en zich niet hoefde af te drogen met een handdoek zo versleten dat hij doorzichtig was. Vanavond stond ze in haar eigen lekkere douchecel met vloerverwarming onder de tegeltjes.

Ze liep de overloop op, luisterde terwijl ze voorzichtig de klink van zijn slaapkamerdeur neerdrukte.

Zijn kamer was iets groter dan die waar zij sliep en die eigenlijk de oude kamer van Erlend was.

Ze deed de plafondlamp aan, hij kon het toch niet zien, het raam keek niet uit op het erf, maar op de fjord, net als dat van haar.

Muren die tientallen jaren geleden lichtgroen waren geschilderd. De vloer was ooit grijs geweest, maar voor de deur en voor zijn bed, waar hij zijn voeten neerzette als hij erin en eruit kroop, was de verf intussen in een halve cirkel tot op het hout afgesleten. De ramen zaten vol ijsbloemen, verblindend wit tegen de winterochtend buiten, met een patroon van sierlijke rondingen.

Die ijsbloemen waren het enige mooie in de hele kamer. Er hing niets aan de muren. Een bed, een nachtkastje, een voddenkleed, een soort dressoir tegen de ene muur. Ze liep erheen en deed de deurtjes open. Leeg. Het stond er puur voor de show. Alleen in de bovenste la lag een stapeltje gehaakte tafelkleedjes, allemaal met precies hetzelfde patroon alleen in verschillende kleuren, van glanskatoen. Ze kreeg het koud, waarschijnlijk had hij het raam pas dichtgedaan nadat hij was opgestaan.

Het laken onder het teruggeslagen dekbed was vuil, vooral aan het voeteneind, en hier en daar lag een kogelronde dot wol; waarschijnlijk sliep hij met zijn wollen sokken aan. Wat deed ze hier eigenlijk, in deze kamer zou ze hem toch niet leren kennen. Dit was het vertrek waar hij uitrustte, hier was hij niemand; niemand was iemand als hij uitrustte en sliep. Hoeveel avonden moest hij hier niet naar bed zijn gegaan, in gedachten verzonken in het donker hebben gestaard? Had hij aan haar gedacht? Haar gemist? Het als gemis gevoeld dat hij niet wist wie zij was?

Er hing een bedompte, zware geur in de kamer, van lichaam en stal en kale muren.

Daar was de klerenkast. Hij was ingebouwd in de muur, je zag hem niet meteen, er zaten piepkleine knopjes op de deur om hem mee open te maken. Een paar flanellen overhemden met rafelige kraag en manchetten, helemaal onderin een paar broeken, een plank met drie of vier paar sokken, onderbroeken – niet veel meer – en een stropdas in plastic verpakt. Ze haalde hem tevoorschijn, er zat een verbleekte kerstkaart in, hij was van de slachterij in Eidsmo. Zorgvuldig legde ze hem terug op zijn plaats.

Stil bleef ze staan luisteren. Natuurlijk kwam hij niet terug, waarom zou hij. Hij was druk in de weer met de verzorging van de beesten, terwijl zij zijn kamer onderzocht zonder zelfs maar te weten waar ze naar op zoek was. Bij elke blik die ze om zich heen wierp, voelde ze de triestheid, het verval. Thuis had ze een bed van één meter twintig met een dik matras, haar vader lag in een bed dat niet meer dan tachtig centimeter breed kon zijn en hij sliep op schuimrubber. Middenin was een diepe kuil en onderin kleefde het kreukelige laken aan het matras. Het hoofd- en voeteneind waren van mat teakhout en midden in het hoofdeind zat een lichte plek waar hij jaar in jaar uit met zijn nek op moest hebben gesteund om het leeslampje uit te doen. En vandaag zou zij vertrekken, vijfhonderd kilometer ver van dit alles vandaan zijn, terwijl hij diezelfde avond alweer in dit bed zou stappen. Hier zou hij steeds weer gaan liggen, de wekker zetten en proberen te slapen, achter zijn ijsbloemen.

Ze trok het laatje van het nachtkastje open. Een foto van een big straalde haar tegemoet, een jubileumuitgave van de Noorse vereniging van varkensfokkers. Ze pakte hem op. Eronder lagen twintig briefjes van duizend: kijk eens aan, hier had hij ze dus verstopt. Onder de briefjes van duizend lag een boek, voorzichtig haalde ze het eronderuit.

Het Kinsey-rapport. Het seksuele gedrag van de vrouw. Roerloos bleef ze met het boek in haar handen staan. Het Kinsey-rapport: vaag herinnerde ze zich een radioprogramma over Kinsey, die een eeuwigheid geleden Amerikaanse mannen en vrouwen over hun seksuele gewoontes had geïnterviewd, hetgeen in de VS voor heel wat opschudding had gezorgd voorzover ze wist. Het boek zag er stukgelezen uit en had ezelsoren.

Ze wilde het van achter naar voren doorbladeren, maar haar duim bleef meteen bij de harde achterkaft steken. Ze sloeg hem open: een stempel van de bibliotheek van Trondheim en een smal insteekhoekje met een geel, ouderwets uitleenkaartje erin. Dergelijke kaartjes herinnerde ze zich van bibliotheekbezoeken uit haar jeugd. Ze haalde het eruit. Het boek had uiterlijk 10 november 1969 moeten worden ingeleverd.

Snel legde ze het terug onder de briefjes van duizend. Het Kinsey-rapport en een schuimrubberen matras van niet meer dan tachtig centimeter breed. Ze ging de kamer uit.

'Moet je gauw alles nog een beetje op orde brengen? Voor je weggaat?'

Torunn had niet gehoord dat haar vader achter haar aan naar buiten was gekomen, de pasgevallen sneeuw dempte de geluiden.

'Het is toch leuk om vanachter het keukenraam naar ze te zitten kijken?' vroeg ze. 'En als de voederplank leeg is komen ze niet.'

'We binden altijd alleen wat touw om een oud stukje spek en hangen dat op. Maar ze zitten al een tijdje zonder. Meestal zorgde ... moeder voor dat soort dingen.'

Ze was net naar de winkel geweest om een laatste keer boodschappen te doen voordat zij en Erlend en Krumme zouden vertrekken, zij terug naar Oslo, Erlend en Krumme naar Kopenhagen. Ze wilde dat er lekker eten in huis was, eten dat haar vader zich nooit zou gunnen. Erlend had beloofd te betalen. 'Carte blanche', fluisterde hij haar in het oor toen ze naar de supermarkt in Spongdal reed, en daar was ze blij om, want op haar rekening stond net genoeg voor de lopende rekeningen in januari, ook al was ze mede-eigenaar van een dierenkliniek. Oom Erlend, dacht ze. Het was gek om plotseling een oom te hebben die maar drie jaar ouder was dan zijzelf. Het kleine broertje van haar vader, dat twintig jaar geleden opstandig voor zichzelf koos, dat de boerderij de rug toe keerde en waarschijnlijk nooit had verwacht hier na zo'n lange tijd terug te komen en Kerst te vieren, met een mannelijke partner nog wel. Maar juist Erlend, de verloren zoon, was misschien wel het best geslaagd van de drie broers. Erlend was gelukkig, hij had iemand die van hem hield en van wie hij hield, en financieel kwam hij niets tekort. Erlend had haar verteld dat Krumme steenrijk was, oftewel wat ze *hovedrig* noemden in Denemarken, een woord waar hij op kickte, zei hij.

Margido 'oom' noemen lukte haar niet, ook al was hij dat net zo goed. Misschien kwam het door zijn werk dat hij zo afstandelijk was, omdat hij al zijn gevoelens moest onderdrukken. Hij moest nabestaanden opvangen en tegelijkertijd perfecte begrafenissen organiseren, en dat droeg er waarschijnlijk toe bij dat hij gewend was alleen met zijn eigen gedachten te leven. Alleen al het feit dat hij jarenlang had geweten hoe de dingen op Neshov in elkaar zaten, hoeveel op leugens was gebaseerd, dat de man die ze 'vader' noemden hun vader niet was. Margido had het geweten en er Tor noch Erlend iets van gezegd. In plaats daarvan had hij zich teruggetrokken, het vermeden een standpunt in te nemen ten opzichte van dat deel van de werkelijkheid. Tot nu op Kerstavond, toen hij werd gedwongen.

Ze had aan hen allemaal gedacht terwijl ze haar wagentje tussen de schappen van de supermarkt voortduwde en zich probeerde te herinneren wat er nog in de koelkast was. En ze had aan het stilzwijgen daarna gedacht. Aan Eerste Kerstdag met wat ze zelf had ervaren als krampachtige pogingen weer normaal te doen. Praten over het weer en de buitentemperatuur! Toen had ze begrepen dat dat de manier was waarop ze hier hadden overleefd, door om alles heen te draaien: zo creëerden ze hun eigen werkelijkheid. Waar niet over werd gepraat, bestond niet. Haar vader was de oude man 'vader' blijven noemen en zelf had ze dat overgenomen en dacht ze nog steeds aan hem als aan haar grootvader. En die grootvader sprak hen niet tegen, waarschijnlijk vond hij dat hij had gezegd wat hij had moeten zeggen, voor het eerst van zijn leven, nam ze aan.

Ze vulde het wagentje met etenswaar en toen ze voor zich zag hoe haar vader over een paar uur alleen aan de keukentafel zou zitten en over de rand van het witte nylongordijn naar buiten, naar het erf zou kijken, kwam ze op het idee ook het voederplankje vol voer te strooien.

Ze had vier vetbolletjes in een groen plastic netje gekocht en een paar zakjes pinda's in dezelfde verpakking. Ze was net bezig de vetbolletjes met een touwtje en een punaise aan de boom op het erf te hangen, ze had al geen gevoel meer in haar vingers van de kou. Op de voederplank zelf had ze een hoopje oud brood verkruimeld.

'Vergeet niet het brood bij te vullen als het leeg is', zei ze. 'De spreeuwen zitten graag rechtop tijdens het eten, alleen de pimpelmees kan het opbrengen met zijn kopje naar beneden rondtollend van zijn voedsel te genieten!'

Ze lachte even, hoorde zelf dat haar lach onecht en hol klonk. Ze ging naar huis – naar haar huis, naar Oslo en haar werk – weg van deze boerderij een stukje buiten Trondheim, waar ze tot veertien dagen geleden niet had gedacht ooit een boodschap aan te hebben. Een ander leven, een andere tijd bijna. En overmorgen was het oudejaarsavond en begon er een nieuw jaar.

'Je belt toch wel?' vroeg hij, opeens met verstikte stem; ze hoorde dat de vogels hem niet langer interesseerden. Zonder dat ze zich hoefde om te draaien, wist ze dat hij met zijn ene klomp in de verse sneeuw stond te schoppen, waarschijnlijk met de rechter, zodat de vlokken licht als een veertje aan de grijze wollen sokken bleven kleven, die hij altijd in zijn klompen en stallaarzen droeg.

Ze drukte de laatste punaise in de stam, kreeg plotseling een associatie: dat je een boom vergiftigde als je er koperen spijkers in sloeg, dat hij dan doodging. Misschien zat er ook wel koper in punaises en stond ze ter plekke de boom op het erf van Neshov om zeep te helpen, plus de boerderijkabouter, want die woonde eronder en zou sterven als de boom stierf.

'Natuurlijk bel ik. Ik bel zodra ik thuiskom', zei ze, hoewel ze heel goed wist dat hij dat niet bedoelde.

'Er wordt slecht weer verwacht. En jij gaat nog wel vliegen', zei hij.

'Er gebeurt niks. Maak je maar geen zorgen.'

De vetbolletjes hingen stil en groen tegen de boomstam, ze kon nergens meer heen met haar handen, ze moest zich omdraaien en hij stond er net zo bij als ze zich had voorgesteld, rond zijn rechterklomp was de verse sneeuw in een halve cirkel opzijgeschoven, hij had zijn handen in de zakken van een soort geruite wollen broek, zijn gebreide vest hing los en flodderig om zijn magere lichaam, een lichaam dat over vier jaar zestig zou worden: haar vader – ze kon er niet bij.

'Heb jij weleens gevlogen?'

'Jawel', zei hij.

Hij liep naar de voederplank en begon het brood in nog kleinere stukjes te verkruimelen, liet wat in de sneeuw vallen, de kruimels zakten weg en lieten piepkleine, blauw-witte gaatjes achter. Zijn ellebogen staken spits door de mouwen van zijn vest, dat van voren te lang was en van achteren te kort. De wol op de punten van zijn ellebogen was versleten en het geruite patroon van zijn flanellen overhemd scheen erdoorheen. Een trui, misschien moest ze maar een lekkere wollen trui voor hem breien en erop staan dat hij die gewoon doordeweeks droeg. Maar wat hielp het als ze aan de telefoon ver weg in Oslo op haar achterste benen ging staan, dacht ze, hier op de boerderij werd hoe dan ook alles wat mooi was opgeborgen en bewaard, voor dagen die nooit kwamen.

Hij zou zo verschrikkelijk alleen zijn, met geen ander gezelschap dan de oude man in de tv-kamer. Maar hij had zijn varkens in de stal. Die had hij tenminste, dacht ze. Daar moest ze zijn aandacht op zien te vestigen, dat ze in de stal op hem stonden te wachten.

'Ben toch heen en weer naar Noord-Noorwegen gevlogen toen ik in dienst zat', zei hij.

Hij liet het brood met rust, veegde zijn handen schoon en stak ze weer in zijn zakken, keek omhoog naar de lucht.

'Dat was ik vergeten. Natuurlijk moest je toen vliegen', zei ze.

'Met een Hercules gevlogen. Een hels lawaai in zo'n machine. Bijna doodgevroren. Vloog zo langzaam dat ik dacht dat we als een baksteen naar beneden zouden vallen.'

Daar kon ze iets op terugzeggen, nu op dit moment, iets in de trant van dat hij haar daar had verwekt tijdens zijn verlof in Tromsø. Samen met een meisje dat Cissi heette en dat later de lange reis naar Neshov had gemaakt, zwanger en wel. Maar het enige wat ze daar te horen kreeg van de vrouw van wie ze dacht dat ze haar schoonmoeder zou worden, was het verzoek weer op te hoepelen.

'Ik heb ook een heleboel lekker eten voor jullie tweeën gekocht, niet alleen voor de vogels', zei ze.

Hij bleef een poosje zwijgend staan. Daar stonden ze, elk een kant op te staren. Ze haalde diep adem, ver in het zuiden scheen het ochtendlicht over bergen en fjord, de zon zelf was verborgen achter een blauw-roze vorstsluier. Ze wou dat ze al in de auto zat, met haar spullen achterin, op weg naar het vliegveld en Oslo en Stovner.

'Jammer dat je weggaat. Januari is altijd zo akelig en duurt zo lang. Wordt extra lang dit jaar.'

'Zo vergaat het niet alleen jou. Niemand houdt van januari', zei ze.

'Rekeningen en de balans en al die rotzooi. Ook al hebben

Erlend en die Deen … Oef, dat dat nodig was.'

Erlend en Krumme hadden hem geld gegeven, hem ertoe overgehaald het aan te nemen, hoewel hij halsstarrig bleef weigeren en bijna boos was geworden. Dat was de dag na Kerst, 's avonds na de begrafenis. Erlend had te veel bier gedronken en gezegd dat hij twintigduizend kronen zou achterlaten. Hij had tot de volgende dag kunnen wachten, maar Erlend maakte van zijn hart geen moordkuil, en hij wilde immers alleen maar aardig zijn. Krumme had de verlossende woorden gesproken: dat het geld niet voor de mensen op de boerderij was, maar voor de boerderij zelf. Tor moest het alleen goed beheren.

'Denk eraan dat het voor de boerderij is', zei ze. 'Zoals Krumme zei. Dat is toch oké. Je kunt van het voorjaar de stal schilderen, de kapotte ramen vervangen.'

'Ach, dat geld zal wel voornamelijk naar Trøndergraan en Røstad gaan.'

'Røstad?'

'De dierenarts. Die neem ik meestal. Moet de zeugen laten insemineren en de biggen laten castreren. Heb binnenkort ook weer voer nodig.'

'Een beetje verf kan er vast wel af. En ik bel natuurlijk. Ben benieuwd naar je nieuwe tomen, hoe groot ze worden. Ik zal je varkens missen.'

'Echt waar?'

'Zeker weten.'

'Je hebt toch beesten genoeg om je heen bij je werk.'

'Dat is niet helemaal hetzelfde', zei ze, 'met zieke katten en honden en papegaaien en schildpadden. Dat haalt het niet bij Siri achter haar oren krauwen. Ik heb echt ontzag voor varkens gekregen. Daar kunnen cavia's en onbehouwen jonge honden niet tegenop.'

Dat zei ze niet om hem een plezier te doen, ze meende het, ze was gesteld geraakt op die kwart ton zware fokzeugen van hem, op de warmte en de sfeer in de stal, op het contact met de beesten die maar gaven en gaven en niets anders terugverlangden dan eten, warmte en verzorging. En zo wijs als ze waren, en al hun individuele eigenaardigheden, hun koppigheid en hun grappigheid. En de pasgeboren biggetjes, zo lief, je kon je niet voorstellen dat het binnen de kortste keren honderd kilo zware reuzen werden.

Hij schudde zijn hoofd, glimlachte met zijn lippen op elkaar en ademde door zijn neus.

'Cavia's, ja. Ik heb nog nooit een levende cavia gezien. Vind het komisch als je over je werk vertelt', zei hij. 'Stel je voor dat mensen geld uitgeven om een cavia te laten opereren.'

'Ze houden van ze. Vooral kinderen, natuurlijk. Ze huilen tranen met tuiten als hun cavia of hun tamme rat een spuitje moet krijgen.'

'Ratten nog wel! Snap je dat mensen vrijwillig bereid zijn … Nou ja, ik begrijp dat kleine kinderen … Ik heb zelf eens een eekhoorn getemd toen ik een jaar of acht was. Hij is verdronken in de gierkelder. Ik was er kapot van. Maar honden ook. Herinner me dat je vertelde dat mensen bijna dertigduizend kronen hadden uitgegeven voor een hond. Heen en weer naar Zweden waren geweest voor … nieuwe heupen, was het niet?'

'Beide heupen, ja. Ze had heupdysplasie. Anders hadden ze haar moeten laten inslapen en ze was nog maar drie jaar.'

'Maar dertigduizend! Voor een hond die zelf geen cent opbrengt!'

'Met huisdieren is het iets anders dan met vee, weet je. Waarom neem je zelf eigenlijk geen hond? Die geven een hoop gezelligheid. Dan had je een beetje gezelschap hier en …'

'Nooit van mijn leven. Nee, het is mooi met de varkens, die geven gezelligheid genoeg', zei hij.

'Maar je snapt toch wel wat ik bedoel? Dat het eentonig voor je wordt. Voor jou en … je vader.'

'Hij, ja.'

Hij haalde zijn neus op en veegde met de rug van zijn hand een druppel weg.

'Hebben jullie het er samen over gehad?' vroeg ze. 'Na ... Kerstavond? Jij en hij?'

'Nee.'

'Maar de boerderij wordt nu toch eindelijk op jou overgedragen? Daar is hij toch niet tegen?'

'Nee hoor.'

'Misschien als jullie met zijn tweeën zijn, dat het jullie dan lukt ...'

'Dit is Oslo niet. Hier praten we niet over zulke dingen. Streep eronder', zei hij hard.

'Ik wilde alleen zeggen dat ...'

'Hè, het is koud om hier zo buiten te staan', zei hij en zijn stem klonk weer normaal. 'Een kopje koffie zit er toch nog wel in voordat jullie gaan rijden?'

Een uur later was de kleine huurauto propvol. Het was een Golf, Krumme had hem op de luchthaven Værnes gehuurd en daar zouden ze hem ook weer afgeven. Met haar jas en haar laarsjes al aan holde Torunn naar de tv-kamer, naar haar grootvader. Ze deed of ze haast hadden, ze had het afscheid lang uitgesteld, gedaan alsof ze gewoon koffiedronken, hoewel Erlend hectisch heen en weer holde, de trap naar de bovenverdieping op en af en van en naar de auto op het erf, druk bezig met van alles wat hij op het laatste moment nog mee wilde nemen.

Haar grootvader zat met zijn kopje koffie voor zich, een kopje zonder schoteltje eronder, er lagen kruimels op tafel en op zijn schoot van het gebakje dat ze hem had gegeven. Hij had zowel zijn boven- als zijn ondergebit in zijn mond. De tv stond niet aan. Snel gluurde ze even naar de potplanten voor de ramen, die Erlend had gekocht, en ze wist honderd procent zeker dat ze over een dag of veertien dood zouden zijn. Hetzij verdroogd, hetzij verzopen. Ze wist ook dat het een hele tijd zou duren voordat hij zich weer zou scheren. Of een schone onderbroek aan zou trekken. Hoe moeten ze zich redden, dacht ze, en ik ga er zomaar vandoor. Maar haar volgende gedachte was dat Erlend dat immers ook deed, en hij stond hun eigenlijk nader dan zij, als je voor zoiets tenminste een vergrotende trap kon gebruiken. Erlend was het kleine broertje, zij was de dochter, wie van hen hoorde het slechtste geweten te hebben? En Margido woonde aan de andere kant van de heuvel: hij kon best eens klaarstaan voor zijn familie op Neshov. Hij zou wel moeten, hij was een broer. De vraag was alleen hoe, en of Tor het zou accepteren nadat Margido zeven jaar lang geen voet op de boerderij had gezet.

'Gaan jullie ervandoor?' vroeg haar grootvader. Zijn gebit maakte een klapperend geluid.

'Ja.'

Ze boog zich naar hem toe en gaf hem een zoen. Het prikte. Hij rook naar oude man en oude kleren en een oud huis, en zijn adem rook naar gebak en koffie. Het was de eerste keer dat ze hem zoende, hij kon zijn ene arm nog net ter hoogte van haar wang krijgen.

'Vaarwel', fluisterde ze. Wat moest ze anders zeggen, ze kon hem niets beloven. 'Het ga je goed.'

'Ik wil naar het bejaardentehuis', fluisterde hij.

'Wat?'

Ze richtte zich op.

'Ik wil naar het bejaardentehuis. Iemand moet dat regelen. Ik weet niet wat Tor ervan zegt, maar dat wil ik.'

'Dan moet je met Margido praten', zei ze. Waarom had hij juist tot dit moment met zoiets gewacht, dacht ze, ik kan nu toch niets meer doen?

'Jij kunt Margido toch bellen en het hem vertellen', zei hij.

Ze keek in het rimpelige gezicht, in de ogen achter de brillenglazen, zag zijn hele leven en kreeg zin om te huilen, tranen met tuiten te huilen van verdriet over het verspilde bestaan van deze man. Ze knikte, bleef hem aankijken en wist haar tranen in te houden.

'Ik zal het er met Margido over hebben', fluisterde ze. 'Ik zal hem morgen bellen.'

Ze legde haar hand tegen zijn wang, hield hem daar tegen de baardstoppels, zag nog net hoe zijn ogen zich met tranen vulden voor ze zich omdraaide en wegliep, door de lege keuken, waar het houtfornuis vol hout en vlammen loeide en bromde, naar het erf, waar Erlend op zijn kop stond op de achterbank van de auto en Krumme haar vader ten afscheid een hand reikte.

'Hartelijk bedankt, Tor. Het was ... fijn', zei Krumme.

Die kleine, dikke Deen moest zijn hoofd in zijn nek leggen om naar de varkensboer van Neshov op te kijken. Die Deen, die absoluut niet welkom was geweest toen hij een paar dagen voor Kerst in een huurauto het erf op reed. De eerste dag was Tor naar bed gegaan, woedend en vol afkeer nadat hij er getuige van was geweest hoe Erlends hand onder de keukentafel een moment op Krummes dij had gerust.

'Je bent altijd welkom', zei haar vader en hij keek een andere kant op. 'Misschien van de zomer. Dan is het mooi hier.'

'Ja, misschien', zei Krumme en hij knikte een heleboel keer, begreep van hoe diep juist die woorden kwamen.

'Had ik maar zo'n kartonnen koker!' riep Erlend vanuit de auto. 'Hij zal vast helemaal verkreukelen!'

'Wat?' vroeg ze.

'De poster! Ik heb hem meegenomen! Bedacht dat net, dat ik hem mee wilde nemen.'

'De poster van Aladdin Sane, die op je kamer hing? Die was helemaal vergeeld', zei ze.

'Dat heb ik ook al gezegd', zei Krumme.

'Toch wil ik hem mee hebben! Dat kwam plotseling in me op! Maar hij zal vast helemaal ...'

'We gaan', zei Krumme. 'Wil jij voorin zitten, Torunn?'

'Torunn moet rijden!' zei Erlend.

'Moet ik rijden?' vroeg ze.

'Natuurlijk! Mijn god, dat Krumme helemaal ongeschonden van het vliegveld naar Byneset is gekomen, dat is gewoon een wonder! Een kerstwonder. Hij kan niet eens rijden en al helemaal niet op besneeuwde en beijsde wegen.'

'Ik heb een rijbewijs, weet je,' zei Krumme, 'dus ik vind dat je nu wat overdrijft.'

'En waar gebruik je dat voor?' vroeg Erlend. 'Om in Kopenhagen in en uit taxi's te springen. Torunn rijdt!'

'Oké,' zei ze, 'maar jij moet achterin zitten, Erlend, aangezien jij niet eens een rijbewijs hebt.'

Ze aarzelde geen seconde toen ze haar vader omhelsde. Ze liet hem net zo snel weer los en stapte in de auto, pakte het sleuteltje vast dat al in het contact stak, en draaide het om. Erlend kroop met moeite op de achterbank, waar met al die bagage nog net plaats voor hem was. Hij was hectisch met de samengerolde poster in de weer, waar een eenvoudig elastiekje omheen zat, en hield hem ten slotte voor zich in de lucht.

Ze draaide het raampje naar beneden en zwaaide terwijl ze het erf af reed. 'Nu moet je sneeuwruimen, vader! Nog even en de boerderij sneeuwt onder! Doei!'

Hij antwoordde iets wat ze niet hoorde, maar ze wist dat hij op de trekker zou klimmen zodra zij weg waren. Hij hield ervan sneeuw te ruimen, en dan hoefde hij niet dadelijk naar binnen.

'Mijn god, rij!' zei Erlend. 'Nu gaan we!'

Ze zwaaiden alle drie driftig, korte, drukke handbewegingen in de kleine auto. Torunn toeterde, ze reden de oprijlaan met de esdoorns af en toen begon ze te huilen. Ze snikte het uit, luid en schor, ze kon zich niet inhouden. Erlend leunde naar voren en sloeg van achteren een arm om haar heen, Krumme legde zijn hand op die van haar op het stuur. Zodra ze wist dat ze vanuit het huis niet meer te zien waren, reed ze naar de kant van de weg.

Ze huilde en huilde, terwijl de raampjes besloegen en de verwarming op volle toeren draaide. Lange tijd zei niemand een woord, ze aaiden haar over haar haar en hielden een arm om haar schouders. Ze vond een prop oud papier in haar jaszak en snoot haar neus, maar barstte meteen weer in huilen uit.

'Misschien moet ik toch maar rijden', zei Krumme.

Ze schudde haar hoofd en snoot haar neus nog een keer.

'Ik zal me inhouden', zei ze. 'Het is alleen ... Je kunt je gewoon niet voorstellen dat die twee het klaarspelen ...'

Erlend onderbrak haar: 'Je hebt gedaan wat je kon. Je hebt zelfs mij zover gekregen naar de ... Godallemachtig, Torunn, je was gewoon geweldig! Zo in te springen hoewel je nog nooit een voet op de boerderij had gezet. Maar nu gaan we. Ik wil naar huis om Oud en Nieuw te vieren. Het is voorbij.'

Nee, dacht Torunn, je vergist je, het begint net.

Tor zou nooit vergeten dat Margido de mooiste kist had uitgekozen. Natuurlijk kreeg hij die tegen inkoopsprijs rechtstreeks van de fabriek, maar toch. Dat hij dat had gedaan. Iedereen in de kerk had laten zien dat hier een mens lag die belangrijk en geliefd was geweest.

Nadat Torunn was weggereden, bleef hij naast de trekker staan en moest daar weer aan denken. Hij moest overal aan denken nu, behalve aan het feit dat Torunn zich over een paar uur vijfhonderd kilometer ver weg zou bevinden. Die dure kist van mahoniedonker hout en met handvaten van smeedijzer, daar dacht hij liever aan. Dat had zijn moeder eens moeten weten, dat er zo veel geld voor haar werd uitgegeven na haar dood! Ze zou vierkant hebben geweigerd, dacht Tor en hij moest glimlachen toen hij eraan dacht hoe verbluft zijn moeder zou zijn geweest. Een dure kist die alleen maar de grond in zou gaan om daar te verrotten, nee, er waren wel andere dingen waar je je geld aan kon besteden, zou ze hebben gezegd.

Het zou fijn zijn als Margido die avond even langs zou komen voor een kop koffie, hij wist wanneer Torunn en Erlend en die Deen zouden vertrekken. Maar Margido was een rare. Hij had de dag ervoor telefonisch afscheid van hen genomen. En toch, Tor zou hem eeuwig dankbaar blijven voor de begrafenis, zo mooi als hij die had geregeld. Ook al waren begrafenissen Margido's dagelijks werk, met je eigen moeder was het vast iets anders. Die mooie liturgie die klaar had gelegen in de kerk, met een foto van de boerderij voorop. Het was niet gebruikelijk, maar het paste. Behalve een oude pasfoto uit haar jeugd bestond er geen foto van zijn moeder. Margido had uit een heleboel kant-en-klare motieven kunnen kiezen, had hij verteld – tekeningen van bloemen en dat soort dingen – maar toen hij erachter kwam dat het historisch genootschap op Byneset met het oog op de uitgave van een boek foto's had genomen van alle boerderijen in Spongdal en Rye, had hij een kopie van de foto van Neshov te pakken weten te krijgen.

In de kerk te zitten, helemaal op de voorste bank, en naar de gebouwen van de boerderij te kijken, dat was een grote troost geweest. De boerderij was in zo veel opzichten zijn moeder. En de foto was op een zonnige zomerdag genomen toen de muren glansden en het vingerhoedskruid opschoot in het weelderig groene struikgewas tussen de esdoorns langs de oprijlaan. Prachtig zag het eruit. Gewoonweg prachtig. Niemand zou op het idee komen dat de muren nodig geverfd moesten worden, het licht verfde ze helemaal vanzelf.

Tor wist een paar liturgieën te bemachtigen die over waren, verrassend weinig alles bij elkaar. Het zou fijn zijn ze voor de dag te halen, verdrietig en fijn de strofen van de liederen te lezen die ze hadden gezongen: *Liefelijk is de aarde, prachtig is Gods hemel*, haar naam boven de datum te zien. Het was raar om haar naam te lezen, ze was immers altijd alleen maar 'moeder' voor hem geweest, niet 'Anna'. *Nooit vergeet ik het lied van mijn moeder* ... Fijn dat Margido dat ook had gekozen, stel je voor, ondanks alles. En zo gebruikelijk was dat vast ook niet. Tor herinnerde zich er niet veel van, zelf had hij niet mee kunnen zingen, maar hij zou nooit vergeten hoe het gezang in het kerkschip opsteeg terwijl die prachtige kist in een zee van bloemen was gehuld.

En dat er zo veel mensen waren! Mensen die hij jaren niet had gezien. En daarna had de een na de ander gecondoleerd, de een na de ander had hem de hand geschud. Dat had indruk op hem gemaakt, daardoor begreep hij dat ze er voor elkaar waren als er iets gebeurde, en een dorp vormden, ook al keutelde iedereen in zijn eentje op zijn eigen boerderij rond en was iedereen met zijn eigen dingen bezig. Hij zou zich verdorie van nu af aan zelf ook een beetje op de hoogte houden, wie er doodging van de oudjes, en zijn nette pak aantrekken en naar de kerk gaan. 'Iemand de laatste eer bewijzen' werd dat genoemd, en het kostte je niet meer dan erheen te gaan, er te zitten, mee te zingen en daarna te condoleren. Waarom zou hem dat niet lukken, net zo goed als anderen?

Hij klom op de trekker, startte de motor en begon sneeuw te ruimen. Eerst op het erf en toen op de oprijlaan tot aan de hoofdweg. Hij werkte grondig en langdurig, het moest er netjes uitzien. Hij werd altijd boos als hij 's winters oprijlanen zag die bijna half zo smal waren als in de zomer. Luiheid! En terwijl hij sneeuw ruimde, dacht hij aan de dagen die zouden komen. Voordat zijn moeder ziek werd, leek de gedachte aan Kerst en de dagen tussen Kerst en Oud en Nieuw zo eenvoudig: alles draaide om de varkens, net als anders. En nu had hij heel andere dingen aan zijn hoofd. Maar hij moest zich concentreren en doen wat hij van plan was. De biggen bij Mari en Mira weghalen en die twee weer tochtig maken, ze laten insemineren, weer op schema komen. De eerstvolgende gelegenheid dat hij varkens naar de slachterij kon sturen, was 1 januari, daarna zou hij Sara laten slachten. Hij moest zich concentreren op zijn werk met de varkens en niet op al dat andere, dat kon hij er niet bij hebben. Daarbinnen in de tv-kamer zat de oude man met gebakkruimels op zijn schoot, zijn grote broer. Het had geen zin eraan te denken, het tot zich door te laten dringen. Want dan kwamen die akelige gedachten aan zijn moeder en grootvader Tallak ook en die moesten worden geweerd. Deze dagen na de Kerst, vlak voordat hij in slaap viel, waren de beelden in korte flitsen op hem afgestormd: van zijn moeder toen ze nog jong was, samen met een lachende grootvader Tallak. Terwijl ze met elkaar bezig waren. Erfgenamen voor de boerderij produceerden, omdat de erfzoon daar niet mans genoeg voor was. Dan verdrong Tor die beelden, hij kneep zijn ogen stijf dicht in het donker en eiste dat de slaap ogenblikkelijk zou komen. Hij wilde terug naar het leven van alledag en hij bracht het niet op de oude man in de tv-kamer als iets anders te beschouwen dan hij altijd had gedaan. Hij was zijn vader, in het enige wereldbeeld dat functioneerde. Dat had hij besloten en zo zou het zijn. En Torunn maar denken dat ze erover zouden praten! Stadskind. Wat begreep zij nu van zulke dingen?

Ze had hem op het hart gedrukt wat vaker te douchen en schone kleren aan te trekken. Wat ze zich niet allemaal in het hoofd haalde. Maar ze had geen ongelijk toen ze aannam dat hij nog nooit een wasmachine had aangezet, hij had geen idee waar de verschillende knoppen toe dienden of waar je het waspoeder in moest doen. Over dat soort dingen had zijn moeder zich ontfermd. Ten slotte had Erlend hem laten zien hoe het ding werkte, had hem gewoonweg meegesleurd naar de waskeuken en zelfs achter op een kerstkaart van de Hartstichting getekend hoe de verschillende knoppen moesten staan als hij handdoeken, beddengoed en onderbroeken waste, en hoe ze moesten staan als hij broeken, truien, overhemden en sokken waste. Erlend had ook nadrukkelijk verklaard dat zijn stalgoed apart moest worden gewassen aangezien de geur er nooit helemaal uit ging en in de andere kleren zou trekken. Erlend zanikte altijd over die stallucht, vond hem afgrijselijk hoewel hij van de beesten afkomstig was waar hij goedbeschouwd van leefde. Trouwens, hij kon zich niet herinneren wanneer zijn stalgoed voor het laatst was gewassen. Wat had dat voor zin, het was toch meteen weer vuil. Zolang het goed maar droog en heel was, dat moest genoeg zijn. Zijn moeder had daar ook nooit zo over gezeurd, ze zag het immers nooit, het bleef in de stal hangen. Als hij er maar niet mee in huis kwam, vond zij het allang goed. De enigen die het te zien kregen, waren de varkens, en wat kon het hun schelen of zijn overall smerig was? Maar misschien kon hij eens bij Trøndergraan informeren of hij niet een nieuwe kon krijgen.

Toen zijn moeder ziek was, wist hij zich ook prima te redden, regelde alles in de keuken en bracht haar eten dat hij zelf had klaargemaakt. Tot de dag dat ze naar het ziekenhuis moest en hij genoodzaakt was zijn broers en Torunn te waarschuwen. Oef, nee, dat ze dood moest gaan, terwijl ze altijd zo gezond was. Tachtig jaar, maar nog hartstikke kwiek, en dan krijgt ze een bloeding in haar hersenen. Een heel klein straaltje kon al voldoende zijn, had de dokter gezegd. En toen was het hart raar gaan doen en kreeg ze water in haar longen. Hij voelde dat zijn ogen begonnen te prikken en hij haalde diep en grondig zijn neus op. Het gebrom van de motor overstemde alles, hij had hier kunnen zitten snikken en brullen, zich helemaal kunnen laten gaan, dat wist hij best, maar hij wilde niet. Het was goed. Ze waren weg, nu moest hij zichzelf een schop onder zijn kont geven en terugkeren tot het leven van alledag, doen wat hij moest doen. En die twintigduizend extra zouden goed van pas komen. Hij kon het nauwelijks geloven: twintig briefjes van duizend, vers van de pers en contant van de Fokus-bank in Heimdal. Dat was aardig van Erlend en die Deen. Die Deen leek trouwens het meest te verdienen, goed dat hij hem had gevraagd nog eens terug te komen toen ze weggingen. Erlend deed natuurlijk wat hij wilde, dat had hij altijd al gedaan, maar dat Tor het zelf tegen die Deen had gezegd, hem een hand had gegeven en dat had gezegd. Dan moest hij maar niet aan dat andere denken, aan wat ze vast allemaal uitspookten, het was hem nu al een paar dagen gelukt daar niet aan te denken.

Margido moest met ze hebben gepraat, want hij had nooit meer gezien dat een van hen een hand op het bovenbeen van de ander had gelegd. Maar als ze 's avonds naar bed gingen ... Elke avond had hij daar even aan moeten denken en zich de gekste dingen in zijn hoofd gehaald. Na verloop van tijd was hij echter tot de conclusie gekomen dat ze waarschijnlijk sliepen, zulke mannen hadden hun slaap toch net zo goed nodig als andere mensen. En die Deen kookte goed. Was er zelf ook niet vies van, dik en rond als hij was. Hij zei dat ze in Denemarken niet aten om te leven, maar leefden om te eten. In dat geval was hij daar een goed voorbeeld van.

Twaalf jaar waren die Deen en Erlend al bij elkaar, hadden ze samengewoond. Raar idee: twee mannen die als man en vrouw tafel en bed deelden. Merkwaardig en onbegrijpelijk, maar Torunn had waarschijnlijk gelijk met wat ze gister in de stal tegen hem zei, dat Erlend absoluut iemand nodig had die hem een beetje in het gareel hield.

Toen het werk was gedaan en hij van de trekker klom, lag de Korsfjord er winterzwart bij, maar langs de oever joeg de sneeuw over de golven. Het sneeuwde wel niet langer, maar het waaide. Ze zouden een turbulente vlucht hebben, dacht hij. Hij zou het weerbericht aanzetten om te horen hoe het weer in Oslo was. Stovner zouden ze wel niet apart vermelden, alleen de luchthaven Gardermoen. Hij had een reportage over Stovner op tv gezien, een paar Pakistaanse jeugdbendes die elkaar vanuit rijdende auto's beschoten. En flats, monsterachtige huizen, met hele dennenbomen in bloembakken die net in stukken gehakte betonnen buizen leken.

Torunn. Zijn dochter in overall te midden van de varkens met emmers voer in haar handen die ze leeggooide voor die hongerige snuiten, ijverig en met een blij gezicht. Hij legde zijn handen op de neus van de trekker en liet de restwarmte van de motor door zijn huid in zijn handpalmen stromen. Torunn Breiseth. Niet Neshov. Omdat haar moeder die keer niet mocht blijven om de zijne te worden. Hij moest bijna overgeven als hij daaraan dacht: al die jaren vol mogelijkheden die verloren waren. Hij keek op naar de stalmuur. Hier stond hij, hier hoorde hij thuis. Torunn was vertrokken. Waar zij woonde, beschoten Pakistaanse jongeren elkaar en plotseling schoot hem te binnen wat ze had verteld, over een puppy die ze in een zak hadden gebonden en waar ze mee hadden gevoetbald. Het was een pitbull, maar toch. Een dier. Tussen zoiets en dertigduizend kronen uitgeven voor nieuwe heupen voor een hond lag een wereld van verschil. Maar ze had het er naar haar zin. Een beetje ver van het centrum, zei ze, maar dicht bij haar werk en bij de bossen, waar ze lange wandelingen maakte met de honden die ze trainde.

Gedragstherapeut. Je zou denken dat het om mensen ging. Maar al die jaren dat hij telefonisch contact met haar had gehad, had hij nooit iets negatiefs gezegd over waar zij haar geld mee verdiende, alleen grapjes gemaakt over die overgevoelige dierenbezitters en over dierenartsen die niet vaker voorstelden een beest een spuitje te geven als het toch zinloos was het in leven te houden. Zij was immers geen dierenarts, maar ze was mede-eigenaar van de dierenkliniek omdat ze honden die niet functioneerden, in het gareel bracht.

Daar had hij nooit iets van gezegd. Zelf zou hij korte metten maken met zo'n beest. Een mormel van een hond die niet deed wat hem bevolen werd, hup, mee achter de stal waar hij kennis kon maken met de achterkant van de bijl op zijn harses.

Ze zou al gauw weer met die rothonden in de weer zijn, terwijl ze zo ongelooflijk flink was met zijn varkens. Ze had beter als invaller kunnen werken, ja, dat zou ze best kunnen. Goede invallers waren dun gezaaid. En zij had er een handje van met de beesten, ze had oog voor ze, net als hijzelf. Zag hun waardigheid en hoe verschillend de zeugen waren. Ze begreep hun behoeftes en besefte hoe de dieren waren overgeleverd aan de mensen die de verantwoordelijkheid voor hen hadden en van hen leefden. Nou ja, leefden en leefden ... Je kon het beter 'overleven' noemen.

Hij ging naar binnen en hing zijn jack weg, stampte de sneeuw van zijn klompen. Ze moesten wat warms eten voordat hij naar de stal ging. In de kamer had zijn vader de televisie aangezet en hij zat naar een oude herhaling te kijken over de fauna op de Hardangervidda. Tor deed de koelkast open en wierp een onderzoekende blik op de stampvolle platen. Lieve help, was zijn eerste gedachte, het zou hun nooit lukken dat allemaal op te eten voor de houdbaarheidsdatum was verstreken. Maar toen hij beter keek, ontdekte hij dat er een heleboel in blik bij was dat eigenlijk niet koel hoefde te staan. Hij herinnerde zich Torunn verteld te hebben dat hij altijd naar de koelkast ging en nooit naar de voorraadkast als hij iets te eten zocht. Dat was ze dus niet vergeten. Hij haalde er een blik erwtensoep met vlees en spek uit, wist het open te krijgen en deed de inhoud in een pan. Vers brood uit de winkel erbij. En in de broodtrommel lag een zelfgebakken brood uit de vriezer te ontdooien, ook daar had ze nog aan gedacht voordat ze wegging. Dat uit de winkel was niets dan lucht, het grove zelfgebakken brood van zijn moeder, dat was tenminste echte kost. Hoeveel zouden er trouwens nog in de vrieskist zitten? Vijf of zes misschien, daar moesten ze maar zuinig mee zijn. Al wat men spaart uit zijn mond is voor de kat of voor de hond, zei Erlend. Af en toe kraamde hij echt onzin uit.

'Ik ga eten maken', zei hij door de deuropening.

Zijn vader keek op. Nu waren ze alleen nog met zijn tweeën. Tor keek hem even vluchtig aan. Daar zat zijn broer ... Nee, het had geen zin daaraan te denken. Hij roerde heftig in de pan, er spatten een paar erwten op het aanrecht.

'Voor ons allebei', zei Tor.

Tegen de tijd dat de pannen en de borden op de formica tafel stonden en nadat Tor eerst het rode kerstkleed dat erop lag, had weggehaald, netjes had opgevouwen en voorgoed had opgeborgen, was het zo donker dat er geen vogels meer op de plank waren. Toch keken ze allebei door het raam naar buiten tijdens het eten, naar de stal en naar de boom op het erf, met tussendoor een snelle blik op hun bord en hun lepel.

'Lekker', zei zijn vader.

'Wil je een papieren servet?'

'Nee', zei zijn vader en in plaats daarvan haalde hij omslachtig een zakdoek uit zijn broekzak en veegde ermee over zijn kin en zijn mond. Daarna snoot hij zijn neus, nu hij het ding eenmaal tevoorschijn had gehaald.

In de vensterbank stond een doos met papieren kerstservetten, drie stapels dicht op elkaar gepakt in verschillende kleuren: rood, groen en wit in het midden. Doordeweekse servetten, noemde Erlend die. Voordat zijn moeder ziek werd en ze allemaal kwamen, hadden ze een paar laagjes wc-papier gebruikt als het nodig was, dat ging toch net zo goed als je het niet zo nauw nam. Nu lagen er dikke kerstservetten stof te vergaren in het dressoir in de afgesloten kamer met de open haard, stond er een doos doordeweekse servetten op de vensterbank, een rol keukenpapier op het aanrecht en hing er wc-papier op de wc.

'Met die daar moeten we maar zuinig zijn', zei Tor en hij knikte naar de servetten. 'Er worden geen nieuwe gekocht. Niks dan rommel, overal papier. Stadsvolk.'

'Ja', zei zijn vader.

Tor hoorde de opluchting in dat ene woord doorklinken. Ze waren het met elkaar eens. Er zou over papieren servetten worden gepraat en verder nergens over.

Ze belde net voordat Tor naar de stal zou gaan. Hij redde het niet naar zijn kantoortje te hollen, moest in de keuken opnemen, terwijl zijn vader in de kamer zat en hem kon horen

Ze was net thuisgekomen, zei ze.

Thúís.

'Aha. En wij hebben lekker gegeten. Hartelijk bedankt, Torunn. Dat was toch veel te veel.'

Daar moest hij niet aan denken, ze wilde dat ze goed aten. Waarschijnlijk hoorde ze zelf de onderliggende kritiek niet die uit haar woorden sprak, alsof ze niet goed hadden gegeten voordat zij en Erlend en die Deen de keuken binnenvielen.

'En de vlucht?' vroeg hij en hij kuchte uitgebreid.

Ze hadden heel wat turbulentie gehad, ja, en op de plaats vlak achter haar had een vrouw overgegeven. Het stonk als de hel, zei ze lachend.

'Vertrok het vliegtuig van Erlend en die Deen tegelijk met dat van jou?'

Nee, het vliegtuig naar Kopenhagen ging een half uur later dan het hare, maar alle vluchten waren op tijd.

'Dan moest je nu maar een beetje uitrusten.'

Ja, dat zou ze die avond doen, maar morgen en Oudejaarsdag moest ze aan het werk, er zou wel heel wat zijn blijven liggen en bovendien zouden ze midden januari een nieuwe hondentraining organiseren. Op de bank gaan liggen en vakantie houden zat er niet in. Haar stem klonk blij. Er klonken nog andere geluiden op de achtergrond, rinkelende glazen, gestommel.

'Heb je bezoek?'

Ja, een vriendin, Margrete, die tegenover haar woonde. Ze was net binnengekomen met koffie, gebak en cognac, nog voordat zij haar jas had uitgetrokken, zei ze en ze lachte weer.

'Fijn dat je niet alleen bent. Ik moet naar de stal. Zit eraan te denken vanavond de biggen bij Mari en Mira weg te halen.'

Ze zei dat ze daar graag bij was geweest, maar dat ze Margrete zou vertellen wat een spektakel dat was.

Ze spraken af dat ze zouden bellen, maar niet wanneer, ze wenste hem succes met de verhuizing van de varkens, ze legden neer.

Toen Tor zijn overall en laarzen aanhad, haalde hij de overall die Torunn had gedragen, van de spijker. Hij drukte zijn gezicht erin en snoof er lang aan, daarna hing hij hem terug en ging de stal in, naar de warmte en de geluiden van de dieren. Met zijn armen slap langs zijn lichaam bleef hij achter de dichte deur staan, leunde ertegen. De varkens draaiden hun kop naar hem toe, vol verwachting, knorrend en snuivend en wachtend. Hierbinnen was alles hetzelfde. Daarbuiten was alles anders. En opeens voelde hij hoe moe hij was. Moe van te weinig slaap, moe van het denken. Plotseling besefte hij dat hij vanavond nooit van zijn leven tot een verhuizing van de varkens in staat zou zijn. Het was altijd een hels spektakel als de zeugen uit hun werphokken bij elkaar werden gebracht. Ten eerste waren ze gestrest omdat hun biggen waren weggehaald, en ten tweede moest de rangorde onderling opnieuw worden vastgelegd. Ze vielen elkaar aan en knokten soms met een razernij die je de adem benam. Daarom bracht hij de zeugen altijd tegen de avond bij elkaar, als ze sowieso al moe waren. Dan deed hij het licht uit en hoopte er maar het beste van, terwijl hij buiten voor de deur stond te luisteren en later de hele nacht onrustig sliep. Ze hadden bijna altijd wel een kleine wond hier of daar, maar als het grote japen waren moest hij Røstad roepen. Nee, het moest maar tot morgen wachten, er was niets aan te doen, vandaag bracht hij het niet meer op. Misschien had hij iets onder de leden, dat zou me een mooie boel zijn, moederziel alleen als hij was met de stal.

Hij haalde een lege voerzak en stapte over de afzetting het hok van Siri binnen. Ze had vlak voor Kerst een van haar biggetjes doodgelegen, dat had ze nog nooit eerder gedaan en het lukte hem niet helemaal het haar te vergeven. Toch haalde hij een kapje van het brood uit de winkel uit zijn zak en gaf het haar. Ze kauwde en smakte van genoegen, alsof het de meest exquise ganzenlever ter wereld was, haar brede schedel trilde ervan. Krachteloos liet hij zich voor haar op de voerzak zakken. De bijna twee weken oude biggetjes sliepen in een rozig glanzende hoop onder de rode warmtelamp in de biggenkist in de hoek. Hij zag aan Siri's spenen dat ze net gedronken hadden, zelf was ze ook moe en ze lag op de grond. Siri zeurde zelden om voer voor ze het vlak voor haar neus had. Dan at ze als een gek, maar ze gilde het nooit uit en werd niet hysterisch zoals de andere zeugen, die allemaal dachten dat ze dan als eerste te eten kregen.

Hij hoorde in de hokken om zich heen dat ze het niet eens waren met het tempo vandaag, er klonk teleurstelling in het geknor en gesnuif door omdat hij zo doelloos op de grond was gaan zitten.

'Nu zijn we weer onder ons, Siri. Alleen wij. Nu zijn we weer onder ons.'

Ze snuffelde aan zijn zak, hapte erin met die kolossale kop waar stro aan kleefde en waar vliegen landden en opvlogen alsof ze er woonden.

'Leeg.'

Hij leunde met zijn achterhoofd tegen de stalen buizen en deed zijn ogen dicht, zou graag een volgegeten biggetje zijn, even maar. Lekker warm tussen zijn broertjes en zusjes ingeklemd liggen slapen. Niets weten, niets moeten. Voor hij er erg in had, zat hij te huilen. Nu had het geen zin meer zijn tranen in te houden, ze konden stromen zo veel ze wilden, de deur van de stal zat goed dicht.

De vliegtuigen op de luchthaven Kastrup leken net flikkerende wezens die ter aarde daalden en direct daarna weer opstegen. Aangezien het ene vliegtuig nauwelijks was geland of het andere ging de lucht weer in, zou je denken dat het hetzelfde was. *Touch and go*. Erlend stond blootsvoets op het dakterras hoog boven de Gråbrødretorv en genoot van de aanblik die de skyline van Kopenhagen hem richting Amager en Kastrup bood. Het was Oudejaarsdag en hij was net klaar met het voorbereiden van al het eten; nu stond alleen de lichamelijke hygiëne nog op het programma voordat de gasten kwamen. Hij had ze gewaarschuwd dat er 'iets eenvoudigs' zou worden geserveerd aangezien hij en Krumme net terug waren uit Noorwegen. Toen ze vanmorgen vroeg waren opgestaan, veronderstelde Krumme dan ook dat ze alleen wat zoutjes, fruit en kaas zouden kopen. Maar dat had hij gedacht!

Erlend was namelijk vannacht wakker geworden en had besloten dat ze het groots gingen aanpakken. Ik ben immers de verloren zoon, dacht hij, teruggekeerd in de schoot van Kopenhagen. En aangezien niemand anders tijd had het mestkalf te slachten, moest hij het verdorie zelf maar doen. Hij registreerde vaag dat er een tegenstrijdigheid in deze overweging besloten lag, maar dat liet hij verder niet tot zich doordringen. Alleen, kalfsbiefstuk, ach nee, dat was zo saai. Net zo saai als kaas en zoutjes. Hij zou hapjes maken! In alle mogelijke variaties! Ze hadden gerookte schapenbout uit Noorwegen meegebracht en terwijl hij daar in het donker lag, begon hij zich dadelijk voor te stellen wat voor hapjes je daarvan kon maken. Om schijfjes mango gewikkeld? Midden in een ring van rode ui? Nee … zongedroogde tomaten in olijfolie, een groot stuk met een dubbelgevouwen plakje schapenbout!

Hij was stilletjes opgestaan en had gecontroleerd of de nieuwjaarsla goed gesorteerd was.

Dat was hij. Voor die nieuwjaarsla onder in het dressoir in een van de woonkamers kocht hij het hele jaar door spullen, elke keer als hij iets gaafs ontdekte. Daar lagen de traditionele papieren hoedjes, behalve dat ze in Caïro waren gekocht en er belletjes lang de rand waren bevestigd, twintig stuks, in verschillende kleuren. Daar lagen de vuurpijlen voor op tafel die, als je aan een touwtje trok, fonkelende goudkorreltjes rondstrooiden; die lieten zich gemakkelijker opzuigen dan papieren confetti. Daar lagen de sterretjes, lange en korte, en het diadeem. Hij drukte op het knopje en controleerde de batterij. Verdraaid, die deed het nog. Langs de gebogen rand flikkerden groene, gele en rode lichtpuntjes in een hectisch ritme op. Dat diadeem zette hij altijd onverwachts op het hoofd van de persoon die hij had uitverkoren om die avond de feestelijke speech te houden. Geïmproviseerde speeches waren altijd de beste en het diadeem stond mannen en vrouwen even goed, vond hij, ook al had het weleens tot mannelijke protesten geleid.

De rest van het jaar moesten zijn feestelijk gedekte tafels stijl hebben en origineel zijn, maar op oudejaarsavond was hij een overtuigd aanhanger van kitsch. Dan moest het bont zijn en contrastrijk en *too much*, kortom: feest! De slingers met de hologramdecoratie lagen er keurig opgerold bij, die zouden aan het plafond worden gehangen, op veilige afstand van de kaarsen, ze glinsterden als kristal als je door de kamer liep.

Maar waar hij eigenlijk naar keek, was of er prikkers in de la zaten. Kleine prikkers om in de hapjes te steken. Dan hadden ze alleen borden, servetten en glazen nodig en konden de mensen gewoon rondlopen van de ene kamer naar de andere en naar het dakterras, of staan en zitten waar ze wilden.

Vorig jaar had Krumme op oudejaarsavond kalkoen geserveerd. Drie in totaal: één volgens een Aziatisch recept, net zoiets als pekingeend, één met kerrie en knoflook en gevuld met kruiden en venkel, en één traditioneel, met een Engelse *stuffing* en bedekt met bacon. Ze hadden een *sitdown dinner* voor achttien personen gehad en zoiets moest natuurlijk weken van tevoren worden gepland. Het was wel een grote overgang van kalkoen in drievoud naar een kaasplank en zoutjes, had hij gedacht. Veel te groot, je had toch een naam op te houden. Hapjes waren decoratief en superfeestelijk, met prikkers met glinsterende kwastjes aan de uiteinden. En daar lagen ze, het ene zakje na het andere. Jeetje, daar had je ook de prikkers die hij vorige zomer in een winkeltje met geschenkartikelen op Halmtorvet had ontdekt. Die was hij helemaal vergeten! Op het eerste gezicht weliswaar eenvoudig, van doorzichtig plastic, maar met een kleine plastic edelsteen in het uiteinde gegoten. Het leken net piepkleine scepters; hoeveel waren het er? Hij telde ze. Drie zakjes met elk veertig stuks.

Eigenlijk zou hij het liefst meteen beginnen, maar hij dwong zichzelf naar bed te gaan om de volgende dag fit te zijn. Krumme lag op zijn rug met zijn mond halfopen te slapen, zijn oogleden trilden in het plotselinge licht. Erlend deed het snel uit, kroop dicht tegen hem aan en pakte onder het dekbed zijn hand. Zelfs diep in slaap reageerde Krumme door in de zijne te knijpen, zalig onwetend van het helse shoppinggebeuren dat hem de volgende ochtend te wachten stond.

Een kaasplank. Kom nou toch!

Bij het ontbijt begon hij een boodschappenlijstje te maken. Hapjes waren meer versiering dan eten, daarom had hij de regie. Krumme was de man voor grote dingen. Krumme was de kok in hoogsteigen persoon. Maar voor hapjes was er geen kok nodig, daar kwam de vormgever en organisator aan te pas.

'En waar is de kaasplank gebleven?' vroeg Krumme gapend.

'Veel te saai, dat snap je toch zeker wel!'

'Maar het duurt uren om hapjes klaar te maken, poepie. Kunnen we het niet bij kaas laten ...'

Ze zaten met grote bekers verse Jamaicakoffie aan de keukentafel, allebei in een zijden ochtendjas en met wollige sloffen aan.

'Wees nu eerlijk, Krumme. Een simpele kaasplank, dat past toch niet bij ons!'

'Hij hoeft niet simpel te zijn. En we zijn allebei moe. Bovendien moet ik nog even naar kantoor.'

'Relax en doe niet zo zwaar op de hand. De delicatessenwinkel gaat om negen uur open. Jij komt mee en helpt boodschappen doen, dan neem ik met alle boodschappen een taxi naar huis en ga jij een paar uur naar je werk. Op weg naar huis koop jij de drank, vandaag wordt er uitsluitend champagne geschonken, van begin tot eind, koop zo'n zeven of acht kratten. Bollinger, natuurlijk. En check of die kratten uit de koeling komen, het lukt ons nooit van zijn leven ze op tijd gekoeld te krijgen. En misschien wat cognac, hoeveel hebben we nog?'

Krumme kwam traag overeind en liep naar de kamer om de bar te controleren.

'Vijf flessen', riep hij.

'Dan hebben we er nog een paar nodig. Maar lieve help, dan moeten we ook nog wat zoetigheid hebben! Voor bij de koffie en de cognac! Wat zullen we doen? Wat vind je van designerchocola? Je kunt toch ...'

'Slagroomtaart en ijs', zei Krumme en hij ging weer zitten. 'Ik heb geen zin de halve stad te doorkruisen alleen om chocola te kopen waar iemand van heeft gesnoept opdat geen twee stukjes er hetzelfde uitzien.'

'Ze dragen steriele handschoenen, Krumme, doe niet zo belachelijk.'

'Ze snoepen er tussendoor heus wel van en likken de chocola van hun behandschoende vingertoppen.'

Erlend lachte: 'Wat een misselijke gedachten heb jij! Denk je nu echt dat je in staat bent ook maar één stukje in je mond te stoppen als je de hele dag met chocola bezig bent? Dat geloof ik niet.'

'Een kaasplank zou vandaag het summum zijn. Wat Samsø, een beetje Danbo ...'

'Jij met je Danbo. Die kaas stinkt net zo erg als mijn sokken toen ik een teenager was.'

'Zou lekker zijn geweest.'

'Maar, Krumme. We krijgen toch een kaasplank. Plus al dat andere!'

Krumme slaakte een zucht: 'Ik ben moe, het was een zware reis. Heftig. Maar ik ben blij dat ik ben gegaan. Nu weet ik wie je bent, waar je vandaan komt.'

Ze keken elkaar aan. Erlend knikte, nu wist Krumme wie hij was. Dacht hij. Maar dat je plotseling gedwongen was in je eigen Noorse wortels rond te wroeten en de jongste zoon op de boerderij te spelen, betekende absoluut niet dat je het heerlijke leventje in de grote stad niet dadelijk weer omhelsde. Daarom verlangde hij naar glans en glamour die avond. Niks alleen stinkende kaas. Maar een paar compromissen moest hij waarschijnlijk sluiten.

'Oké, dan droppen we de designerchocola. Slagroomtaart en Häagen-Dazs-ijs is helemaal geen slecht idee, Krumme. We kunnen die met karamel en pecannoten nemen. Ik zet het op de lijst. Is het niet grappig? De ene avond vier je Kerstavond en de avond daarna vier je Oud en Nieuw!'

De avond ervoor hadden ze hun eigen privé-Kerstavond gevierd. Een vijfgangenmenu gegeten in 'Dediefdekokzijnvrouwenhaarminnaar' en daarna thuis pakjes opengemaakt, cognac gedronken en Brahms gedraaid, terwijl ze genoten van de aanblik van de kerstboom op het terras, die er toen ze uit Noorwegen terugkwamen, nog precies zo bij stond: met lichtjes, ballen met kunstsneeuw en de Georg Jensen-ster in de top. Terwijl ze weg waren, was er echte sneeuw gevallen en weer gesmolten, dus noch de boom, noch de versiering zag er bij daglicht eigenlijk echt fraai uit, maar als het donker werd was de illusie dezelfde. Krumme had hem het kristallen schaakbord van Swarovski cadeau gedaan dat hij zo dolgraag had willen hebben, en Erlend vereerde hem met een Matrix-jas van zwart leer, die hij bij een speciale kleermaker voor een vermogen had laten vermaken zodat hij om Krummes kogelronde lijf zou passen. Hij had Krumme nog nooit zo blij gezien en de jas was later grondig ingewijd toen ze tussen hun eigen geluiddichte vier wanden eindelijk weer luid en jubelend hadden kunnen vrijen.

'Doe je vandaag je jas aan? Naar je werk?'

'Natuurlijk!' zei Krumme glimlachend en hij strekte over tafel zijn hand naar hem uit. 'Ik hou van je, jij gekke, lieve boerenzoon ...'

'Ja, ja. Maar nu is het afgelopen met tuinbroeken en strootjes in de mond, hoor je. Eindelijk kan ik mijn ogen weer opmaken zonder dat iemand een hysterische aanval krijgt.'

'Jij praat overal overheen. Maar over een tijdje moeten we het eens uitgebreid over dingen hebben. Vanwege Torunn. Ze mag niet overal alleen voor staan. Ze voelt zich verantwoordelijk.'

'Ze is toch in Oslo! Bijna net zo ver weg als wij!' zei Erlend en hij trok zijn hand naar zich toe.

'Maar ze voelt zich verantwoordelijk, dat hebben we gezien. En dat heeft ze ook zelf gezegd. Heb je haar gister nog gebeld? Ze zou het er met Margido over hebben dat de oude man naar het bejaardentehuis wilde.'

'Ooooo! We zitten hier nu een feestje te plannen! Al dat andere kunnen we morgen bespreken. Ik weet zeker dat Torunn al die verantwoording, waar jij zo over zeurt, van zich afschudt zodra ze thuiskomt in haar flatje en weer naar haar werk gaat. Trouwens, ik heb toch ook verantwoording genomen? Heb ik dat niet gedaan, dan?'

'Ja, dat heb je, Erlend. Ik ben trots op je, ontzettend trots. Het is niet gemakkelijk zo veel verborgen te houden.'

'Nou ja, "verborgen houden". Gelogen heb ik nooit eigenlijk, ik moest er alleen niet aan denken.'

'En nu ben je weer opgehouden eraan te denken?'

'Nee, dat klopt niet, jij muggenzifter! Alleen ... Ik ben immers ook mezelf. Hier! En Torunn komt op bezoek, bij oom Erlend en oom Krumme. Ik heb een springlevend nichtje gekregen, stel je voor.'

'Ik maak me meer zorgen over die twee op de boerderij. En dat doet Torunn ook.'

'Ja, ja, ja. We zullen het erover hebben. Maar niet vandaag! Ik moet urenlang hapjes creëren en het huis versieren, ik wil in een creatieve stemming zijn ...'

Hij nam een beetje een dreinend toontje aan dat zijn uitwerking op Krumme nooit miste. Krumme slaakte nog een zucht en leunde achterover op de keukenstoel.

'Nu kleden we ons aan en gaan we boodschappen doen, goed?' zei Erlend.

'Goed, dat doen we', zei Krumme en hij gaf een klap op zijn dikke bovenbenen en glimlachte, misschien een tikje geforceerd, maar hij glimlachte in elk geval. Bovendien kon hij nu snel zijn nieuwe Matrix-jas aantrekken, dat was toch ook wat waard. 'Ik hoop alleen dat mijn Dinerscard geen vlam vat door de wrijvingsweerstand.'

'Ik neem een brandblusapparaat mee', zei Erlend.

Toen de keuken tot de rand toe was gevuld met boodschappen en hij alleen thuis was achtergebleven, zette hij een cd op van Marlene Dietrich en haalde alle schalen en snijplanken tevoorschijn die ze bezaten. In een van de twee logeerkamers stopte hij de dekbedden en kussens in de kast en klapte de theetafel uit die daar stond. Hij had heel wat ruimte nodig voor de schalen, maar een tafel en een tweepersoonsmatras moesten genoeg zijn; hij kon er niet tegen eten op de grond te zetten, ook al boende de hulp het parket tot het glansde. Hij zette het raam open en hopla: een perfecte koelruimte. Als de gasten kwamen, zou het raam dicht zijn en stonden alle schalen met hapjes in de kamers, en dan konden ze hier hun jassen neerleggen. De andere logeerkamer deed dienst als kantoor en was de enige kamer in het huis waar het altijd een rommeltje was, dus die liet je je gasten niet zien.

Hij verdeelde alle schalen over het aanrecht en toen haalde hij eerst een fles Bollinger uit de koelkast bestemd voor directe consumptie. Hij bleef met de deur in zijn hand staan terwijl hij de inhoud bekeek. O, ja, als iemand in de loop van de avond iets anders wilde drinken dan champagne, hadden ze zowel gin en wodka als tonic en Russchian achter de hand.

Hij maakte de fles champagne voorzichtig open zodat er geen druppel verloren ging, schonk een glas vol en dronk gulzig. Daarna liet hij zijn blik in volle concentratie over het ingekochte eten glijden. Eerst haalde hij gekleurd aluminiumfolie, rood en geel, waar hij de schalen mee inpakte. Dat was een heel gedoe, hij moest het aan de onderkant met plakband vastplakken en dat zag er niet zo mooi uit, maar goed, het ging om de bovenkant. Zeven gele en acht rode. Heel simpel, maar wel effectief. Presentatie en display, dat was de sleutel tot het oog, en tot de maag, tot genot! O, het zou heerlijk zijn weer aan het werk te gaan, de Kerst uit alle etalages verwijderen, een nieuwe richting inslaan, gewaagder en meer to the point dan alle concurrerende etaleurs. Op Neshov had hij warempel een idee gekregen voor een etalage die hij voor Benetton kon gebruiken. Hij wilde een tafereel van een boerderij nabouwen, met strobalen, grove planken, troggen, touwen en balken. De pure aardkleuren zouden een perfecte setting vormen voor kleurrijke kinderkleren, hij zou zelfs dieren in de etalage kunnen zetten. De inwoners van Kopenhagen zouden geen spier vertrekken bij het zien van opgezette schapen en geiten of een paardenkop die uit zijn box stak. Zodra hij op 2 januari op zijn werk kwam, zou hij contact opnemen met een preparateur.

Hij begon met de gerookte schapenbout en de zongedroogde tomaatjes, bevestigde met houten prikkers met groene kwastjes tomaat op het vlees, vulde een geelgekleurde schaal met deze delicatesse en bracht hem naar de logeerkamer. De schaal leek net een glinsterende egel. Hij kookte eieren, liet ze afkoelen, deelde ze in twee helften met een vochtig mes, zodat de dooier niet zou blijven kleven, en bedekte elk half ei met kaviaar uit de Noordelijke IJszee, aioli en een takje verse dille. Hij sneed verse mozzarella in plakjes en stak er prikkers in met een schijfje verse tomaat en een blaadje basilicum erbovenop, druppelde olijfolie over de schaal en ging er een keer met de pepermolen overheen. Hij legde piepkleine kant-en-klare zanddeegbodempjes op een schotel, besmeerde ze met een penseel met gesmolten boter en vulde ze met rode beloegakaviaar, druppelde er wat citroen over en deed er een minuscuul klontje crème fraîche op. Hij sneed chorizo in dikke plakjes en stak er prikkertjes in met een stukje prei en een grote koningskapper aan een steeltje. Hij goot de cocktailkersen en de zwarte olijven in een vergiet om ze uit te laten lekken, sneed milde kaas in grote en pittige, Zwitserse kaas in kleine blokjes en maakte kleurrijke kaasstokjes. Daar vulde hij twee schotels mee, in geel en zwart en rood, en hij moest een heel glas champagne drinken terwijl hij intens van de aanblik genoot, voordat hij ze naar de logeerkamer bracht. Hij maakte een tonijnsalade van tonijn, grove mosterd, gehakte zure augurken en remouladesaus en die werd hartstikke lekker en was toch zo simpel dat *zelfs moeder*, dacht hij, maar die gedachte zette hij net zo snel weer van zich af. Nu was hij hier, in een creatieve champagneroes, dan mocht niets hem storen, niet eens de telefoon, die op geluidloos stond, overgeleverd aan het antwoordapparaat.

Marlene zong gutturaal erotisch vanuit de B&O-luidsprekers aan de keukenmuur, terwijl hij hoge, pasgebakken miniatuurtaartjes van bladerdeeg uit de bakkerij op de hoek vulde met de tonijnsalade, een kloddertje mosterd en de rest van de in reepjes gesneden zongedroogde tomaten met wat geraspte citroenschil erbovenop. De rest van de tonijnsalade klemde hij tussen ronde melbatoastjes. Wat was er verder nog te doen?

Opgewonden liet hij zijn blik over de ingrediënten dwalen. De asperges! God, die was hij helemaal vergeten. Snel maakte hij ze schoon en zette ze op in de hoge aspergepan met het metalen mandje, dat je er later alleen maar uit hoefde te tillen. Terwijl ze kookten, verdeelde hij de parmaham voorzichtig in verschillende hoopjes, hakte het knoflook en de peterselie fijn en mengde een beetje olie, wat zeezout en eigeel door elkaar. Toen de asperges gaar waren en afgeschrikt in ijskoud water met ijsklontjes, liet hij ze eerst afdruipen, daarna wikkelde hij ze met een beetje knoflookpasta in de parmaham.

Nu had hij nog een paar schalen met hapjes van pure veldvruchten nodig. Een ervan werd gevuld met verse bloemkool, venkel, olijven en een aardbei aan het uiteinde van de prikker en een andere met mango, bloedsinaasappel, rode ui en selderie. Beide schalen besprenkelde hij met balsamico, zoals Krumme hem dat had laten zien. Krumme geloofde namelijk heilig in het idee dat balsamico nooit over het eten mocht worden gedruppeld, maar alleen gesprenkeld, dat had hij in een kookprogramma op televisie gezien.

Opeens ontdekte hij Krummes zak met kaas. Die was hij vergeten! Dat zou me wat moois zijn, terwijl dat blijkbaar het enige was waar die gozer trek in had. Hij versierde de schaal rond de kaas met de rest van de hapjes: cocktailkersen, selderie en olijven. De blaadjes van de selderie stak hij onder een van de kazen en hij dekte de schotel af met cellofaan om te verhinderen dat hij de rest van het eten zou verpesten. Toen bracht hij hem weg.

In plaats van Marlene zette hij Neil Diamonds *Best Of* op en hij begon de kamers te versieren: hing slingers op, vulde de kandelaars met gele en zilveren kaarsen en dekte de tafels met gele chiffon. Daar zat hier en daar wel een vlek op, maar die zouden door de schotels worden bedekt. Aan het uiteinde van een van de tafels zette hij een paar grote, vierkante metalen kratten onder het tafellaken – die kratten had hij gejat na een decoratieopdracht bij Pamfilius – en op die manier werd dat in soepele plooien tot verschillende plateaus gevormd, waarop hij de glazen en de champagnekoelers zou zetten. Hij moest eraan denken de container in de koelkast met water te vullen, zodat de ijsblokjesmachine niet leeg raakte. Hij zette stapels borden neer en spreidde de servetten waaiervormig uit, diezelfde dag nog gekocht, met echte glitter die vast in het eten zou dwarrelen, maar op een avond als deze moest je zoiets over het hoofd zien. Aan het uiteinde van de andere tafel zette hij de slagroomtaart neer. Die was een beetje saai versierd en hij pimpte hem wat op met een rokje van gekreukelde rode aluminiumfolie waar hij zilveren sterretjes over strooide die hij in de nieuwjaarsla had gevonden. De rest van de sterretjes strooide hij over de tafellakens uit. De koffiekopjes, cognacglazen en taartschoteltjes moesten naast de slagroomtaart staan. En de kom met Chinese gelukskoekjes. Zo!

'Proost!' Hij hief zijn glas en dronk het leeg, schonk het laatste restje uit de fles in en liep het terras op.

En de flikkerende vliegtuigen landden en stegen op zonder onderbreking, terwijl hij genoot van de koelte van de marmeren tegels onder zijn voetzolen. Achter hem stond de boom en daar in het noorden, ergens ver weg in het donker, was Noorwegen. Als hij vanavond belde zou Krumme tevreden zijn en niet meer zeuren. En als hij belde voordat hij in bad ging en zich in zeep en crèmes en mentale voorbereidingen op het feest verdiepte, zou hij dat laatste met een veel lichter gemoed kunnen doen. Maar in welke volgorde?

Hij besloot volgens hetzelfde principe te bellen als hij had gegeten toen hij nog klein was: hij at de dingen op zijn bord altijd een voor een op en bewaarde het lekkerste voor het laatst. Met het risico nog een schep te krijgen van wat hij het minst lekker vond, koolraap bijvoorbeeld, omdat zijn moeder dacht dat hij daar zo van hield aangezien hij zich daar het eerst op stortte.

Hij voelde zijn hart akelig bonzen toen hij het nummer draaide. Maar dat offer bracht hij voor Krumme en Torunn.

'Erlend hier! We krijgen wat gasten vanavond, dus ik dacht dat ik nu maar even moest bellen!'

Tor vroeg zich af waarom.

'Waarom ...? Het is toch oudejaarsavond! Ik bel om te vertellen dat we goed zijn thuisgekomen en om jullie een gelukkig Nieuwjaar te wensen!'

Dat had hij toch nooit eerder gedaan. En dat was toch niet iets om te vieren.

'Maar …'

Bovendien moest hij naar de stal en had hij het een beetje druk. Hij verwachtte de dierenarts, een van de zeugen moest worden gehecht.

'Is ze gewond?'

Ja, ze hadden gevochten.

'Ik wist niet dat ze met elkaar vochten', zei Erlend en hij wreef zijn koude voeten tegen elkaar. Hij had het zo koud dat het pijn deed tot ver in zijn kuiten, hij zou straks een bad nemen in plaats van alleen te douchen.

O, ja, zei Tor, dat had hij kunnen weten als hij een beetje had geluisterd. Veel Oud en Nieuw vieren deden ze dus niet, ze zouden op de gebruikelijke tijd naar bed gaan.

'Goed dat ik nu heb gebeld dan. Anders had ik jullie straks gestoord! Een gelukkig Nieuwjaar, jullie allebei.'

'Bedankt, hetzelfde', zei Tor en hij hing op.

Voor het volgende telefoontje had hij een oppepper nodig in de vorm van een klein cognacje en bij die gelegenheid stak hij gelijk zijn tenen in zijn sloffen. Het hielp allebei, en ook dat hij even een haastige blik in de slaapkamer wierp om de volbeladen schalen en schotels te bewonderen die daar stonden te wachten.

Margido nam op zodra de telefoon overging.

'Gelukkig Nieuwjaar! Ik weet dat het nog een beetje vroeg op de avond is, maar we krijgen …'

Was hij het, nee maar, dat was een verrassing.

'Je dacht zeker dat het een klant was?' vroeg Erlend en hij lachte wat. Hij vond dat hij nu wel een beetje samen met Margido kon lachen, na alles wat er was gebeurd. Maar misschien kwam het door de champagne of door dat beetje cognac dat hij overdreven hoge verwachtingen koesterde, want Margido lachte niet. In plaats daarvan antwoordde hij dat hij dat dacht, ja, dat dacht hij altijd.

‘Verder bellen er misschien niet zo veel mensen?’ vroeg Erlend om een beetje hatelijk te zijn, Margido had best kunnen lachen, hem dat tenminste kunnen gunnen.

Margido antwoordde niet of er verder veel mensen belden, maar hij vertelde dat hij ergens te eten was uitgenodigd. Zei hij dat ietwat triomfantelijk of verbeeldde Erlend zich dat?

‘O ja? Bij iemand die ik ken?’

Nee, dat dacht Margido niet. Een vroegere klant.

‘Levend?’ Nu ging hij te ver, maar hij kon het niet laten. En waarachtig, eindelijk lachte Margido een beetje.

Ja, ja, die klant was springlevend.

‘Is het een dame, misschien? Mijn god, Margido, heb je een date?’

Erlend krulde zijn tenen in zijn sloffen, de wonderen waren de wereld nog niet uit, en dat Margido het vertelde! Maar met God moest hij zich waarschijnlijk een beetje inhouden, Margido was immers gelovig.

‘Het was niet mijn bedoeling om “mijn god” te zeggen’, voegde hij er haastig aan toe.

Ja, dat klopte, het was een dame, onderbrak Margido hem, maar verder ook niet.

‘Een dame, maar verder ook niet?’ vroeg Erlend.

Ze was een kennis, dat was alles. Ze had hem uit pure dankbaarheid te eten gevraagd omdat hij zo’n mooie begrafenis voor haar man had geregeld, en het was dom van Margido geweest er überhaupt over te beginnen.

‘Nee, joh, ach wat, ik maak maar een grapje. Ik wens ... jullie een gelukkig Nieuwjaar in elk geval en ik moet de groeten doen van Krumme.’

Hij moest de groeten terug doen.

Dit raakte hem veel meer dan hij had gedacht. Hij deed het dan wel voor Krumme en Torunn, maar toch, hier stond hij, bijna totaal van de kaart. Hij dacht aan die dame en zijn vrolijke stemming keerde terug. Stel je voor dat Margido eindelijk onder de pannen zou zijn, misschien zelfs met een jonge vrouw met wie hij kinderen kon krijgen. Het kon best nog wat worden met die kerel. Opgewonden bij de gedachte belde hij Torunn, terwijl hij de cognac onder zijn arm klemde, de kurk eraf beet en een stevige slok direct uit de fles nam.

'Ik ben het! Raad eens! Margido heeft een date vanavond!'

Er klonk een enorm lawaai om haar heen, ze hoorde niet wat hij zei en riep dat ze naar buiten ging, hij moest even wachten. Maar daar was ze eindelijk.

'Oom Erlend hier! Margido heeft een date vanavond! Met een vrouw!'

Ze moest zo lachen dat zijn oren tuitten: was het echt waar? Ze had Margido gister nog gesproken en toen had hij er niets van gezegd, maar waarschijnlijk was dat ook niet iets wat hij haar zou toevertrouwen. Zij had hem verteld dat haar grootvader naar een bejaardentehuis wilde.

Hè bah, moesten ze het daar nu over hebben.

'En, wat zei Margido daarvan?'

Dat hij niet ziek genoeg was, dat het vast niet zou lukken, er was grote vraag naar zulke plaatsen, maar dat Margido liever zou proberen één keer in de week thuishulp voor ze te regelen.

'Hartstikke mooi, dan komt dat wel in orde', zei Erlend.

Daar was Torunn niet zo van overtuigd, ze geloofde niet dat haar vader vreemden over de vloer wilde hebben die zich met dingen bemoeiden, al ging het alleen maar om een beetje schoonmaken.

'Je kent hem goed, zeg. Beter dan ik!'

Voordat ze daar op kon antwoorden, klonk er een enorm geblaf en ze vertelde dat ze ergens in een huisje zat, was uitgenodigd door een paar vrienden. Ze waren met een heel stel en vijf honden en het zag ernaar uit dat de strijd was losgebarsten.

'Dan vier jij dus ook feest! En dat de strijd losbarst heeft niets te betekenen, jullie hebben toch wel naald en draad bij je? Trouwens, je vader verwachtte de dierenarts toen ik hem belde, daar hadden de zeugen gevochten!'

Had hij haar vader gebeld? Dat was aardig van hem. Haar stem klonk blij, hoorde hij, dus dan was het toch de moeite waard geweest.

'Nou ja, aardig, hij is toch mijn grote broer. Ook al is hij nog zo excentriek. Maar als je hem zelf nog wilt bellen, moet je dat voor tien uur doen, want dan gaan ze naar bed.'

Goed dat hij dat zei, ze was van plan geweest het om twaalf uur te proberen.

'Veel vuurpijlen zullen er op Byneset wel niet zijn! Niet meer dan ze zelf afsteken. Onder hun dekbed!'

Ze giechelde. Achter haar klonk een razend gebrul, zo te horen werd het oproer in het hondenroedel met harde hand de kop ingedrukt.

'Gelukkig Nieuwjaar, we zien elkaar toch in het nieuwe? Je komt toch op bezoek?'

Ja, dat zou ze beslist doen, zei ze, en toen maakte ze een eind aan het gesprek met de opmerking dat ze voor Margido moesten duimen.

'O, wie weet vingert hij zelf wel wat, dus daar hoeven wij ons niet druk om te maken, nichtje. Al zal hij zijn knieën wel bij elkaar houden. Groeten en een dikke zoen van Krumme!'

Hij liet zich in het badwater zakken, ongelooflijk tevreden met zichzelf. Hij hoorde de huisdeur.

'Ik zit in bad!' riep hij.

'Ik breng eerst de kratten naar binnen, dan kom ik ook!' antwoordde Krumme.

'Zijn ze koud? De kratten?'

'Ja, natuurlijk!'

'Zet ze maar op het terras, dan besparen we ze de omweg via de koelkast!'

En eindelijk lagen ze elk aan een uiteinde van de jacuzzi, twee lichamen verzonken in het bubbelende water. Het duurde nog anderhalf uur tot de gasten kwamen. Erlend bekeek de vissen die in het grote zoutwateraquarium rondzwommen, dat de hele lengte van de badkamermuur besloeg. Hij volgde Tristan en Isolde met zijn blik, ze glansden turkoois en waren zijn favorieten. Maar er zat te veel alg aan de binnenkant van het glas, hij moest niet vergeten de aquariumman te bellen die het voor hen schoonmaakte en planten verving, misschien moest hij hem het stenen kasteeltje waar de vissen in en uit zwommen, een stukje laten verplaatsen.

'Nu was je ver weg', zei Krumme.

'Ik dacht na over kastelen en algen, dat soort trivialiteiten. Maar vertel eens, wat zeiden ze op je werk van je Matrix-jas?'

'Niet zo veel. Maar ze zullen wel het een en ander hebben gedacht', zei Krumme.

'En wat dachten ze, denk je?'

'Dat ik een bofkont ben. En daar hebben ze immers volkomen gelijk in.'

MARGIDO HIELD DE kam onder de kraan en haalde hem door zijn haar, daarna streek hij het nog eens glad met zijn hand. Hij bekeek zichzelf kritisch in de spiegel boven de glasplaat met zijn tandenborstel, zijn tandpasta en een flesje Old Spice. De knoop van zijn das was keurig glad en zat precies waar hij moest zitten. Een dubbele Windsor knopen was grappig genoeg een van de eerste dingen die hij had geleerd toen hij als leerling in een begrafenisonderneming begon, maar intussen had hij daar alle begrip voor: je verschijning was een ongelooflijk belangrijk onderdeel van het werk, en in vele opzichten wekte je daarmee bij de nabestaanden vertrouwen in je professionaliteit.

De knoop zat perfect. Met het pak dat hij aanhad, was het minder gesteld. Het was te donker, veel te veel 'werk'. Hij had zijn klerenkast grondig doorzocht, alsof er een pak zou opduiken waarvan hij niet wist dat hij het bezat. Maar ze waren allemaal zwart of donkerbruin, behalve eentje dat antracietgrijs was en dat hij 's zomers altijd droeg. De stof was dun en versleten. Gewone mensen konden te allen tijde op oudejaarsavond in een zwart pak naar een etentje gaan, dacht hij, maar hij was niet gewoon. De mensen brachten hem met rouw in verband. Het was het beste geweest als hij een lichtgrijs pak had gehad. Hij besloot er zodra hij tijd had een te kopen, dat kon ook bij andere gelegenheden goed van pas komen, op zijn werk op dagen dat hij geen nabestaanden zou ontmoeten bijvoorbeeld. Maar vandaag moest het antracietgrijze maar goed genoeg zijn.

Hij haalde diep adem. Het was half zeven, hij was om half acht uitgenodigd bij een kersverse weduwe. Selma Vanvik, tweeënvijftig jaar, net zo oud als hijzelf. Ze had al weken een oogje op hem, hij op zijn beurt was afwijzend, maar beleefd gebleven. Nu hij haar uitnodiging vanavond had aangenomen, zou ze er misschien achter komen wat een saaie sok hij was en hem met rust laten, dacht hij. Hij wilde weer terug naar zijn leven van alledag, naar zijn routines, pendelen tussen zijn werk en zijn geïsoleerde vrije tijd hier thuis in zijn flat. De laatste maanden had hij overwogen of hij een nieuwe flat zou kopen, niet omdat deze te klein was of er iets mis mee was, hij was precies goed, maar hij zou zo ontzettend graag een sauna hebben waar hij kon zitten zweten en verder niets. Het was onmogelijk om in deze flat naast de badkamer een sauna te installeren, daarmee zou de kleine keuken aan de andere kant van de muur worden opgeslokt. Maar hij was nog niet echt op gang gekomen en had nog geen advertenties met huizen bekeken. De gedachte aan een verhuizing schrikte hem vreselijk af: die veilige vertrekken stuk voor stuk te moeten ontruimen, dat zou hem niet in zijn koude kleren gaan zitten.

Hij had het gevoel dat plotseling alles hem ontglipte. Hij wilde de controle niet verliezen. Zijn werk en de vrije uurtjes hier thuis, dat was het enige wat hij gewend was. Maar eerst gebeurde dat allemaal met zijn moeder en toen kwamen Erlend en Krumme, en alsof dat niet genoeg was, kwam Torunn ook nog. Ze hadden zich op Neshov toch al die jaren weten te redden, ook de laatste zeven dat hij daar zelf geen voet over de drempel had gezet, en nu zijn moeder er niet meer was en de natuurlijke verhoudingen in zekere mate waren opgehelderd, zou er eindelijk een beetje rust kunnen intreden. Maar nee hoor, telefoontje na telefoontje ... Eerst Torunn al gister, die wilde dat de oude man in het bejaardentehuis kwam, en nu Erlend weer.

Hij vond het maar niks.

De juridische vraagtekens rond de boerderij had hij aan advocaat Berling overgelaten, een wijs en bedachtzaam man die hij nabestaanden altijd adviseerde als ze met problemen op het gebied van het erfrecht te kampen hadden. Berling zou alles regelen, er was immers geen sprake van onenigheid. De boerderij zou op Tor worden overgedragen, daar zou de oude man zich niet tegen verzetten en hijzelf en Erlend zouden voorlopig afzien van de erfenis.

Op die manier zou het erfrecht op Torunn overgaan, maar wel met de clausule aangaande de erfenis. Begreep ze de reikwijdte daarvan? De verantwoordelijkheid die op haar schouders zou rusten zodra Tor stierf of het niet meer aankon? Hij dacht van niet.

Maar hij moest in ieder geval achter die thuishulp aan zodat dat in orde kwam en er niet meer over het bejaardentehuis werd gezeurd. De situatie waarin zijn vader verkeerde was niet ernstig genoeg, hij was niet hulpbehoevend genoeg. Het feit dat hij niet elke dag een schone onderbroek aantrok en dat hij zijn gebit in de houtschuur liet slingeren, was voor de gemeente geen reden om een plaatsje in het verzorgingstehuis voor hem beschikbaar te stellen. Waarschijnlijk wilde hij naar dat nieuwe in Spongdal, dat een paar jaar geleden was geopend. Dacht zeker als zo veel oudjes dat je in het tehuis in de buurt van je woonplaats terechtkwam. Maar de gemeente Trondheim was genoodzaakt alle stukjes van de puzzel passend te krijgen en de mensen werden ondergebracht aan de hand van lijsten, zonder dat er werd gekeken waar het betreffende tehuis lag. Misschien moest hij dat de oude man maar vertellen, dat hij riskeerde ver van Byneset geplaatst te worden. Oef. Het was wel zielig voor hem. Als er iemand zielig was, was hij het wel.

Hij deed het licht in de badkamer uit en ging naar de kamer. Opeens voelde hij de behoefte een kleine versterking te nemen.

Dat verbaasde hem. Hij dronk bijna nooit, maar nu zou het waarachtig goeddoen. Stel dat ze begon te flikflooien? Ze had hem al eens omhelsd en zich tegen hem aan gedrukt.

Hij had die uitnodiging nooit moeten aannemen, hij voelde zijn hart onbehaaglijk snel kloppen en deed zijn ogen dicht. Hij had beloofd een taxi te nemen en niet zelf te rijden. Naar huis moest hij maar lopen, het was wel een beetje ver, maar niet onoverkomelijk. Hij moest maar een paar stevige schoenen meenemen in een tasje. Of hij kon bellen en zeggen dat …

Nee. Dit moest hij erop wagen, of hij wilde of niet. Zijn medewerksters, mevrouw Marstad en mevrouw Gabrielsen, moesten eens weten dat hij een berichtje op zijn mobieltje had ingesproken waarin hij naar een van de grotere begrafenisondernemingen verwees. Dat deed hij anders alleen als hij zelf echt geen tijd meer had, aangezien de dames geen van beiden graag de eerste gesprekken met de nabestaanden voerden. Hier stond hij, met Old Spice op zijn wangen, en hij had niet eens handenvol werk. Maar als hij vanavond naar haar toe ging, zou ze vast ophouden hem lastig te vallen.

Hij ontdekte een fles rode wijn in de kast, een oeroud cadeautje van nabestaanden, die onder het stof zat. Hij vond een kurkentrekker helemaal achter in de la en trok de kurk eruit. Er klonk een knal. Het geluid weergalmde tussen de keukenmuren. Hij schonk een glas in en legde een stukje plasticfolie over de hals. Hij wist niet eens hoelang zo'n open fles goed bleef, voor de zekerheid zette hij hem in de koelkast. Hij dronk het glas veel te snel leeg en voelde de uitwerking onmiddellijk. Een date …! Zo'n onzin had hij nog nooit gehoord. Opeens voelde hij zijn hele lichaam verstijven: hij had niets voor haar, hij moest natuurlijk iets voor haar meebrengen! Snijbloemen verafschuwde hij, maar iets anders. Daas van opluchting bedacht hij plotseling dat hij nog een ongeopende doos bonbons had die hij van de kistenleverancier had gekregen en die nog steeds in het wandmeubel lag, met een goudkleurig lint eromheen zelfs. Nu moest hij maar een taxi bellen, voor hij van mening veranderde.

Er stond een flakkerende fakkel bij de stoep voor haar eengezinshuis. Ze deed onmiddellijk open.

'Bonbons! Wat lekker! Wat ben jij een gentleman, Margido!'

Hij knikte en produceerde een glimlach, ging snel druk met zijn mantel in de weer toen hij zag dat ze op het punt stond hem een zoen te geven.

'Het ruikt goed', zei hij.

'Ik of het?' vroeg ze en ze keek hem schalks aan, frunnikte aan het gouden lint om de doos bonbons.

'Het eten', zei hij en hij had zich het liefst omgedraaid en was ervandoor gegaan. Het begon dus meteen al. Maar ze hoefde zich geen illusies te maken.

'Je weet, Selma, dat ik vanavond ben gekomen omdat ik dacht dat dat gezellig voor je zou zijn. Ik weet immers dat je alleen bent en ...'

'O nee, dan heb je het mis, ik ben door Jan en alleman uitgenodigd, maar ik heb bedankt', zei ze lachend. 'Nadat jij met Kerstavond had afgezegd en ik die met mijn kinderen en luidruchtige kleinkinderen moest doorbrengen, terwijl ik eigenlijk een rustige avond had willen hebben, moest het er nog bij komen dat ook oudejaarsavond ons niet vergund was. Ik heb vuurpijlen gekocht.'

'Is het niet verboden die hier op te steken?'

'Nee, alleen in het centrum. Hier mag het.'

'Ik heb nog nooit van mijn leven een vuurpijl afgestoken', zei hij en hij bleef met zijn armen slap langs zijn lichaam hangend staan.

'Er is een gebruiksaanwijzing bij, geen paniek.'

Hij had voorzichtiger moeten zijn met alcohol, maar als je er niet aan gewend was ... De weduwe verkeerde in de veronderstelling dat hij nog steeds een overtuigd christen was – dat deden ze allemaal, niemand wist dat zijn geloof in God hem allang had verlaten – en toch schonk ze steeds weer bij. Het maal was verrukkelijk en hij was eraan gewend te drinken bij zijn eten. Het was alsof hij vergat dat hij alcohol dronk in plaats van het gebruikelijke glas sap of melk.

Als voorgerecht serveerde ze garnalensalade met witte wijn erbij, en als hoofdgerecht lamsbout met gegratineerde aardappelen, doperwtjes en spruitjes met rode wijn erbij. Ze zaten recht tegenover elkaar. Het was een brede, ruime tafel die een geruststellende afstand bood; later bedacht hij dat hij waarschijnlijk dankzij die fysieke afstand had kunnen ontspannen en puur van het eten had kunnen genieten. Hij had verwacht dat het zo zou blijven: zij daar, hij hier.

Toen ze na de lamsbout opstond om de borden af te ruimen, kwam ook hij overeind om haar te helpen, maar hij moest even een extra stapje doen om niet te vallen.

'Blijf maar lekker zitten, vermoeide harde werker! Ontspan jij je maar terwijl ik afruim en koffiezet. En zal ik wat muziek opzetten?'

Hij volgde haar met zijn blik terwijl ze bijna over het tapijt zweefde, eerst naar de stereo-installatie, waar ze met de knopjes in de weer ging, en daarna als de wind met de schalen naar de keuken. Ze droeg een zwarte jurk en parels om haar hals en in haar oren. Ze kleedde zich ouderwets, dacht hij, tegenwoordig zagen vrouwen van iets over de vijftig er qua kleding immers uit als ware jongeren. Daar was hij aan gewend, en plotseling koesterde hij een grote genegenheid voor haar omdat ze zich hier misschien oud liep te voelen. Net als hijzelf.

Hij keek naar zijn handen, ze lagen op het tafellaken en het leek alsof ze niet van hem waren. Hij had ook rode wijn gemorst, ontdekte hij, en bruine saus; hij krabde wat aan de sausvlek, wreef hem in het tafellaken. Zijn tong en zijn mond voelden gezwollen – hij betastte zijn lippen, maar ze waren net als anders – en zijn lijf was gloeiend warm, vooral zijn voorhoofd, zijn hals en zijn kuiten. Hij was toch verdorie niet dronken? Dat zou dan de eerste keer van zijn leven zijn, al als jonge jongen op Byneset was hij lid van christelijke verenigingen geweest en had hij er geen behoefte aan gehad met alcohol te experimenteren, of met iets anders. Wat was dat voor muziek die ze had opgezet? O ja, nu herkende hij het, Glenn Millers 'In the Mood'. Grote goedheid, hij moest zorgen dat hij thuiskwam.

Hij kwam weer overeind, hield zich vast aan de rand van de tafel, maar daar kwam ze al met koffiekopjes, dessertschaaltjes en cognacglazen.

'Ik geloof niet ...'

'Blijf toch zitten, Margido. Ik heb alles onder controle, je hoeft niets te doen! Nu drinken we hier eerst koffie en dan gaan we daarna naar de zitkamer voor de champagne.'

Toen ze hem haar rug toekeerde, keek hij stiekem op de klok. Het was bijna tien uur. Waar was de tijd gebleven? Hij had heel wat over zijn werk verteld, ze leek echt geïnteresseerd, en ze had verschillende keren opgeschept. Maar toch, dat het zo snel ging; misschien was dat de reden dat mensen alcoholist werden, omdat ze wilden dat de tijd sneller voorbijging, dacht hij terwijl een mat gevoel zich door zijn hele lichaam verbreidde. Hij zat gevangen, hij kwam er niet onderuit, kon het net zo goed opgeven, wist plotseling ook niet meer of hij het nog opbracht ertegen te vechten.

'Het eten was heerlijk', zei hij en hij luisterde naar zichzelf. Praatte hij met dubbele tong?

Door de cognac kwam hij weer tot zichzelf, opeens voelde zijn hoofd weer helder. Verbaasd nam hij nog een slok, gevolgd door koffie. Nu voelde hij zich weer prima. Heb je ooit, dacht hij, hier begrijp ik geen snars van, ik drink mezelf weer nuchter. Nu wilde zij over zichzelf praten en hij liet haar dankbaar vertellen, terwijl hij nauwkeurig volgde wat ze zei. Meteen daarop was hij het vergeten en moest hij er weer naar vragen. Het was bijna vermakelijk, hij lachte wat om zichzelf.

'Ik geloof dat ik mijn kortetermijngeheugen kwijt ben', zei hij.

Ze keek hem stralend aan, het schijnsel van het kaarslicht werd in haar ogen weerspiegeld zodat ze net een kat leek. Eigenlijk zag ze er helemaal niet ouderwets uit, de jurk had een aardig decolleté en er was nog net iets van de gleuf tussen haar borsten te zien.

'Nu gaan we naar de zitkamer', zei ze.

'Nu al?' Traag en omslachtig kwam hij overeind. 'Ik ben zo vol', zei hij. 'Daarom ben ik wat sloom.'

De salontafel stond vol schaaltjes met hapjes en een rode mand met mandarijnen. Ze stak de kaarsen aan, hoge, witte, en de open haard, die al van tevoren was klaargemaakt. Ze ging naast hem op de bank zitten en reikte hem een fles champagne. De glazen stonden op tafel, hoog en smal.

'Die moet jij openmaken, als man.'

Op tweeënvijftigjarige leeftijd moest hij voor het eerst van zijn leven een fles champagne openmaken. Hij pakte hem aan en genoot van het koude glas in zijn warme handpalmen. Gelukkig dat hij zo vaak tv had gekeken. Hij wikkelde het aluminiumpapier eraf en begon aan de metalen draad te draaien, zoals hij dat had gezien. Daarna wrikte hij voorzichtig aan de kurk. Die vloog er met een enorme knal uit, schoot over de salontafel en kwam aan de andere kant op de grond terecht.

'O god!' riep ze schaterend uit, en toen: 'O, neem me niet kwalijk, het was niet mijn bedoeling ...'

Maar ze bleef lachen en hij lachte mee, terwijl zij de glazen onder de golf wit schuim hield die uit de hals van de fles gutste. Opeens voelde hij dat hij naar adem moest snakken. Hij morste op tafel en op het kleed.

'Ach, dat hindert niet, het is toch oudejaarsavond! Dan hoort het erbij dat er gemorst wordt!'

Terwijl ze haastig het schuim uit hun glazen dronken, keek hij haar aan. Haar blik was opgewonden, glanzend, alsof zelfs de pupillen hem toelachten, zijn tenen spartelden in zijn nette schoenen. Hij bedacht dat hij zich langzamerhand moest inhouden en niets meer moest drinken, maar die gedachte verdween net zo snel weer, in plaats daarvan lachte hij nog eens, een beetje onnozel, hoorde hij zelf, maar zelfs dat deed er niet toe.

'Ik geloof dat je ook een beetje op je broek hebt gemorst', zei ze en daar was ze al met haar vingers, doelloos wat vegend.

Toen kwam hij weer bij zijn positieven. Waar was hij mee bezig? Voorzichtig zette hij zijn glas op tafel, maar dat had hij niet moeten doen, want dat deed zij ook en plotseling had hij twee armen waar hij geen raad mee wist, en dat had zij ook, alleen wist zij er wel raad mee toen ze ze om zijn hals sloeg en hem recht aankeek.

'Margido', fluisterde ze.

'Ja.'

'Waarom ben je zo bang?'

'Ik ben toch niet bang, ik weet alleen niet helemaal wat ik moet ...'

'Wat moet?'

'Doen', zei hij.

'Met mij?' Ze deed haar lippen een stukje uit elkaar. 'Je kunt me toch kussen, bijvoorbeeld.'

Hij legde zijn lippen op de hare en drukte, voelde hoe ze met het puntje van haar tong kwam, luisterde naar zijn hartslag, die als een waterval in zijn oren klonk, het donderde en ruiste, de muziek verdween, hij was bezig doof te worden. Ze trok haar gezicht terug en kwam dichter bij hem zitten. Dat deed ze heel langzaam, bijna plechtig, en ze glimlachte niet langer.

'Margido', fluisterde ze.

'Ja.'

'Je hoeft geen antwoord te geven. Ik spreek alleen je naam uit, dat vind ik prettig.'

Ze legde een hand op zijn gulp, hij verroerde zich niet. Hij wilde zijn glas weer pakken, maar hij dacht niet dat het hem zou lukken het op te tillen.

'Hier ben je dan', fluisterde ze.

Hij begreep wat ze bedoelde, zijn hart ging tekeer, hij bleef stokstijf zitten, hier zou hij het niet levend van afbrengen, aan de andere kant: het leven kon de pot op, haar hand voelde aan als zijde, hoewel er verscheidene lagen stof tussen zaten, zowel zijn onderbroek als de broek van zijn pak. Hij deed zijn knieën uit elkaar – er was geen ruimte meer om ze bij elkaar te houden – en leunde machteloos achterover op de bank: was hij bezig zijn bewustzijn te verliezen, was het zijn hart dat bleef staan? Hij was nog steeds doof en de muziek was verdwenen, zijn onderlijf vulde zijn hele lichaam, haar jurk was van fluweel, alsof je een beest met een natte vacht aanraakte. Dat had hij weliswaar nog nooit gedaan, maar hij dacht dat het zo moest aanvoelen, een natte otter misschien. Hij deed zijn ogen dicht en langzamerhand raakte hij vervuld van een grote plechtigheid: het zij zo. Hij deed zijn ogen weer open, ze zat op zijn schoot, haar decolleté was een stuk groter geworden, helemaal verdwenen zelfs, wat restte waren haar borsten. De tepel van de een was net een rozijn tussen zijn lippen, met een licht zoutige smaak.

'Je hoeft alleen de gebruiksaanwijzing te lezen', zei ze toen ze met hun jassen aan in de tuin stonden. Of beter ... zíj stond, hij was op een muurtje gaan zitten zonder eerst de sneeuw weg te vegen. Ze scheen met een zaklantaarn op zijn vuurpijl, maar het lukte hem niet de letters van elkaar te onderscheiden. Bovendien trilden zijn handen. Ze reikte hem de champagnefles aan.

'Neem deze maar. Ik heb verderop in de sneeuw al een lege klaargezet waar we ze in kunnen doen, maar ik dacht het aan jou over te laten, daar houden mannen van.'

Ze gniffelde, hij gniffelde terug, voelde zich mat en onherkenbaar. Ik ben Margido, dacht hij, nu steek ik vuurpijlen op, zal ik Tor opbellen om het te vertellen? Nee, Erlend! Tor slaapt al.

Hij haalde zijn mobieltje uit zijn binnenzak, moest toen hij het aanzette, een paar langdurige en trage seconden nadenken voordat hij zich zijn pin herinnerde, terwijl zij met een aansteker in de weer was en riep: 'Het schiet me net te binnen dat ik ook sigaren heb gekocht!'

Ten slotte herinnerde zijn duim zich de pin, daarna zocht hij Erlends nummer op en drukte op het groene knopje. Er vloog een vuurpijl de lucht in, vuurspuwend en sissend als een doorgedraaide gele draak tegen de zwarte hemel. Ze lachte hysterisch en klapte in haar handen.

'Hallo? Hallo? Ben jij het, Erlend?' vroeg hij.

Hij kreeg een schril 'Ja!!!' tot antwoord.

'Hier is Margido. Gelukkig Nieuwjaar, broertje!'

Erlend antwoordde iets absoluut ondefinieerbaars.

'Ik heb een date!'

Toen verbrak hij het gesprek. Bleef met het mobieltje in zijn hand zitten. Ze kwam door de verse sneeuw ploeterend op hem af.

'Kom nou! Doe die stomme telefoon weg, je mag nu met niemand praten!' riep ze en ze trok hem mee aan de hand die vrij was. 'Kóm nou, Margido! Ik heb vuurpijlen gekocht voor een hele familie!'

Bij die woorden kwam hij weer tot zichzelf: een hele familie!

'Gelukkig Nieuwjaar, Selma, ik moet ervandoor', zei hij en hij stond op, wist zich nog net staande te houden. Wat had hij gedaan, wat had hij in gods- en hemelsnaam gedaan? Hij had Erlend gebeld.

'Ben je gek? Natuurlijk moet je niet ...'

'Ik heb net een telefoontje gekregen. Een noodsituatie op kantoor', zei hij, hij moest de woorden moeizaam aan elkaar rijgen.

'Maar je hebt gedronken! Zo kun je toch niet ...' Ze trok hem aan zijn jas.

'Ik kan geen auto rijden, maar verder kan ik bijna alles.'

Hij hoorde dat hij met dubbele tong praatte. Maar ze was zelf ook dronken, zij hoorde het vast niet.

'Ik moet weg. Het spijt me. Het was ...'

'Maar we hebben net ... Ik dacht dat je wilde ...'

'Willen en willen', zei hij. 'Hier gaat het om belangrijker zaken: er ligt iemand dood in zijn bed en ik moet ...'

'Maar er zijn toch anderen die zich daarom kunnen bekommeren, Margido?'

'Nee, ik ben de enige.'

Hij volgde de hopen opgeworpen sneeuw langs de straten helemaal naar huis, het ging prima. Hij deed de deur open, liep rechtstreeks naar de koelkast en goot de rest van de fles rode wijn door de afvoer. Plotseling moest hij aan een verhaal denken over een man in de isoleercel die zelfmoord had gepleegd door zijn tong door te slikken.

Hij trok zijn tong helemaal achter in zijn keelgat. Waarschijnlijk moest je een beetje helpen met je vingers. Maar dat moest maar tot morgen wachten, hij moest in bed zien te komen voordat hij zijn bewustzijn verloor. Hij kon het niet eens opbrengen zich eerst uit te kleden.

IN DE GROTE lesruimte in de kelder van de kliniek liet ze de mensen een heel stuk uit elkaar plaatsnemen. De puppy's probeerden wanhopig elkaar te pakken te krijgen en het lawaai van hun gepiep en gekef en het geschraap van hun nagels op het linoleum overstemden haar bijna. Ze wist dat een heleboel hondenscholen de eerste lesavonden zonder honden erbij hielden, maar dat leek haar zinloos.

Nu, midden januari, begon eerst de trainingscursus voor pups van vier tot zes maanden. Langzamerhand werd het iets rustiger. Een bordercolliepup lag al met zijn kop op zijn poten en er waren er meer die inzagen dat de slag verloren was.

'Het is belangrijk dat de hond leert samen met andere honden te zijn zonder met hen te mogen spelen of ravotten. Dat is een goede training. Dat hij zich rustig moet gedragen, terwijl er andere dingen om hem heen gebeuren waarbij hij niet in het middelpunt staat. Ik ga ervan uit dat hij thuis absoluut in het middelpunt staat ...'

'Dat kun je wel zeggen, ja', zei een man met een baard en een IJslandse trui aan glimlachend. Het was de eigenaar van de bordercollie.

De rest grinnikte en knikte in koor.

'Precies', zei ze. 'Wat de hond nu ervaart, is dat hij afstand moet doen van directe behoeftebevrediging.'

Dat zei ze met een lachje, zodat ze zouden begrijpen dat ze in eerste instantie voor de grap met psychologiserende termen om zich heen smeet, maar in wezen gaf ze er ook mee te kennen dat ze wist waar ze het over had.

'Waar deze cursus om draait, is in feite dat de hond leert leren. Als hij ouder wordt, wordt de training inhoudelijker. Als u zich opgeeft voor de vervolgcursus natuurlijk. Maar tijdens deze cursus is het de bedoeling dat u als hondenbezitter genoeg zekerheid en kennis verwerft om te weten hoe u te werk moet gaan. Uw puppy leeft in zijn eigen universum en denkt dat hij het absolute centrum daarvan is. Hij is direct van zijn moeder vandaan bij u gekomen. Zijn moeder was streng voor hem, een heleboel mensen krijgen een shock als ze zien hoe een teefje een ongehoorzame puppy aanpakt. Mensen aaien en liefkozen en vertroetelen pups. Ik bedoel niet dat u nu moet beginnen hem bont en blauw te slaan, maar u mag er ook niet bang voor zijn grenzen te trekken. Een duidelijk nee en overdadig prijzen als hij iets goed doet of iets laat wat niet mag. Dat functioneert natuurlijk niet als de dochter des huizes onmiddellijk uitroept: "Niet boos zijn op Fido, hij is zo klein en zo lief! Kom maar, Fido, arme hond, doet papa lelijk tegen je ..."'

Verscheidene mensen lachten zachtjes en herkenden dit blijkbaar.

'Een pup die geen duidelijke grenzen opgelegd krijgt, wordt een hond zonder zelfvertrouwen', ging ze verder. 'Maar een pup die wordt geslagen, voelt zich niet welkom in het roedel, in het gezin dus. En dat is net zo erg. Prijzen en nogmaals prijzen als hij zich naar wens gedraagt, dat is het toverwoord. Maar u moet leren met hem te communiceren, zodat hij begrijpt dat de informatie van u moet komen.'

'Hoe spelen we dat in godsnaam klaar?' vroeg een vrouw met een riesenschnauzerpup.

Torunn wist dat het een reu was en dat het gezin nog nooit eerder een hond had gehad. Ze vroeg zich af wat er eigenlijk in fokkers omging die een riesen-reu verkochten aan mensen zonder ervaring met honden, het was een van de koppigste rassen die er waren. Ze moest dat stel extra in de gaten houden, anders zou de hond een spuitje krijgen zodra de eerste doses testosteron in zijn lijf begonnen te woeden.

'We beginnen ermee de hond te leren zich te concentreren op uw gezicht, op uw ogen en op wat u zegt. De pup concentreert zich op de handen. Het hangt een beetje van het ras af, die bordercollie bijvoorbeeld, u hebt zeker al ontdekt dat hij u aanstaart als hij zich afvraagt wat u wilt?'

De man in de IJslandse trui knikte. Een leuke vent, maar hij droeg een trouwring.

'Een bordercollie is net een lege harde schijf, je hoeft er alleen maar informatie op op te slaan', zei ze. 'De hond raakt zelfs gefrustreerd en kan problematisch worden als hij niet genoeg leert. U zult ondervinden dat het niet moeilijk is contact met hem te krijgen en hem dingen te leren, maar uw probleem is het tegenovergestelde. U mag hem niet tekortdoen of mentaal verwaarlozen. Dan draait hij door. Een riesenschnauzer daarentegen moet leren te leren en moet weten wie de baas is. Mag ik hem even lenen? Hoe heet hij?'

'Nero', zei de vrouw.

Torunn liep met de zwarte riesenschnauzerpup naar voren. Hij trok aan de riem en wilde terug naar zijn vrouwtje, maar gaf het al snel op en begon de vloer en een stoel die daar stond, te besnuffelen.

'Nero?' zei ze.

Hij reageerde niet, bleef snuffelen. Ze haalde een brokje uit haar zak en hield het de pup voor de neus. Hij was onmiddellijk geïnteresseerd, maar ze gaf het hem niet. In plaats daarvan hief ze het langzaam op naar haar gezicht tot ze oogcontact met hem had. Toen prees ze hem uitbundig.

'Lust je dat wel?' vroeg ze. De pup ging zitten. Niet omdat hij dat had geleerd, maar omdat dat het comfortabelst was als hij omhoog moest kijken, zoals ze wist. Ze prees hem weer. Langzaam bracht ze haar arm met het brokje achter haar rug. De puppy volgde haar hand met zijn ogen tot het was verdwenen, toen trok hij aan de riem en wilde erachteraan. Met haar andere hand hield ze hem tegen.

'Nero?'

Hij keek haar aan en ze prees hem uitbundig. Toen gaf ze hem snel het brokje en haalde er nog een uit haar zak. Ten slotte begreep hij wat de bedoeling was. Als hij haar aankeek, kreeg hij iets lekkers, als hij naar haar hand staarde niet. Ze gaf de vrouw de pup terug en de kleine Nero wierp zich dolgelukkig op de schoot van zijn bazin, een weerzien alsof hij net in zijn eentje Groenland was overgestoken.

'Dit moet eigenlijk elke dag worden geoefend', zei ze. 'Als u de blik van uw hond kunt vasthouden, luistert hij naar wat u zegt. Zijn er nog vragen tot dusver?'

'Is het echt zo simpel? Dat Cox van alles leert als hij me maar aankijkt?' vroeg een roodharige vrouw met een jonge airedaleterriër, die ontspannen aan haar voeten lag te slapen.

Ze glimlachte. 'Zo simpel en zo lastig. U zult erachter komen dat het tijd kost. Alles moet steeds weer worden herhaald. En als u een tijdje sjoemelt met de oefening, volgen zijn ogen uw hand weer. U moet drie dingen oefenen die er echt in moeten zitten voordat de hond iets nieuws kan leren: dat is de oefening die ik zonet heb laten zien, en dan hebben we nog de voeroefening en de speeloefening. Daar komen we straks op terug. Als die drie dingen goed gaan, kan ik u bijna garanderen dat de verdere training een stuk gemakkelijker wordt. En het hele gezin moet meedoen. U legt nu de basis voor een goede baas-hondverhouding voor de rest van zijn leven. U kunt best nu al beginnen met "zit" en "af", maar concentreert u zich daar niet op, de hond moet het niet als stress ervaren.'

'Maar als het echt zo simpel is,' zei een jongeman met een jonge herdershond, die op zijn veters lag te kauwen, 'waarom zijn er dan überhaupt probleemhonden?'

'Misschien omdat ze niet naar een training zijn geweest?' zei de man in de IJslandse trui en hij knipoogde naar haar.

'Precies!' zei ze en ze glimlachte terug. 'Nu zal ik u de voer- en de speeloefening uitleggen. Dit moet u allemaal thuis oefenen en dan zien we elkaar volgende week hier weer. U zult in die week heel wat ervaring hebben opgedaan en daar gaan we mee verder: die analyseren we en zullen we tot op de bodem uitpluizen. Als u andere gezinsleden mee wilt nemen, is dat prima. De voeroefening is ontzettend eenvoudig uit te leggen, maar lastig om te oefenen. Het komt er in feite op neer dat de hond op afstand moet blijven als u die lekkere, verleidelijke etensbak op de grond zet. Het beest moet zitten of liggen en mag niet beginnen te eten tot u "alsjeblieft" zegt. In het begin moet u hem met geweld tegenhouden tot u het magische woord uitspreekt. Op een dag wacht u tien seconden, de volgende dag dertig; varieer de tijd dat hij moet wachten. Hij zal begrijpen dat u de baas bent zonder dat u hoeft te brullen of te slaan of iets dergelijks.'

'Goh,' zei de man in de IJslandse trui, 'dat klinkt eigenlijk hartstikke logisch.'

Ze glimlachte. Het was echt een aantrekkelijke vent, jammer van die ring.

'Ja, het is heel logisch. Als deze oefening lukt, laat dan een ander gezinslid hem eten geven. Als de hond maling heeft aan uw zoon of dochter van vijf wanneer die zijn eten op de grond zet, en er gewoon op af rent, moet u als volwassene ingrijpen en helpen. Hij moet ook de vijfjarige gehoorzamen', zei ze en daarbij keek ze de bazin van Nero recht aan.

'De speeloefening is net zo simpel en net zo belangrijk. Ga op de grond liggen en speel met uw hond. Echt spelen! Laat hem aan u kauwen en kauw terug als het u niets uitmaakt uw mond vol hondenhaar te hebben. Opeens staat u op en gaat u naar de keuken om een kop koffie voor uzelf klaar te maken, en daarbij negeert u de hond volkomen. Geen geaai, geen blik. In het begin zal hij gaan piepen en zeuren en krabbelen en in uw broekspijpen bijten, maar dat moet u negeren. Ook dit vertelt hem instinctief wie de baas is.'

Na een uitgebreide vragenronde en een gesprek met elk van de hondenbezitters afzonderlijk, zwaaide ze de auto's na en liep ze de trap op naar de kliniek. De avondspits met patiënten zonder afspraak was bijna voorbij – ze waren 's avonds van zes tot acht open – maar er zaten nog vier mensen in de wachtkamer. Twee met een kat in een mand, een met een grote avontuurlijke kruising van een hond, die opgewonden snuffelend zijn neus in de richting van de manden stak, en een jong meisje met een bichon frisé, die zo te zien luizen of oormijt had, want hij zat zich voortdurend aan zijn oren te krabben.

De kantine was leeg, alle drie de spreekkamers waren bezet. Toen Sigurd, een van de drie dierenartsen, naar buiten kwam met een hinkende hond die een spierwit verband om zijn ene voorpoot had, ging zij naar binnen om op te ruimen voor de volgende patiënt. Eigenlijk was ze geen assistente op de avonden dat ze training gaf, maar als mede-eigenaar voelde ze zich verantwoordelijk en hielp ze waar ze kon. Snel desinfecteerde ze de behandeltafel, verwijderde ze de bloederige en provisorische verbanden waarmee de hond blijkbaar was gekomen, en nam ze de instrumenten mee voor desinfectie. Toen Anja met een verdoofde kat in haar armen uit een van de andere spreekkamers kwam, ging ze daar naar binnen en voerde dezelfde routinehandelingen uit. Op de behandeltafel lag een grote, bloederige houten splinter, waarschijnlijk ergens uit de poes verwijderd, ze gokte uit de bek.

Ze was moe, ze had de hele dag gewerkt en haar hoofd zat vol gedachten die ze dankzij haar werk op afstand wist te houden. Nu begonnen ze door te sijpelen, ze zag ertegen op haar mobieltje aan te zetten. Ze ging naar de kantine, zette een verse pot koffie, stak de kaars op tafel aan, deed nog wat afgeprijsde speculaasjes in de kerstschaal, die er nog steeds stond, en pas toen zette ze haar mobieltje aan en wachtte.

Er waren twee berichtjes van haar moeder, een sms'je en een voicemail. Het sms'je zei dat hij zich niet moest inbeelden ooit bij haar terug te kunnen als hij er genoeg van had. Ze belde haar voicemail en daar klonk gehuil en woede, maar Torunn hoefde niet te komen troosten, ze zou het heus wel te boven komen. Toen ze Noord-Noors begon te praten, was Torunn enigszins gerustgesteld. Dan was ze eerder boos dan vertwijfeld.

Haar moeder en Gunnar waren naar Barbados vertrokken om Kerst en Oud en Nieuw te vieren en daar had Gunnar een andere vrouw ontmoet. Tweeëndertig jaar lang waren ze getrouwd geweest, sinds Torunn vier was, en nu, op vijfenvijftigjarige leeftijd, was haar moeder in de steek gelaten. Merkwaardig genoeg was die nieuwe geen jonge bimbo, maar een volwassen vrouw van tweeënveertig. Gunnar viel dus niet onder de gebruikelijke clichés, had Torunn gedacht toen ze nadat haar moeder en Gunnar op Nieuwjaarsdag waren thuisgekomen, het hele verhaal te horen kreeg. Hij had alles toegegeven, schone kleren in een koffer gepakt en was vertrokken. Maar dat die andere vrouw geen jonge bimbo was, maakte het mogelijk nog erger voor haar moeder, aangezien het de zaak een serieuzere touch verleende.

Dat je man er na tweeëndertig jaar huwelijk vandoor ging, was niet leuk, maar haar moeder was hysterisch geweest bij de gedachte dat zij op het strand van Barbados had liggen genieten, terwijl hij haar achter haar rug ontrouw was geweest. En hij had alle tijd gehad, aangezien hij aan een heftige zonneallergie leed en overdag andere dingen had gedaan – hij ging alleen op dergelijke vakanties mee vanwege Cissi. Hij had zelfs van alles verteld over wat hij had beleefd tijdens zijn kleine busreizen en museumbezoeken, maar dat moest allemaal gelogen zijn geweest, zei haar moeder. Gunnar op zijn beurt beweerde ten opzichte van Torunn dat hij die andere vrouw maar vijf dagen voor de terugreis had ontmoet. Torunn had hem in een café gesproken, een naar gesprek, onwerkelijk. Ze zei direct dat ze niet als een of andere tussenpersoon wilde fungeren, maar Gunnar wilde haar de zaak alleen uitleggen, zei hij, dat was alles, zodat ze niet al te slecht van hem zou denken. Het was liefde op het eerste gezicht, zoiets had hij nog nooit beleefd, niet eens met Cissi, dat moest ze geloven. Hij was te oud om deze kans voorbij te laten gaan. 'Je bent net zo oud als Cissi,' had Torunn daartegen ingebracht, 'vijfenvijftig is niet echt oud.' Hij wilde een kind, zei hij, en dat wilde Marie ook.

Maríé. Ze had al twee volwassen kinderen, maar wenste nog een nakomertje. Torunn was onder de indruk: zo veel als Gunnar en die dame in zo korte tijd al waren overeengekomen, en dat zei ze ook, waarop Gunnar antwoordde dat het helemaal niet zeker was of het wat werd met hun beiden. Maar hij moest het wagen en dat kon niet op basis van een leugen, daarom moest hij bij Cissi weg. 'Na tweeëndertig jaar,' had ze geantwoord, 'dus misschien heb je over een paar maanden als de verliefdheid voorbij is, wel niemand.' Die gok moest hij wagen, en financieel zou Cissi absoluut niets tekortkomen. Misschien bloeide ze zelfs wel op en ontmoette ze een andere man, maakte ze ook nog eens zo'n echte verliefdheid mee. Toen had Torunn niets meer gezegd, ze begreep dat het geen zin had, ze zag zijn egoïsme, dat monomane egoïsme waarmee verliefdheid altijd gepaard ging. Uit eigen ervaring wist ze dat verliefd zijn een soort psychose opriep waarin niets anders er nog iets toe deed. Ze vroeg of Gunnar Cissi had verteld dat hij misschien een kind met die vrouw wilde, maar dat was niet het geval. 'Vertel het haar alsjeblieft niet,' zei ze, 'nog niet, daar gaat ze aan kapot.'

Haar moeder had er in alle jaren dat ze vruchtbaar was, alles aan gedaan om niet zwanger te worden. Torunn vermoedde dat het in hoge mate verband hield met haar herinneringen aan de vier jaar als ongehuwde moeder. Rationeel was het niet, maar het was een feit.

Daarna had ze Gunnar niet meer gesproken, maar ze had een aantal keer bij haar moeder gelogeerd en veel met haar gepraat. Het was nog te kort geleden, pas veertien dagen, het was waarschijnlijk nog niet helemaal tot haar doorgedrongen. Gelukkig had ze goede vriendinnen, die allemaal opdraafden en met haar en voor haar Gunnar uitscholden. Torunn zou willen dat haar moeder zich meer tot die vriendinnen wendde en haar dochter niet zulke sms'jes stuurde of hysterische berichtjes op haar voicemail achterliet. Ze had nu geen zin terug te bellen, ze wilde koffiedrinken met haar collega's en een beetje relaxen voor ze naar huis ging.

Het derde sms'je was afkomstig van een onbekend nummer. Ze las het: *Zin in een ritje morgen? We kunnen afspreken aan het eind van Maridalen, bij Skar.*

Dat moest van Christer zijn, die ze op oudejaarsavond had ontmoet. De man met de sledehonden. *Wie weet,* antwoordde ze. Het antwoord kwam ongeveer per kerende post: *Zes uur. Kleed je warm aan.* Gevolgd door een smiley.

Opeens was ze helemaal niet zo moe meer. Sigurd kwam binnen en liet zich op de bank zakken.

'Verse koffie? Net wat ik nodig heb. Maar die speculaasjes kan ik niet meer zien', zei hij.

'Ik ga morgen een tocht maken met een hondenslee!' zei ze.

'Jeetje, ken jij zulke mensen ook? Ik dacht dat jij je tot een beetje nette, gedresseerde hondenbezitters beperkte, die willen dat hun trouwe viervoeter keurig aan de riem loopt?'

'Ik heb hem met Oud en Nieuw ontmoet. Vierde het met een paar vrienden in een huisje ... een paar nette vrienden ... en toen kwam hij zomaar langs, zat in een huisje vlakbij en hoorde dat we een feestje hadden.'

'Doe het nu rustig aan, Torunn', zei Sigurd en zijn stem klonk ernstig. Met Sigurd had ze het meest contact in de kliniek en Torunns hopeloze neiging de verkeerde mannen te kiezen was een onderwerp waarover ze het uitgebreid hadden gehad.

'We hebben niets met elkaar of zo', zei ze. 'Hij heeft alleen gevraagd of ik zin had mee te gaan.'

'Zulke sledehondenmensen zijn hartstikke gek en absoluut macho', zei hij.

'Daar weet jij niets van. En als hij hartstikke gek is, ga ik er gewoon vandoor.'

'Als je niet verliefd wordt. Geef me nu maar een kop koffie, je staat daar maar dom te kijken met die kan in je handen.'

Ze belde hem in de auto op weg naar huis en kreeg een nauwkeurige beschrijving waar ze moest parkeren. Je had daar goed bereik met je mobieltje, zei hij, je kon elkaar niet missen. Hij kwam met zeven honden, zij mocht op de slee zitten.

Ze vond dat hij een prettige stem had. Een boom van een kerel die plotseling in de deuropening van het huisje had gestaan met een volkomen wit huskyteefje in zijn armen. In zijn armen nog wel, net een schoothond. En de ogen van de hond waren knalblauw.

'Ik hoorde zo'n geblaf hier, dacht dat ik maar even langs moest komen met de politie', had hij gezegd.

'Met de politie?' vroegen Torunn en de rest in koor. Ze zaten bij de open haard met bier en hapjes.

'Zij hier', zei hij en hij zette het dier op de grond. 'Maar ik zie dat alles in orde is. Geen hond te zien.'

'We hebben ze achter in de omheining gedaan en twee stuks in de box', zei Aslak, de broer van Margrete, die hen allebei had uitgenodigd.

'Wat voor soort honden zijn het?' vroeg de man, terwijl het witte teefje de vloer van het huisje aan een nauwkeurig onderzoek met haar neus onderwierp.

'Twee boxers, een staander en twee kruisingen', zei Aslak. 'Heb je trek in een biertje?'

'Graag. Ik heet Christer. De hond heet Luna. Ze weegt maar tweeëntwintig kilo, maar ze is mijn leidhond en ik verzeker jullie dat ze orde houdt!'

'Dan doet ze hetzelfde werk als Torunn!' zei Aslak lachend.

Ze deed de deur open, trok al haar kleren uit en nam een douche. De geur van medicijnen en ontsmettingsmiddel zat in haar huid en haar haar. Ze deed haar ogen dicht onder het stromende water en dacht eraan hoe fijn het zou zijn. Iets heel anders doen dan anders, iets heel anders doen dan ze zou moeten. In het januaridonker op een slee zitten met zeven honden ervoor en met een man die alle touwtjes in handen hield. Ze verheugde zich erop. Wist dat ze die avond eigenlijk haar vader moest bellen om te horen hoe het met hem ging, vanwege de thuishulp die Margido had geregeld en die morgen voor het eerst zou komen. En haar moeder moest ze ook bellen.

Een maand geleden hadden ze zich allebei nog prima gered, helemaal zonder haar hulp, en plotseling zat ze tot aan haar nek in de verantwoordelijkheid.

Erlend vond dat ze zich die verantwoordelijkheid zelf oplegde, maar wat hielp dat zolang ze het zo voelde? Hij wilde dat ze samen met haar moeder naar Kopenhagen kwam, zei dat hij van plan was om Cissi zo veel champagne te serveren dat haar de schellen van de ogen vielen en ze ontdekte dat de wereld vol heerlijke kerels was. Torunn belde vaak met Erlend, werd altijd blij als ze zijn stem hoorde en het was leuk om te horen waar hij zoal mee bezig was: geen twee dagen achter elkaar hetzelfde. Nu moest hij weer opgezet vee zien te krijgen, het moesten echte beesten zijn. Ze twijfelde er niet aan dat het hem zou lukken, hij had zelfs een paardenkop nodig, met een stukje hals. Hij kwam steeds weer terug op een telefoontje dat hij oudejaarsnacht om twaalf uur van Margido had gekregen. Dat beweerde hij tenminste, maar Torunn geloofde er niets van. Margido was dronken en had hem 'broertje' genoemd en opgeschept dat hij een date had. Torunn ging ervan uit dat Erlend zelf dronken was. Zij had in ieder geval geen verandering bij Margido opgemerkt die keren dat ze over de thuishulp hadden gebeld. Die was nu dus geregeld en Margido zou de eigen bijdrage betalen die verlangd werd. Dat was niet zo veel.

Ze droogde zich grondig af en smeerde zich in met bodylotion, voelde de rust over zich heen komen. Ze zou een glas rode wijn nemen en een dubbele boterham klaarmaken zoals alleen zij die lekker vond: uit de magnetron met papperige kaas en ham ertussen. En ineens besloot ze die avond noch haar vader noch haar moeder te bellen. Een volwassen man moest toch verdorie in staat zijn zonder morele steun de thuishulp te ontvangen, en haar moeder moest maar uithuilen bij haar vriendinnen. Vanavond gunde ze het zich te spijbelen. Te spijbelen van haar verantwoordelijkheid: haar ochtendjas aantrekken en haar dikke sokken, eten en wijn drinken, iets geestdodends op tv zoeken, vroeg naar bed gaan en zich op morgenavond verheugen. Aan Christer denken en aan dat tengere alfateefje met de blauwe ogen, en aan zijn handen.

Die herinnerde ze zich het best: breed en doorgroefd, sterk. Zijn handen en hoe hij rook toen hij haar een zoen gaf voor hij weer naar zijn eigen huisje ging. Ze hadden urenlang over honden zitten kletsen met slechts een vage hint over hun privésfeer zo nu en dan, niet meer dan dat zij begreep dat hij alleen in dat huisje woonde en hij dat zij frank en vrij was. Het moest hem heel wat moeite hebben gekost achter haar telefoonnummer te komen, dacht ze, tot ze zich plotseling herinnerde dat hij haar naar haar achternaam had gevraagd. Dus toen was hij al van plan geweest haar te bellen.

Maar ze wist niets van hem behalve wat Sigurd had gezegd: dat zulke types hartstikke gek waren. Dat moest voorlopig maar genoeg zijn.

DIT WILDE HIJ helemaal niet. Hij trok een schoon overhemd aan en liet zijn vest maar uit, het was een beetje smoezelig van voren. Toen ging hij in de keuken zitten wachten. Om één uur zou ze komen. Zijn vader zat in de kamer in die eeuwige oorlogsboeken van hem te lezen, met zijn vergrootglas bevend boven elke foto afzonderlijk.

Hij trommelde met zijn vingers op het grijsgemarmerde formicablad en strekte zijn hals boven het nylongordijn voor het raam uit, ook al wist hij dat hij de auto ruim op tijd zou horen. Het was onbewolkt, halfhartig januarilicht, een belachelijk laaghangende zon, die eerder lastig was dan dat hij iets uitrichtte. De sneeuw was hard en glanzend nadat hij was ontdooid en weer was opgevroren. Nee, dit wilde hij werkelijk niet. Kon hij maar gewoon naar de stal en deze soesa ontlopen, maar iemand moest haar toch verwelkomen.

Dat Margido zijn heil zou zoeken in dergelijke smerige trucjes, dat had hij niet van hem verwacht: eisen dat Tor instemde met een gezinsverzorgster vanwege Torunn. Zij moesten zich er dus bij neerleggen dat een wildvreemde hier in huis rondsnuffelde vanwege Tórunn. Die ver weg in het zuiden in Oslo zat!

'Godverdomme!' zei hij en hij gaf met zijn vlakke hand een klap op tafel.

Zijn vader schrok op in zijn stoel in de kamer. 'Is ze daar?' vroeg hij.

'Nee.'

'O.'

'Klinkt alsof je je erop verheugt. Alsof je nu teleurgesteld bent?'

'Welnee.'

'Want dit is geen geintje, dat kan ik je wel vertellen!' zei Tor. 'En nu hou je je mond! Je hebt genoeg gezegd!'

In de kamer kon je een speld horen vallen. Tor stond op en liep naar de openstaande deur, keek naar die ineengedoken figuur in de leunstoel, naar het vergrootglas, die piekerige plukjes vettig grijs haar dwars over zijn kale kruin.

'Je had het eerst tegen mij kunnen zeggen', zei hij. 'Zodat ik niet van Margido hoefde te horen dat je naar het bejaardentehuis wilde.'

'Ik heb het tegen Torunn gezegd. Zij heeft het ...'

'Torunn kan toch niet helemaal vanuit Oslo regelen dat jij in een tehuis komt, dat snap je toch wel! Bovendien ben je niet eens ziek! Je bent alleen oud, dat is niet hetzelfde.'

'Ik douche niet', fluisterde zijn vader.

'Niet douchen? Dat is toch geen reden om in een tehuis te komen! Maar alleen omdat jij daarover bent gaan zeuren, krijgen wij nu een gezinsverzorgster. Het is allemaal jouw schuld! We hadden het hier prima kunnen hebben zonder dergelijk gezeik!'

Hij stak zijn handen in zijn zakken en liep terug naar de keuken. Haalde diep adem en staarde naar het lege voederplankje, liep weer naar de deuropening.

'Is niet allemaal jouw schuld. Word alleen zo moe als ik eraan denk dat hier vreemden over de vloer komen. Eén keer in de week! Eén keer in de maand was toch wel genoeg geweest.'

Zijn vader knikte instemmend, maar Tor wist dat elke knik

een leugen was: zijn vader verheugde zich erop bezoek te krijgen, hij was opgebloeid met mensen in huis deze Kerst, had een borrel gekregen, over de oorlog kunnen praten, had er een blos van gekregen en dat had hij anders nooit. En had zijn smoel niet kunnen houden over dingen die nooit naar buiten hadden mogen komen, waarheden die hun bespaard hadden moeten blijven.

Nu hoorde hij een auto, hij keek naar buiten. Net zo een als die Deen op het vliegveld had gehuurd, maar wit. En er stonden letters op het portier.

'Mijn god', zei hij.

'Wat?' vroeg zijn vader.

'Een magere sprinkhaan van een kind. Zoiets kunnen ze toch niet sturen!'

Hij had zich een ferme oudere vrouw voorgesteld. Ze laadde spullen uit de auto: emmers, een bezem en propvolle, witte plastic tassen. Donker, kortgeknipt haar, een spijkerbroek en een roodleren jack. Hij sloeg haar gade terwijl ze met haar armen vol naar het halletje liep, ze was er al bijna toen hij de gang in ging om de deur voor haar open te maken.

'Hallo! Hier ben ik! Heb het een en ander bij me, ziet u, omdat het de eerste keer is, maar dat laat ik hier staan. Aangezien jullie me nodig hebben, denk ik niet dat jullie het in de tussentijd zullen verslijten.'

Ze lachte luid en schaterend, haar ene oor was doorboord met zilveren ringetjes. Ze stevende langs hem heen rechtstreeks de keuken binnen alsof ze hier al jaren de drempel platliep, liet haar vracht op de grond zakken en gaf hem een hand.

'Ik heet Camilla Eriksen.'

'Tor Neshov.'

'Jullie zijn toch met zijn tweeën?'

'Hij zit in de kamer.'

Ze holde erheen, stak zijn vader, die al overeind wilde komen, haar hand toe: 'Blijf maar zitten! Ik heet Camilla Eriksen, het enige wat u moet doen als ik er ben, is uw voeten optillen als ik stofzuig onder uw stoel!'

'Tormod Neshov', zei zijn vader en hij glimlachte. Gelukkig zaten beide gebitten op hun plaats.

'Tor en Tormod. Wat grappig. Maar zo is het zeker op het platteland, hè, dat je naar elkaar wordt vernoemd. Die planten zijn dood.'

Ze wees naar de vensterbank.

'Die kunnen gewoon blijven staan', zei Tor.

'Blijven staan? Kunt u geen nieuwe kopen? Dan gooien we deze weg.'

'Ze kunnen gewoon blijven staan.'

'Oké. À propos, stofzuiger: ik moet kijken of die van u het goed doet. Als dat niet zo is, moet ik die ook meenemen.'

'Hij staat in de gang,' zei Tor, 'onder de trap.'

Ze holde de gang weer in.

'Ik moet het zuigeffect controleren', riep ze. 'Waar is het stopcontact?'

'Achter de kleren die daar hangen.'

'Gadver, wat stínken die, zeg!'

'Heb je trek in koffie?' vroeg hij, misschien zou ze dan wat bedaren.

'O ja, u hebt een stal. Dat was ik vergeten. Ja, ik lust graag een kopje koffie. Mag ik hier roken?'

Voor hij antwoord kon geven, was de stofzuiger al aan. Het geluid werd afwisselend sterker en zwakker, alsof ze haar hand voor het mondstuk hield, en dat was waarschijnlijk precies wat ze deed.

'Hartstikke perfect, deze!' riep ze.

Hij voelde een enorme opluchting, alsof hij een examen had gehaald. Het was een Electrolux van achttien jaar oud. Hij deed heet water in de ketel, zodat het eerder klaar was, en staarde naar de stapel spullen op de vloer. Daar kwam ze alweer, ze deed hem aan een hermelijn denken die voor je ogen heen en weer flitste.

'Jij bent nog wel erg jong', zei hij.

'Ik verdien wat bij om niet zo'n hoge studielening te moeten opnemen', zei ze. 'En mijn moeder is gestorven toen ik dertien was en ik had een heleboel jongere broertjes en zusjes, dus moest ik leren de huishouding te doen. Het is een prima baantje. Maar er zijn een paar dingen die ik niet doe. Mág ik hier roken?'

Hij pakte een schoteltje en zette het voor haar neer, ze stak een sigaret op alsof ze binnen een paar seconden aan gebrek aan nicotine zou doodgaan, inhaleerde energiek, boog haar hoofd achterover en blies met een genietende blik naar het plafond de rook uit.

'Maar er zijn dus dingen die ik niet doe.'

'Aha?' zei hij.

'Ik doe geen boodschappen, ik wil niets met geld te maken hebben. Niet dat ik bang ben voor geld, integendeel!'

Weer die hysterische lach.

'Maar gewoon voor het geval', ging ze verder. 'Oude mensen ... Nu ja, dat bedoel ik niet zo, natuurlijk. Maar die hebben vaak een heleboel contanten in huis en verstoppen het steeds op een andere plek en vergeten dan net zo snel weer waar en dan krijgt de thuishulp te horen dat ze steelt. Daarom is het beter dat ik niets met geld te maken heb. Dat is een principe, dat moet u zich dus niet persoonlijk aantrekken.'

Hij knikte ernstig en dacht aan die twintig briefjes van duizend die in de la van zijn nachtkastje lagen. Trouwens, het waren er nog maar vijftien. Na de inseminatie en de castratie en het hechten en een paar rekeningen waar hij een aanmaning voor had gekregen.

'Ik maak schoon', zei ze plotseling ernstig, als om de betekenis van haar woorden te onderstrepen. Het zong in de ketel, als het nu maar snel kookte.

'Aha.'

'Het huis. Niet de mensen.'

Ze lachte weer en zei: 'Als u dat wilt moet u thuiszorg aanvragen.'

Ze knikte stom naar de deur.

'Dat hoeft niet. We redden ons best', zei hij.

Als zijn vader daarbinnen nu één woord zei, zou hij hem zo het raam uit mieteren, recht in de hard bevroren sneeuw. Maar alles wat hij hoorde was een grondig en uitvoerig gekuch.

Eindelijk kookte het water, hij deed er koffie bij en roerde het rond met een vork, hield de ketel onder de kraan en goot er een ijskoude straal op.

'Ik zal kijken of we er nog iets bij hebben', zei hij. 'Ik geloof dat we ...'

'Niet voor mij, ik doe aan de lijn.'

Alsof daar spek te veel was! Meer dan vijfenveertig kilo woog ze niet, dat wist hij zeker, geoefend als hij was in het bepalen van het slachtgewicht.

'Een klontje suiker dan.'

'Bent u gek!'

Tor bracht zijn vader een kop koffie met twee klontjes en was blij dat hij uit gewoonte in de kamer bleef zitten. Hij hoorde alles wat er werd gezegd, dat moest maar voldoende zijn. Camilla Eriksen wilde weten wat voor dieren ze in de stal hadden en of hij het niet vreselijk vond dat de schapenboeren wolven wilden afschieten en of hij dacht dat kabeljauw pijn voelde.

'Kabeljauw?'

'Die vis!'

'Geen idee', zei hij en hij keek demonstratief op de klok aan de muur.

'Tja, ik moest maar eens aan de slag!' zei ze en met een brede glimlach sloeg ze zich op haar in spijkerbroek gehulde bovenbenen. Hij was zo opgelucht dat hij vroeg: 'Wat studeer je eigenlijk?'

'Rechten, eerstejaars. Hoeveel liter zit er in die boiler?'

Op deze tijd van de dag had hij niets in de stal te doen, maar toen zij aan de gang ging, liep hij er toch heen. Hij wist niet hoe gauw hij de staldeur achter zich dicht moest krijgen.

De varkens lagen te doezelen. Hij begon de hokken van de biggen schoon te maken; ze keken ongeïnteresseerd toe en sliepen verder, voelden intuïtief aan dat het nog lang geen etenstijd was.

Hij deed water op een stukje papier dat hij van een voerzak afscheurde, en wreef de spinnenwebben voor het raampje in het washok weg: vandaar keek hij recht op het halletje. Op de grond ervoor lag het plastic voddenkleed uit de keuken. Was dat nu nodig? De keukenvloer was met Kerst nog gedaan. Plotseling bedacht hij dat ze niet had verteld waar ze schoon zou maken en hij haastte zich weer naar buiten het erf over.

'Zeg', zei hij terwijl zij met het geknoopte kleed uit de kamer kwam aanzeulen.

'Camilla', zei ze.

Ze had haar rode leren jack uitgetrokken en een T-shirt met de foto van een mannenhoofd over haar kleren aangetrokken. ROBBIE stond eronder, met rode letters.

'Je hoeft boven de slaapkamers niet te doen, alleen de badkamer.'

'Oké, *no problem*. Ik maak alleen schoon waar jullie willen.'

'Dat wilde ik alleen even zeggen.'

Met haastige passen liep hij het erf weer over en hij trok zich terug in de stal. Nu zou hij Siri wekken, ook al werd ze chagrijnig omdat hij niets lekkers voor haar in zijn zak had.

Tijdens het middageten kwam Margido. De witte Citroën combi zwenkte het erf op, terwijl hij en zijn vader aan de keukentafel braadworst op brood zaten te eten. De houdbaarheidsdatum van de worst was al drie dagen verstreken, maar hij rook niet slecht toen hij hem in de koekenpan deed. Ze dronken er koud water bij en hadden elk een klodder ketchup op de rand van hun bord. Het smaakte goed en de keuken rook naar groene zeep en ammoniak.

'Margido', zei zijn vader.

'Ik ben niet blind.'

Wel had je ooit, dacht hij, het ontbrak er nog maar aan dat Torunn belde om te horen of ze het hadden overleefd dat er iemand was geweest om schoon te maken.

Margido deed zelf de deur open.

'Heb net genoeg voor ons klaargemaakt', zei Tor. 'Dus meer is er niet.'

'Ik heb op het werk gegeten', zei Margido. 'Hoe ging het?'

'Het is hier schoon', zei Tor. Zijn vader zei niets, sneed zijn brood in kleine dobbelsteentjes en bracht die naar zijn mond. De radio stond op het middagprogramma van de regionale NRK, een nummer van de dikke autoslopers uit Namsos. Margido trok een stoel onder de tafel vandaan en ging zitten, midden in de keuken. Hij ziet er vermoeid uit, dacht Tor, vermoeid en grijs, maar dat kreeg je waarschijnlijk als je de hele tijd met doden werkte. Opeens moest hij aan zijn moeder denken, en aan de begrafenis, en hij kreeg berouw.

'Zet de ketel maar op', zei hij. 'Er zit nog wat in. Doe er een beetje water bij.'

Margido stond op en deed wat hij zei. Ook dat was vreemd, dat Margido hierheen kwam en deed wat hem werd gevraagd.

'Moet zo naar de stal', zei Tor.

'Dat weet ik', zei Margido. 'Ik was in de buurt en wilde alleen horen hoe het was gegaan.'

Daar had hij al op geantwoord, dus daar zei hij niets meer op.

'Heeft Torunn nog iets gezegd? Je spreekt Torunn toch wel?' vroeg Margido, nog steeds voor het fornuis met zijn rug naar hen toe. Wat deed hij daar? Stond hij in de ketel te staren?

'Gezegd? Waarover dan? Hier wordt maar gezeverd over een tehuis en thuishulp en weet ik wat niet al.'

Zijn vader kuchte: 'Bedankt voor het eten.'

'Dat het je bekome!' zei Tor.

'Dan ga ik maar een beetje tv-kijken.'

'Doe dat,' zei Tor, 'dan krijg je straks koffie van Margido.'

Zijn vader stond op en slofte naar de kamer. Na een hoop gedoe wist hij de tv aan te krijgen, het volume stond helemaal opengedraaid, hij wist hem met moeite zachter te zetten, het was een oude tv en hij had geen afstandsbediening.

'Ach nee, het maakt niet uit', zei Margido.

'Wat bedoel je, of Torunn iets gezegd heeft?' vroeg Tor.

'Of ze Erlend heeft gesproken.'

'Ik begrijp er geen jota van', zei Tor. 'Wat bedoel je?'

Margido draaide zich naar hem om met zijn handen achter zich op de rand van het fornuis. Hij stond er zo raar bij, zo helemaal niet zichzelf, alsof hij het zo op een lopen zou zetten. Zijn gezicht had iets vreemds, vervuld van een soort intense verheerlijking. Dat was het enige woord dat Tor kon bedenken toen hij er een paar uur later in bed aan lag te denken.

'Ik ...' zei Margido.

'Ja?'

'Ik heb Christus een poosje uit het oog verloren. Zonder dat iemand van jullie daar iets van afwist. Nu heb ik hem weer gevonden.'

'En dat heb je Erlend verteld? Per se Erlend?'

'Nee! Maar ...'

'Ik moet naar de stal. Je moet maar vertellen wat je op het hart hebt.'

'Ik heb een misstap begaan.'

'Hoe dat?' vroeg Tor. Margido beging nooit een misstap, wanneer moest hij daar gelegenheid voor hebben?

Margido draaide zich weer om naar de koffieketel. 'Ik heb een misstap begaan', fluisterde hij. 'Ik heb me door Satan zelf laten leiden. Ik heb me laten verleiden.'

'Wanneer is dat gebeurd, dan? En wat heb je gedaan?'

'Ik wilde het alleen maar zeggen. Niet erover vertellen. En ik geloof dat God me op de proef heeft gesteld. Maar ik heb hem niet doorstaan. Nu moet ik zijn vergeving zoeken. Jezus moet me weer ontvangen.'

'Geloof vast dat hij dat zal doen. Hing hij niet aan het kruis voor alle zondaars van de hele wereld? Was dat niet juist het punt?'

'Tor! Je mag er niet over praten alsof ... alsof het een dagelijkse gebeurtenis was!'

'Ik ben moe.'

'Jij denkt dat je het moeilijk hebt, maar Christus zal er altijd voor je zijn, Tor. Zowel voor jou als voor mij. Ik bid voor ons allemaal.'

Tor kwam overeind. 'Ik begrijp niet waar je het over hebt. Ik heb geen misstap begaan, dus bid voor jezelf. En nu moet ik naar de stal. Je moet je koffie maar alleen opdrinken. Of samen met ... je vader.'

Nu wisten de varkens wat er ging gebeuren, nu klopte alles weer: de duisternis voor de stalraampjes, zijn drukke bewegingen, de deur naar het voerhok die wijd werd opengeslagen, zijn laarzen die driftig op de betonnen vloer kletsten.

'Er is genoeg voor iedereen!' riep hij zoals altijd en de biggen kwispelstaartten naar hem, de zeugen snoven met knorrende geluiden, zelfs de speenvarkentjes begonnen om elkaar heen te dartelen om deel te hebben aan de pret. Ze waren allemaal blij, behalve hij.

Wat een drukte tegenwoordig! Kon je godsklere op deze boerderij nu niet eens een beetje rust krijgen? Als Torunn belde als hij uit de stal kwam en niets anders wilde dan wat lauwe koffie drinken en ontspannen, zou ze goddorie te horen krijgen wat ze had aangericht.

Eigenlijk had hij er ook een kat bij willen hebben, maar daar stak marketingmanager Poulsen een stokje voor. Hij wilde geen huilende kinderen voor zijn etalage. En wat de muizen betrof, dat moesten bruine, wilde muizen zijn, zoals hij ze noemde, en geen witte. Bij opgezette huisdieren ligt de ethische grens, zei Poulsen.

Erlend had twee assistenten van het bureau toebedeeld gekregen en die werkten dag en nacht. Het hele tableau werd opgebouwd op een aparte vloer, die op kleine rubberen wieltjes liep. Als alles klaar was, hoefden ze het geheel alleen maar naar het raam te rollen, dat zolang met grijs papier was dichtgeplakt. Hij had de preparateur al tot waanzin gebracht door nieuwe ogen voor de beesten te verlangen. De ogen waarmee de schapen, de geit en het paardenhoofd eerst waren uitgedost, deden hem aan oude Ivo Caprino-films denken.

Het tableau was geniaal, een exacte kopie van een foto die hij had ontdekt in een boek over het leven op het platteland rond de vorige eeuwwisseling. Hij had dagen doorgebracht in de Zwarte Diamant, zoals de bibliotheek vanwege zijn vorm en kleur werd genoemd, boeken doorbladerend die hij had gevonden met behulp van een arme bibliothecaris, die de hoop niet liet varen dat Erlend gauw vond wat hij zocht. Toen sloeg hij een bladzijde om en daar was het: de balken, de vloer, het licht dat door de kieren in de houten deur viel, de strobalen, het gereedschap, het paardenhoofd dat uit de box stak. De andere dieren voegde hij er zelf aan toe. Een vastgebonden geit met een listige blik van onder een donkere pony en een schaap met twee lammetjes. Plus de muizen. Vijf bruine muizen, die zo waren opgesteld dat het leek alsof ze in een wild spel waren verdiept, in de hoek achter de strobalen waar de Benetton-kinderen hen niet konden zien. Dat waren natuurlijk poppen en geen opgezette kinderen, etalagepoppen gekleed in United Colors of Benetton. En ze stonden niet gewoon rechtop om de kleren te laten zien, nee: eentje hield een melkemmer in de hand, een ander een schep, een derde aaide de geit en eentje stond met zijn hand naar het paard gestrekt. Op de grond zat een meisje met een strootje in haar mond, dat met secondelijm was vastgekleefd.

Een kat die aan de andere kant van de strobalen met zijn oren gespitst op de muizen lag te loeren, zou het puntje op de i zijn geweest. Maar het paardenhoofd was het allermooiste, de uitdrukking die de preparateur uiteindelijk had weten op te roepen: alsof hij goedmoedig neerkijkend op de kinderen stond te hinniken! Poulsen was extatisch van geluk toen het tableau zijn uiteindelijke vorm begon aan te nemen. Nadat Erlends assistenten volgens exacte aanwijzingen van hemzelf alle muren en de vloer hadden getimmerd. Het materiaal was afkomstig van een gesloopte boerderij en was echt oud, met krassen en kerven en gaatjes van houtworm. Ze zetten de strobalen neer, strooiden strohalmen op de grond en hingen de antieke paardenteugels aan de muur. Over de belichting ontfermde Erlend zich zelf, het was echt een rotklus om zonnestralen na te bootsen die door de kieren van de houten deur vielen, terwijl het tableau zelf helder verlicht moest zijn.

'De kleren moeten centraal staan', zei Poulsen.

'Daar vergis je je in, mijn beste', zei Erlend. 'Het gaat om de belevenis in z'n totaliteit, dat nostalgische geluk, dát moet centraal staan.'

'Het hoeft niet helemaal Laura Ashley te worden', zei Poulsen.

'Daar hoef je niet bang voor te zijn. Maar deze etalage zal opzien baren en daarmee ook de kleren.'

'Als we de dierenbescherming maar niet op ons dak krijgen.'

'Alle vergunningen zijn in orde, daar heeft het bureau voor gezorgd. De dieren zijn gekocht en betaald en vol mededogen en respect afgemaakt. En de boer wist waar we ze voor zouden gebruiken. Hadden we alleen nog een kat gehad ...'

'*In your dreams*', zei Poulsen.

'Daar is het moeilijk om aan katten te komen', zei Erlend.

'Als niemand het paard maar herkent. Waar komt het vandaan?'

'Het is een renpaard uit Zuid-Jutland dat tijdens een ren een been is afgerukt. Het had vier eigenaars die dik aan het beest hebben verdiend. Als iemand van hen voor deze etalage in huilen uitbarst, is het omdat hij aan zijn paard een goede melkkoe heeft verloren, letterlijk gesproken.'

De ochtend dat het grijze papier werd weggehaald en de etalageruit grondig werd gelapt, dirigeerde Erlend intens tevreden en opgewonden iedereen die hielp het tableau op zijn plaats te rollen.

'Pas op de leidingen! Niet zo snel, anders valt de geit om!'

En eindelijk kon hij naar buiten om te kijken en van wat hij zag kreeg hij tranen in zijn ogen van geluk. Perfect. Het was een waar meesterwerk.

'Ga je gang!' zei hij tegen een van zijn assistenten. 'Schiet maar raak!'

Alle nieuwe etalages werden tot in detail op foto's vastgelegd voor de opschepmap van het bureau.

‘Gefeliciteerd!’ zei Poulsen en hij gaf Erlend een klap op zijn schouder.

‘Ik ben degene die zou moeten feliciteren’, zei Erlend. ‘Met de onthulling van een fantastisch mooie etalage. De rekening komt over een week.’

‘Niet hoger dan de beraming, hoop ik.’

‘We zullen zien. Als het te duur wordt hoef ik alleen maar iets weg te nemen … het paard bijvoorbeeld.’

‘Nee! Ben je gek! Ik krijg al zin in een rijtoer als ik hem alleen maar zie. En ik kan niet eens rijden. Over het uiteindelijke bedrag worden we het heus wel eens.’

‘Iets anders: mochten andere Benetton-filialen het idee willen kopiëren, wij beschikken over het copyright. Natuurlijk kunnen ze het overnemen, maar het kost ze wel iets.’

‘Veel?’

‘Over het uiteindelijke bedrag worden we het heus wel eens’, zei Erlend.

Aangezien hij op basis van provisie werkte, voelde hij een onstuitbare drang om te vieren. En wel nu meteen. Hij wist zowel Poulsen als zijn assistenten mee te krijgen naar de dichtstbijzijnde kroeg. Zijn assistenten waren een stel van Fyn, allebei uitgerust met een bliksemsnel begripsvermogen en ze werkten nauwkeurig en goed. Ze waren gewoon in loondienst en dan moest je hun inzet werkelijk waarderen.

Hij bestelde ontbijt voor iedereen. *Bliksemad*, spiegeleieren, zure rode bietjes en roggebrood, met bier en Gammel Aalborg-aquavit.

‘Niet één gestreste vader of moeder met kleine kinderen in Kopenhagen zal die etalage voorbijlopen zonder beroerd te worden van een slecht geweten over al die landelijke rust en harmonie die ze hun kinderen onthouden’, zei Erlend en hij hief met veel pathos zijn bierglas. ‘Dat is pure psychologie. Geef ze de mogelijkheid het onmogelijke te bereiken en ze grijpen haar begeerlijk met beide handen aan.'

'Die etalage is een droom', zei Poulsen.

'Precies. Een droom die je kunt kopen', zei Erlend. 'Proost!'

Ze namen een slok en veegden het schuim van hun bovenlip.

'Je bent geniaal', zei Poulsen.

'Ja, dat ben je echt', zei Agnete, het vrouwelijke gedeelte van het stelletje.

'We leren ongelooflijk veel van je', zei de mannelijke kant, die Oscar heette.

'Kom, kom', zei Erlend. 'Laten we wel wezen, zonder jullie tweeën zou die etalage nooit het daglicht hebben aanschouwd. Jullie hebben gewerkt als slaven. Hartelijk bedankt. Morgen staat er een doos uitstekende rode wijn voor ieder van jullie op het bureau te wachten. Daarna kunnen jullie twee dagen vrij nemen.'

'Echt waar?' vroeg Oscar, die op vijfentwintigjarige leeftijd al kaal begon te worden. Hij zou alles af moeten scheren, dacht Erlend, dan zou hij eruitzien om op te vreten.

'Natuurlijk is dat waar! Inzet wordt beloond. Breng die dagen in bed door. Inclusief dozen. Dat is mijn bescheiden raad. Nogmaals proost!'

In de beroepsmatige euforie waarin hij nu verkeerde, zou hij het graag met hen over al zijn nieuwe ideeën voor andere etalages hebben, maar dat waagde hij niet. Poulsen zou ten overstaan van anderen zijn mond voorbij kunnen praten en voor je het wist waren zijn concepten gestolen en omgezet. Want hij wilde verdergaan met tableaus en niet alleen met productgefocuste decoraties. Hij wilde belevenissen bieden die een hele reeks associaties bij de toeschouwers opwekten.

Vlak voor de Kerst had hij een etalage bij een goudsmid gedecoreerd. De sieraden waren aantrekkelijk genoeg geëtaleerd, maar in de hoek creëerde hij een minitableau met een leeg sieradendoosje te midden van kreukelig en gescheurd cadeaupapier, twee halfvolle champagneglazen en een damesslipje dat achteloos was neergegooid. Zo suggereerde hij de dankbaarheid van de vrouw voor een kostbaar geschenk. Het was gewaagd, maar de winkelier was er weg van geweest. Ze zouden al gauw een nieuwe etalage nodig hebben en als hij de eigenaar op zijn hand wist te krijgen met wat hij in zijn hoofd had ... Dan was hij ervan overtuigd dat het in de BT zou komen. Krumme zou het vast en zeker de redactie voorleggen, ook al woonden ze samen.

Twee mannen, etalagepoppen natuurlijk, zouden tegenover elkaar aan een keukentafel zitten, in spijkerbroek en wit T-shirtje en met een zonnebril in hun haar geschoven. Ze moesten een beetje *tough* gestyled worden, dacht hij. Ringetjes in de oren, getatoeëerd, vuile joggingschoenen. Op tafel wilde hij een whiskyfles, glazen en een volle asbak hebben, en een van de twee moest een sigaret tussen zijn vingers houden. De associatie die direct bij de toeschouwer moest opkomen, was dat het twee dieven waren die hun buit in ogenschouw namen. Een kapot rolgordijn aan de muur achter hen en sieraden en polshorloges over de hele tafel uitgespreid en in de opening van de jutezak die op de grond lag. Om er een beetje humor in te brengen wilde hij gevangenispakken in de hoek leggen alsof ze daar achteloos waren neergeworpen, zwart-wit gestreept zoals in Amerikaanse films. Waarschijnlijk zou hij genoodzaakt zijn textielverf te kopen en zwarte dwarsstrepen op wit lang ondergoed te schilderen. Misschien nog een kogel met een ketting, doorgezaagd? Het moesten net ontsnapte gevangenen lijken! En de belichting moest perfect zijn, de mannen in donker, schaduwachtig licht en smalle spots die nauwkeurig op de sieraden en de horloges waren gericht. God, als hij de eigenaar daartoe kon overhalen! Dat zou crimineel geraffineerd zijn, een sensatie. Maar hij kon er nu niet over beginnen, in plaats daarvan begon hij over het debat dat in New York veel deining veroorzaakte. Agnete en Oscar waren op de hoogte, maar Poulsen niet.

'Moralistische groeperingen hebben een winkel geboycot omdat hun etalages te gewaagd waren', zei Erlend. 'Ze toonden bijna naakte etalagepoppen, stel je voor, bij Henri Bendel nog wel.'

'Geboycot? Maar dan verliezen ze erop', zei Poulsen.

'De omzet is gestegen', zei Agnete. 'Een boycot is superreclame!'

'Overal in New York verleggen ze intussen de grenzen, zelfs H&M toont seksspeeltjes in hun etalages met ondergoed. De ruiten zijn helemaal beslagen van het gehijg van de klanten … Doodnormale mensen hebben het erover en hebben er een mening over, dat kennen we in Kopenhagen niet zo.'

'Amerikanen zijn puriteinen, dat zijn wij niet', zei Poulsen en hij dronk zijn glas leeg. Erlend gaf de kelner een seintje nog eens in te schenken.

'Nee, hier zou niemand ervan opzien', zei Erlend. 'De seksshops in de VS zijn gewaagd, maar dat de groten, Saks Fifth Avenue, H&M, Bendel en Victoria's Secret het aandurven, dat is nieuw. De vrouw die de eerste erotische etalage voor H&M creeerde, was styliste voor *Sex and the City*, dus ze is eraan gewend grenzen te verleggen en conceptueel te denken.'

'Wat zou Kopenhagen shockeren?' vroeg Oscar.

'Dat kan ik je vertellen', zei Erlend. 'Neem een van de exclusieve modehuizen voor mannen – laten we zeggen in de drukste winkelstraat, op Strøget – kleed twee mannelijke poppen in een Calvin Klein-pak en laat ze elkaar kussen. De een zit bijvoorbeeld op een stoel met zijn benen wijd, terwijl de ander met zijn rug naar ons toe over hem heen gebogen staat, zich vasthoudend aan de armleuningen met zijn hoofd enigszins opzij. We zien wat hij doet, ook al zijn het poppen. Een echte, innige Franse kus.'

'Dat zou een storm van verontwaardiging oproepen', zei Poulsen.

'Precies', zei Erlend. 'Het zou een kopers van jewelste trekken, zowel voor de winkel als voor Calvin Klein. Maar geen enkele winkelier zou het wagen.'

'Daar kun je donder op zeggen. Ik ben blij dat ik kinderkleding verkoop', zei Poulsen.

'Ook kinderen komen op de raarste ideeën', zei Erlend. 'Op een hooizolder bijvoorbeeld. Doktertje spelen op een strobaal misschien. Gekleed in, of slechts gedeeltelijk gekleed in, United Colors of Benetton.'

Poulsen keek hem verschrikt aan.

'Waag het eens', zei hij.

'Dat zou ik kunnen doen, jij niet', zei Erlend.

Hij ging lopend naar huis, wilde frisse lucht in zijn longen voelen. Als hij aan het werk was, rookte hij altijd te veel. Hij voelde zich intens gelukkig, helemaal tot in de puntjes van zijn met nicotine doordrenkte longen. Wat hield hij toch van dit werk, wat hield hij toch van zijn hele leven! Hij kon zich niet voorstellen ook maar iets te veranderen! Nu ja, de open haard thuis misschien. Dat was een dure gashaard met glas ervoor, maar laatst had hij iets over de laatste trend gelezen: een hologram-openhaard. Het perfecte illusoire haardvuur waarin je je hand kon steken zonder je te verbranden, want de warmtestralen kwamen uit de omlijsting rondom de haardopening. Als je ervoor zat, zag geen mens ter wereld verschil. Geen rommel, geen as en veel spannender dan een gasopenhaard. Hij zou er voorzichtig tegen Krumme over beginnen, een hologram-openhaard kostte een vermogen, en nog een beetje meer.

Hij controleerde zijn mobieltje, dat op geluidloos had gestaan: drie sms'jes van Torunn en eentje van Krumme. Die las hij eerst. Krumme zou laat zijn, maar hij zou wat lekkers meebrengen voor het eten. Dat kwam Erlend goed uit, dan kon hij linea recta naar huis en naar bed, ze waren vannacht tot twee uur bezig geweest met de etalage en vanochtend om zeven uur alweer begonnen. Dat ene biertje en het borreltje met Poulsen en zijn assistenten waren rechtstreeks zijn slaapcentrum binnengedrongen. Hij zag het patroon van het beddengoed al voor zich: witte maansikkels op een zwarte ondergrond.

De sms'jes van Torunn las hij met een mengeling van jaloezie en bezorgdheid. Ze was smoorverliefd op die kerel die ze oudejaarsnacht had ontmoet en met wie ze veertien dagen geleden haar eerste date had gehad. Hij was bezorgd omdat hij niet wist hoe ze het aanpakte met mannen, het leek allemaal zo heftig, zo anders dan de Torunn die hij had leren kennen. En ze vertelde hem alles, stuurde sms'jes en belde en vertrouwde hem alles toe over die Christer, die zoon van de wildernis. Ze had het nauwelijks meer over Tor. En ook over haar moeder, die versmade madame uit Røa, hoorde hij tegenwoordig niet veel meer. Dus eigenlijk moest hij opgelucht zijn en blij voor Torunn. Maar zo ...? Nee, hij was bezorgd. Nu schreef ze dat hij naar de kliniek was gekomen, alleen om te zien waar ze werkte zodat hij wist hoe het er om haar heen uitzag als ze met elkaar telefoneerden. En in het andere sms'je schreef ze gewoon: *Hij is perfect. Voor mij.*

Aan de andere kant, afgezien van alle bezorgdheid was hij stikjaloers. Een ruige kerel die je op een januaridonkere parkeerplaats met zeven sledehonden afhaalt om je in het licht van een hoofdlamp naar een open landschap onder de sterrenhemel te voeren en die rendiervachten op de sneeuw uitspreidt en kaneelbeschuitjes en warme chocolademelk uit een thermosfles serveert ...

Natuurlijk was het op heftige erotische uitspattingen uitgelopen en dat moest er nog bij komen ook. Op rendiervachten ... Dat had hij nog niet meegemaakt. Roken die niet een beetje sterk en beestachtig? Hij zag zichzelf en Krumme voor zich tussen een heleboel vachten, terwijl de Grote Beer boven hen stond en de wolven ver weg huilden. Oef, nee, leve de jacuzzi en de vloerverwarming, dacht hij en hij stuurde haar een sms: *Geniet ervan en take care. Een dikke zoen van je oom, die net een van zijn baanbrekende etalages heeft onthuld. Benetton rules!;-D*

De verliefdheid zelf miste hij niet. Hij kon plotseling als een blok voor een andere man vallen, maar dat was puur lichamelijk en dan was het zaak om het dichtstbijzijnde toilet op te zoeken. In zijn eentje.

Een heleboel homostellen hadden carte blanche voor een snel nummertje met toevallige mannen die ze in de kroeg of de sauna opscharrelden, en beschouwden dat niet als ontrouw. Maar dat gold niet voor hem en Krumme. Niemand, absoluut niemand anders mocht de warmte van Krummes gladde kogelronde buik tegen zijn voorhoofd voelen, laat staan het genot beleven er een wang op te leggen die nat was van de vreugdetranen. En de prijs die hij voor deze exclusiviteit betaalde, was natuurlijk dat ook niemand anders aan zijn buik mocht komen.

Hij ging naar binnen, trok zijn kleren uit en liet ze gewoon op de badkamervloer vallen, nam een douche en ging naakt naar bed, zelfs zonder het antwoordapparaat te checken. De slaapkamer was lekker koud. Krumme noemde dat alleen maar 'koud', hij haatte het met open raam te slapen, maar hij had Erlends Noorse gewoontes geaccepteerd. Bovendien hadden ze een dubbel dekbed en deelden ze royaal elkaars lichaamstemperatuur. Maar op dit moment was hij te moe om Krummes behaaglijke lijf te missen. Of zijn gesnurk. Hij hield van Krummes gesnurk, het geluid leek op dat van ganzen die op trek waren, een ononderbroken gakkerend en snaterend geluid waarbij hij sliep als een os.

Plotseling werd hij wakker van een hand die de zijne greep.
'Krumme, ben jij daar? Ik was zo moe, ben meteen naar bed gegaan. Fijn dat je er bent, wat heb je mee te eten ...'
'Erlend.'
'Ja?'
Hij richtte zich op een elleboog steunend op, dat kostte hem een heleboel moeite, maar er was iets met Krummes stem niet in orde.
'Ik ...'
'Krumme, wat is er aan de hand?!' vroeg hij en hij deed de *downlights* boven het hoofdeind aan.

Krumme zag er verschrikkelijk uit: een bloedende wond aan zijn kin, zijn Matrix-jas aan zijn ene schouder grijs van het vuil, zijn haar dat alle kanten op stond, tranen in zijn ogen.
'Mijn god, Krumme, wat is er? Wat heb ...'
Erlend sprong uit bed en sloeg zijn armen om Krumme heen, die droog begon te snikken. Erlend deed zijn best wijs te worden uit de situatie: 'Ben je in elkaar geslagen? Heeft iemand ...'
'Aangereden. Bijna dood', zei Krumme.
'Maar ... Hier? Hier voor het huis?'
'Nee. Twee uur geleden, buiten voor de krant. De politie heeft me naar de noodarts op Bispebjerg gebracht, maar die zeiden dat ik niets mankeerde. Zelfs geen hersenschudding. En mijn kin hoefde niet gehecht. Ik ben in orde, maar ...'
Erlend keek snel op de radiowekker, hij had uren geslapen. Hij wist Krumme op de been te krijgen en ging met hem naar de badkamer, hij hielp hem uit zijn jas en zijn kleren, duwde hem de douchecabine binnen, stapte er zelf ook in, liet het water stromen en hield Krumme in zijn armen. Hij huilde en daasde door elkaar heen en hij beefde als een rietje over zijn hele lijf. Erlend voelde hoeveel hij van deze man hield, meer dan van alles ter wereld, van kleine, dikke Krumme, die leek

op Karlson van het dak uit zijn jeugd.

'Ik dacht dat ik dood zou gaan. Nee … ik wíst dat ik dood zou gaan … Ik lag met mijn gezicht op die vieze, smerige straatstenen en zag alles van opzij, alle mensen, alle auto's, en ik lag daar maar. En er kwam nog een auto aan, in volle vaart, ik zag de bumper en de wielen dichterbij komen. Hij … wist te stoppen. De remmen gierden en hij bleef schuin stilstaan, vlak voor waar … ik lag. Waar ik lag, Erlend, midden op straat.'

'Nu ben je hier, Krumme van me, ik hou je vast, nu ben je hier.'

'Ik wist dat ik dood zou gaan, en ik dacht …'

'Stil maar …'

'Ik dacht … Wat met de rest van mijn leven? Wat wil ik daarmee?'

'Ik ben er toch. En je leeft.'

'Ik wil dat we een kind krijgen, Erlend. Een kind.'

'Wat?'

'Ik heb daar al zo vaak aan gedacht. Al zo lang.'

Erlend liet zijn klemmende greep verslappen en streek het water uit Krummes haar. Krumme stond met zijn ogen dicht en zijn armen slap langs zijn lichaam, was puur lijf en huid onder stromend water. De wond op zijn kin bloedde niet meer, maar op zijn schouder en bovenarm verschenen blauwe plekken; waar had Krumme het over, een kind, wat gebeurde hier, sliep hij nog en zat hij midden in een nachtmerrie?

'Een kind', herhaalde Krumme.

'Maar … met wie?' vroeg Erlend. 'En waarom? Je hebt mij toch.'

Krumme deed zijn ogen niet open, stond daar nog steeds onder de straat en zei: 'Geen idee met wie, ik heb echt geen idee. Een surrogaatmoeder, zoals zo veel andere homostellen doen, of een vrouw die net als wij … Ik weet het niet! Maar ik wil dat we een kind krijgen, Erlend. Een kind dat van ons is. Ik hou van je, ik ben bijna gestorven, ik had dood kunnen zijn, ik wil dat we een kind krijgen. Het gaat om de rest van ons leven, Erlend. Er moet meer zijn. Dan zoals we het nu op dit moment hebben. Meer. Iets wat verder vooruit reikt, buiten onszelf. Daarna. Een leven.'

'Nu draai ik de kraan dicht,' zei Erlend, 'dan drogen we ons af en trekken onze ochtendjas aan en dan doen we de open haard aan en relaxen een beetje. Je verkeert in een shock, Krumme.'

'Ja, dat geloof ik best. Maar daar ben ik eigenlijk ook een beetje blij om.'

Krumme deed zijn ogen open, ze waren donker en intens. Normaal gesproken waren ze blauw en blij. Er ging een koude rilling door Erlend heen, hoewel het water warm was: wat gebeurde er, wat hoorde hij nu, hij die zo veel van zijn leven, zijn werk en van Krumme hield. Er ontbrak niets, helemaal niets! Was dit een voorteken, omdat hij een paar uur geleden in gedachten het lot had uitgedaagd en niet op hout had geklopt toen hij eraan dacht hoe gelukkig en tevreden hij was?

'Je rilt, Krumme, kom, ik ros je af dan komt alles weer in orde', zei hij. 'Ik zal Irish coffee voor ons maken. Drie voor elk. Op een lege maag, dan komt alles vast weer goed, je zult het zien.'

'Margido, hier is een dame die je wil spreken', zei mevrouw Marstad. 'Zal ik haar binnenlaten?'

'Wie is het? Ik heb geen afspraak en ik heb duizend andere dingen aan mijn hoofd.'

'We hadden haar man van de herfst. Selma Vanvik?'

'O ja. Ja, ik herinner me haar, nu je het zegt.'

'Zal ik haar binnenlaten? Of haar vragen even te wachten?'

'Laat haar maar binnen. Over … vijf minuten.'

Mevrouw Marstads hoofd verdween, hij hoorde haar voetstappen door de gang in de richting van de ontvangstkamer.

'Heer mijn God, heb genade, sta me bij', fluisterde hij en hij schroefde de dop op zijn vulpen en legde hem voorzichtig in de smalle gleuf van zijn bureau-organizer. Hij zat net zo lekker, had eraan zitten denken dat die Håg-stoel waarlijk zijn geld waard was. Zowel de rugleuning en de armleuningen als de zitting konden perfect worden ingesteld. Hier zat hij in de veronderstelling dat alles voorbij was, overdreven tevreden en genietend van het comfort van een stoel. Was dit ook een beproeving die hij moest doorstaan? Dat hij zonder waarschuwing van het ene contrast in het andere werd gedompeld?

Hij zat met gevouwen handen achter zijn bureau toen ze binnenkwam en de deur hoorbaar beslist dichtdeed. Hij keek niet op, maar het geluid van de klap galmde pijnlijk door zijn hele lichaam. 'Gelukkig wie nederig van hart zijn, want voor hen is het koninkrijk van de hemel', sprak hij zalvend in zichzelf. 'Ik ben arm, maar ook rijk.' Hij was rijk in zijn geloof en eigenlijk moest hij bijna dankbaar zijn. Ze zei iets, hij hoorde niet helemaal wat, maar waar dacht hij ook net aan? O, ja, dat hij dankbaar zou moeten zijn. Selma Vanvik was de beproeving die God hem liet ondergaan, maar ze was ook een mens, al was ze het gereedschap Gods. En ze waren allemaal gereedschap, hij moest erbarmen met haar hebben. Hij keek op, ze stond vlak voor zijn bureau, veel te dichtbij, gekleed in iets groens, haar mond ging open en dicht. Hij zou zijn blik niet langer neergeslagen houden, maar alleen naar haar mond kijken, of naar haar ogen. Hij keek haar even kort aan en focuste toen snel weer op haar mond; het was onmogelijk haar in de ogen te kijken, zo zwart en vreemd, hij moest horen wat ze zei. Ze sprak luid nu, wat als mevrouw Marstad of mevrouw Gabrielsen kwamen en zich ermee gingen bemoeien? In dit kantoor werd altijd zachtjes gesproken.

'Ik geloof niet dat ik goed heb gehoord wat je zei', zei hij terwijl hij uit het raam keek.

Ze liet zich op een van de stoelen zakken die voor de nabestaanden voor zijn bureau stonden, en begon te huilen.

Hij ontspande een beetje, van huilen wist hij alles af. Huilende mensen waren veilig voorspelbaar. Hij liet haar een tijdje begaan, toen zei hij: 'Het spijt me wat er is gebeurd, Selma. Het spijt me echt.'

'Maar waarom? We hadden het toch fijn samen, Margido? Jij maakt het allemaal alleen maar erger als je dat zo zegt ...' zei ze met een kleinemeisjesstem die de lucht om hem heen deed stilstaan. Was hij maar ergens anders, waar ook maar, al was het in een donker graf.

'Je had hier niet moeten komen', zei hij. 'Als mevrouw Marstad of mevrouw Gabrielsen te weten kwamen ...'

'En wat dan nog? Ben je met hen getrouwd, misschien? Heb je geen eigen leven?'

Hij had eigenlijk op beide vragen 'nee' kunnen antwoorden, maar hij hoorde met groeiende angst hoe de woede zich opnieuw in haar oplaadde. Dit kon hij niet goed aan. Als ze een vrouw was geweest die net een vreselijk verlies had geleden, zou het veel gemakkelijker zijn.

'Waar je spijt van moet hebben, is dat je niet met me wilt praten! Ik heb gebeld, ik heb je zelfs brieven geschreven, ik ben al een maand bezig! Hoe denk je dat ik me voel? Ik dacht eerst dat je tijd nodig had. Idioot die ik ben!'

'Sst, niet zo luid, ik hoor je wel.'

Toen begon ze gelukkig weer te huilen en durfde hij naar haar te kijken: ze zat met haar handen voor haar gezicht, dat groene was een wollen hoed met witte stofbloemetjes aan de rand bevestigd. Ook haar tas was groen, die had ze op schoot, ze steunde er met haar ellebogen op.

'Zoiets kun je toch niet doen', fluisterde ze tussen haar vingers door. 'Met een vrouw naar bed gaan en dan verdwijnen, en als ik bel, beweren dat je belangrijke dingen aan je hoofd hebt. Ik weet dat je liegt, je hebt me zelf verteld dat je er altijd op toeziet je mobieltje af te zetten als je met iets belangrijks bezig bent.'

Dat verdomde mobieltje ook, vroeger was alles veel gemakkelijker, zonder dat ding. Onhandiger, maar gemakkelijker.

'Ik dacht dat we de juiste toon hadden gevonden, Margido. Dat dacht ik echt.'

'Het is niet zo eenvoudig. Ik ben een diep gelovig mens, Selma.'

'Poeh! Zo gedroeg je je op oudejaarsavond nu niet bepaald als je het mij vraagt!'

'Ik kan niet tegen alcohol, ik drink nooit. Daar kwam het door.'

Nu werd ze weer boos, ze stond op en boog zich over zijn

bureau, hij trok zich onwillekeurig terug, de dure stoel volgde zijn bewegingen.

'Dus het kwam door de drank? Wil je dat beweren?'

Hij deed zijn ogen dicht. Zoiets vulgairs. Ze was een ander geworden, het was voorbij met vrolijke grapjes en koketterie, de vrouw die voor hem stond was grof en lomp en dat maakte alles een stuk gemakkelijker. Hij kwam overeind en keek haar recht in de ogen.

'Ik wil dat je nu weggaat, Selma. Het spijt me echt, maar het is niet anders. Je bent een zeer ... aantrekkelijke vrouw. Maar een verhouding met jou past niet bij mijn geloof.'

'Ben je een monnik of zo? Een katholieke priester? Hè? Je hebt een verdomde begrafenisonderneming, ik geloof niet dat jij de vrouwen voor het uitzoeken hebt! Maar ik vond je een aantrekkelijke man, iemand die me veiligheid bood, je rust fascineerde me. Ik had moeten begrijpen dat die rust niets anders was dan simpele passiviteit. Je bent een lafaard, Margido Neshov. En nu ga ik. Wees gerust, je zult nooit meer iets van me horen.'

Toen alle werkzaamheden van die dag gedaan waren, papieren in mappen geborgen, belangrijke telefoontjes gepleegd en de begrafenis van de volgende dag in de kerk van Ilen tot in detail gepland, ging hij regelrecht naar huis hoewel het pas half vier was. Tegenover de dames deed hij alsof hij even bij het kistenmagazijn langs zou gaan om de voorraad te checken. Hij hoorde zelf hoe dom dat klonk aangezien al die informatie bij mevrouw Marstad in de computer stond, en daarom voegde hij eraan toe dat hij dacht dat er iets met een van de kisten niet in orde was, er leek een handvat los te zitten. Hij wilde kijken of hij dat zelf in orde kon brengen, dan hoefde het ding niet te worden teruggestuurd.

Eigenlijk was hij van plan geweest boodschappen te doen voor de hele week, dat deed hij altijd op donderdag, maar toen hij in de auto was gestapt, zag hij in dat hij dat niet kon opbrengen. Als mevrouw Marstad en mevrouw Gabrielsen ook maar het geringste vermoeden hadden dat er iets niet in orde was ... Wat een schande. Hij had hun respect nodig, was daar afhankelijk van, hij was de man die nooit iets verkeerds of onethisch deed.

Hij ging zijn flat binnen en deed de deur achter zich op slot. Nu was hij alleen bereikbaar via de vaste telefoon. Hij zette zijn mobieltje uit en slaakte een zucht van verlichting toen het schermpje zwart werd. Ze had zijn nummer thuis weliswaar ook, maar hij was in ieder geval via één net minder te bereiken. Ook al geloofde hij haar eigenlijk toen ze zei dat ze geen contact meer met hem zou opnemen.

Lafaard, dacht hij, stel je voor, hem zo te noemen, hij die zijn rug had gerecht, zijn zonde in de ogen had gezien en zijn eigen behoeftes opzij had gezet. Integendeel, 'sterkte' noemde je zoiets, en hij weigerde daar hoogmoed bij te voelen. Sterkte was een vanzelfsprekendheid, het was een bevestiging van de verankerde aanwezigheid van God en Jezus Christus in zijn gemoed, in zijn ziel. Die sterkte kwam niet uit hemzelf, het was een direct gevolg van zijn geloof. Dat zou ze nooit begrijpen, zij met haar rode wijn en haar 'hele familie'.

Hij bakte een ei met een halve schapenworst, sneed een tomaat in plakjes en deed alles samen met een bruine boterham op zijn bord, ging met een glas naar de koelkast, schonk melk in, droeg alles naar de kamer en at in zijn stresslessstoel met zijn bord op schoot zonder de tv aan te zetten. Toen hij zijn eten ophad, zette hij zijn bord en het glas op de kleine salontafel en leunde achterover.

Het was zo stil. Het was gaan sneeuwen. Hij keek naar buiten, naar de cipres die in een aardewerken pot op zijn balkonnetje stond. Het zag er mooi uit met de sneeuw op het groen, hij werd altijd blij als hij daarnaar keek, maar vandaag niet. Hij wilde verhuizen, een huis zoeken met een sauna of met ruimte om er een te laten installeren. Hij kwam uit zijn stoel overeind en pakte de krant van die dag, bladerde tot hij de huizenadvertenties vond. Toen ging de telefoon en zijn hart klopte in zijn keel, het dreunde in zijn oren en zijn handen beefden toen hij opnam.

'Ik ben het', zei mevrouw Gabrielsen.

'O, ben jij het.'

'Ze belden net, Randi Lagesen belde, Randi en Einar Lagesen, die met dat kindje dat aan wiegedood is gestorven, dat we gister hebben verzorgd en dat maandag wordt begraven?'

Mevrouw Gabrielsen had de akelige gewoonte hem alles wat voor de hand lag in theelepelgrote porties te serveren. Ze had alleen maar 'Lagesen' hoeven zeggen, hij had nog maar twee uur geleden de laatste correcties in de liturgie voor de begrafenis zitten controleren.

'Ja, ja, ik begrijp wie je bedoelt.'

'Ze willen toch een rouwdienst hebben. Zijn ouders zijn vanmiddag uit Oslo gekomen. Ik heb het ziekenhuis gebeld vanwege de kapel en die is vandaag vrij, maar morgen bezet. Kun je dat vandaag doen, denk je? Het ging om zeven uur.'

'Ja, dat kan wel. Laat het hun maar weten. Dat red ik prima.'

Hij vouwde de krant netjes op en haalde nog een glas melk. Dit was de werkelijkheid, de werkelijkheid waar hij middenin stond. En waarvan Selma Vanvik blijkbaar geen snars begreep.

'Lieve-Heer, u die ons ziet en kent, sta ons bij met uw troost.'

Zowel de moeder als de vader van het kindje was gelovig. Dat verheugde hem, dat moest het verdriet gemakkelijker te dragen maken. Het was hun eerste kind en het eerste kleinkind aan beide kanten. De vader en de moeder stonden dicht bij elkaar, hun handen gevouwen, met twee paar grootouders die hen afwisselend over hun rug aaiden en elkaars hand grepen. Voor hen stond het open kinderkistje met het meisje van drie maanden in een zelfgebreid wit-roze pakje. Ook het mutsje was wit-roze met een roze zijden lintje onder haar kin. De oogkassen waren al iets donkerder gekleurd, maar hij had nog tijd gehad ze met een beetje crème te bedekken voor de familie kwam. De witte kaarsen brandden, het schijnsel flakkerde op de wanden. Het deksel van het kistje lag op een stoel tegen de muur.

Ze luisterden allemaal naar zijn woorden. Het deed goed ze uit te spreken, iets voor deze mensen te betekenen, ze een stukje op weg te helpen. Veel te lang had hij de leegte in zijn eigen woorden gehoord als hij daar zo stond, nu verwarmden ze hem terwijl ze de ouders en de grootouders troostten.

'Laat ons horen hoe Jezus het koninkrijk van God voor de kinderen openstelt.'

Hij keek op en ze keken hem aan. De ogen van de moeder waren rood en vervuld van een grondeloos verdriet en een soort fysiek verlangen dat hij altijd weer zag bij moeders die hun baby hadden verloren.

'De mensen probeerden kinderen bij hem te brengen om ze door hem te laten aanraken, maar de leerlingen berispten hen. Toen Jezus dat zag, wond hij zich erover op en zei tegen hen: "Laat de kinderen bij me komen, houd ze niet tegen, want het koninkrijk van God behoort toe aan wie is zoals zij. Ik verzeker jullie: wie niet als een kind openstaat voor het koninkrijk van God, zal er zeker niet binnengaan." Hij nam de kinderen in zijn armen en zegende hen door hun de handen op te leggen ... Jezus zegt: "Ik ben de goede herder. Ik ken mijn schapen en mijn schapen kennen mij. Ik geef ze eeuwig leven; ze zullen nooit verloren gaan en niemand zal ze uit mijn hand roven. Wat mijn Vader mij gegeven heeft, gaat alles te boven, niemand kan het uit de hand van mijn Vader roven."'

De moeder snikte het uit en haar eigen moeder sloeg een arm om haar heen.

'Zo luidt het woord des Heren.'

Hij laste een pauze van een paar seconden in en ging toen verder: 'Laten we samen bidden tot de Heer.'

De nabestaanden lieten elkaar los, vouwden hun handen en bogen hun hoofd. Dit waren dus allemaal gelovige mensen en gelukkig was het kind gedoopt, dat hadden ze nog maar tien dagen eerder gevierd. Het meisje had de naam Sara Emilie gekregen.

Margido deed zijn ogen dicht, voelde hoe hij werd vervuld van een grote plechtigheid toen hij het gebed tot de Heer samen met hen uitsprak: 'Onze Vader, die in de hemelen zijt. Uw naam worde geheiligd, Uw rijk kome, Uw wil geschiede, gelijk in de hemel, alzo ook op de aarde; geef ons heden ons dagelijks brood, en vergeef ons onze schulden, gelijk ook wij vergeven onze schuldenaren, en leid ons niet in verzoeking, maar verlos ons van de boze; want van U is het rijk en de kracht en de heerlijkheid tot in eeuwigheid. Amen'

'Amen', fluisterden ze.

Hij pakte het deksel van het kistje en hield het in zijn handen.

'Wilt u haar gezichtje bedekken?' vroeg hij zachtjes.

Een van de grootmoeders ontvouwde het zijden doekje dat klaarlag op het hoofdkussen naast het kleine gezichtje, en spreidde het erover uit nadat ze even het ene wangetje had gestreeld. Er welde een droge snik in haar op: 'Mijn kleine meiske ... Ik had niet eens de tijd om je goed te leren kennen.'

Het was volkomen stil terwijl hij het deksel erop legde en de vader de schroeven vastdraaide.

Daarna gaven ze hem alle zes een hand en bedankten hem hartelijk en innig.

'U hebt zo mooi gesproken', zei een van de grootvaders. 'Het was een fijne ervaring voor ons dat de Heer ons bijstond met zijn troost. Dat doet hij immers. Heel hartelijk bedankt, nu kunnen we de begrafenis ook aan.'

Hij moest sneeuw van zijn auto vegen, hij veegde hem met langzame bewegingen weg en voelde iets als geluk. *Breng ons niet in verzoeking* ... Maar het was gebeurd. Het was gebeurd en het kon niet ongedaan worden gemaakt. Toch wist hij dat hij nu weer thuis was, thuis in Gods schoot, hij was bevrijd, was weer een van eindeloos velen, hij was niet alleen.

Hij was heel anders dan de mannen met wie ze voor hem iets had gehad, en ze probeerde Sigurd er dan ook van te overtuigen dat hij zich geen zorgen hoefde te maken. Sigurd beweerde echter dat hij dat wel deed en dat maakte haar kwaad, maar ze probeerde het niet te laten blijken. Ze begreep immers dat het kwam omdat hij om haar gaf, hoe nuchter hij ook was.

'Wees liever een beetje blij voor me, ik zweef gewoon!'

'Ja, dat zie ik, dat zien we allemaal.'

'Je hebt toen hij hier was toch zelf gezien dat hij geen horens op zijn voorhoofd heeft of een uzi onder zijn jas. Hij is gewoon een aardige vent en ik ben ...'

'... mezelf niet meer van verliefdheid. Hij maakte een heel aardige indruk, maar je kent hem nog maar ...'

'Drie weken! In drie weken tijd kom je heel wat te weten. Bovendien heb ik hem al op oudejaarsavond ontmoet, dus zijn het er vijf.'

'Maar je bent helemaal van de wereld, Torunn. Zoals gister tijdens de vergadering, toen je steeds weer dezelfde vragen stelde. Die arme boekhouder werd bijna gek!'

'Is dat zo? Nou ja, daar moet je de humor maar van inzien', zei ze. 'We hebben immers een heleboel winst gemaakt, dat moet die gozer toch een paar keer kunnen herhalen. En de relaties die ik de laatste jaren had, zijn allemaal stukgelopen omdat ik over ze begon te bazen, en ten slotte lieten ze mij de baas spelen en verloor ik alle respect voor ze en dan begonnen zij iets met andere vrouwen voor hun zelfrespect. Psychologische samenvatting! Maar Christer laat mij niet de baas spelen, Sigurd.'

'Ik wou alleen dat je het een beetje kalm aandeed. Ik wil toch gewoon dat het goed met je gaat, Torunn.'

Hij nam een speculaasje, herinnerde zich te laat dat hij geen speculaas meer kon zien en trok een vies gezicht.

'Ach, na ons de zondvloed', zei ze. 'Eerlijk, Sigurd, het gaat uitstekend met me, je hoeft niet op me te passen. Eigenlijk is hij gewoon een doodnormaal mens, ook al toert hij in het pikkedonker met zeven honden door het Maridal. Maar als je me zo hard aanvalt, ben ik gedwongen hem overdreven de hemel in te prijzen. Snap je dat niet? Hou je aan de feiten.'

'En die zijn?'

'Dat dit anders is dan de meeste eerdere relaties die ik heb gehad. Dit doet me goed. Je hoeft je geen zorgen te maken.'

'Op één voorwaarde. Dat je die speculaasjes in een schaal doet, in de wachtkamer zet voor wachtende honden en weer Maryland Cookies koopt.'

'Oké, ik gooi die speculaasjes wel weg. Maar Cookies koop je zelf maar.'

Wat haar niet beviel was dat Margrete in grote lijnen op hetzelfde hamerde wat Christer betrof: dat het te snel ging, dat ze zich te snel in het diepe stortte. Maar hoe kon ze dat vermijden? Bij Christer zijn was zoiets als thuiskomen, ook al klonk dat anderen als een cliché in de oren. En dat ze hem überhaupt had ontmoet, was net zoiets als in de lotto winnen. Hij ging nooit de stad in en hij verkeerde niet in dezelfde kringen als zij. Soms was hij in Majorstua, in zijn flat aan de Bogstadvei, maar verder woonde hij in zijn huisje in het bos. Dat huisje mocht niet als vast adres dienen, vandaar die flat in Majorstua, waar hij zijn post kreeg en waar hij officieel stond ingeschreven.

'Zelfs Luna is daar nog nooit geweest', zei hij. 'Maar het is natuurlijk ook een investering, de waarde van die flat stijgt als een gek. Ikzelf krijg claustrofobie zodra ik de deur opendoe. Gek dat het wemelt van de mensen die boven op elkaar gestapeld willen wonen.'

'Zoals ik', zei ze. 'Als ik in mijn flat ben, heb ik helemaal niet het gevoel dat er nog iemand boven of onder me woont.'

Maar natuurlijk beviel zijn huisje haar beter dan haar eigen flat, dat moest er nog bij komen. Ze zou graag zo wonen als ze kon. Zo te zien een eenvoudig zomerhuisje als je het van buiten zag, maar redelijk groot en binnen was het perfect. Een leistenen vloer met vloerverwarming, een badkamer met halve boomstammen langs de muren en een houtkachel, een enorme blauwe eettafel, een reusachtige open haard, oude, diepe leunstoelen vol schapenvachten en een gezellig rommelige keuken met net zo'n houtfornuis als op Neshov. De wanden in de kamer waren bedekt met planken vol boeken, oude *Het Beste*-exemplaren en mannentijdschriften. Het straalde echt de sfeer van een vakantiehuisje uit tot je de deur van de computerkamer opendeed: drie monitors, printers, een fax en klokken die de tijd aangaven in New York, Londen en Tokio. Toen hij haar die kamer liet zien, de tweede keer dat ze elkaar ontmoetten, had ze zich naar hem omgedraaid en gevraagd: 'Mijn hemel, wat doe jij eigenlijk?'

Daar hadden ze het nog niet over gehad, ze was er nog niet aan toegekomen dat te vragen. Ze hadden uitvoerig over honden gepraat en tussendoor helemaal niet, hadden alleen van elkaar genoten, seks gehad, elkaar leren kennen door geur, smaak en liefkozingen. Puur fysiek had hij bezit van haar genomen op de manier zoals ze daar in haar puberteit van had gedroomd, maar waarvan ze niet meer had verwacht dat het ooit nog zou gebeuren. Ze had gedacht dat het slechts een domme, roze meisjesdroom was geweest.

'Wat ik doe? Geld verdienen.'
'Waarmee?'
'Aandelen. Aandelenfondsen. Koop en verkoop.'
'Alleen? In je eentje? Werk je niet ergens?'
'Hier. In het huisje in het bos.'

Hij had jarenlang als fondsmakelaar bij een bank gewerkt, een mallemolen zoals hij het noemde, en ze zag geen reden daaraan te twijfelen. In die periode raakte hij meer en meer in de ban van hondensleerennen en na verloop van tijd zag hij in dat die twee dingen steeds moeilijker te combineren werden. De eerste keer dat hij meedeed aan de Finnmarksrace besloot hij op de derde dag, terwijl hij bezig was midden op de trail vier ferme vechtersbazen en hun tuig uit elkaar te halen, dat hij dit fulltime wilde doen. Hij was linea recta naar huis gegaan en had al zijn pakken en overhemden naar het Leger des Heils gebracht, behalve één zwart pak van Boss. Dat had hij gehouden, had gedacht dat hij het nog kon gebruiken als er eens een begrafenis was.

'Alles gaat via de computer en dan kan ik eigenlijk werken waar ik wil. In een vissershut op Spitsbergen als het moet.'

'Maar kost dat niet vreselijk veel geld? Heb je geen kapitaal en dergelijke nodig?'

'Jawel, maar dat heb ik nu vergaard. Ik zit er warmpjes bij. En ik verdeel het gelijkmatig tussen aandelen met een hoog en een laag risico. De laatste tijd iets meer hoog om eerlijk te zijn. Maar het loopt lekker, het loopt als een trein.'

Toen wilde hij het niet meer over zijn werk hebben, hij deed de deur van de computerkamer dicht en sloeg zijn armen om haar heen, tilde haar op, kuste haar in haar hals tot in haar haargrens en zei dat hij de open haard zou aanmaken en of ze wilde blijven slapen. Dat wilde ze. Vlak achter het huisje liep een weg en daar stond haar auto. Ze zou in een half uurtje op haar werk zijn.

Kon ze er maar ongestoord van genieten, zonder gezeur, maar dat ging niet. Haar moeder zeurde, haar vader zeurde dan wel niet, maar dat was bijna nog erger, dat zij altijd degene was die moest bellen. Het had iets martelaarachtigs. Voorheen belde hij af en toe om een praatje te maken, maar dat deed hij niet meer. Alsof hij wilde bewijzen dat hij het allemaal prima redde, en dan zou hij goddorie heus niet bellen en haar nodig hebben. Op haar werk had ze haar handen vol aan trainingscursussen en de kliniek. Het liefst had ze zich met Christer opgesloten, haar mobieltje in de wc gegooid en was ze ergens in de lente weer naar de oppervlakte gestegen.

'En nog iets, Sigurd. Het is zo ontzettend leuk om een tocht met sledehonden te maken! Stel je voor, ze luisteren naar me! Het geeft een soort ... kick! Het donkere bos om je heen en de open vlaktes en geen enkel geluid dan het gehijg van de honden en de slee die over de sneeuw glijdt.'

'Dat zullen wel geen patiënten bij ons worden', zei hij. 'Zulke mensen hechten hun honden zelf en als het erger is dan een wond of een snee dan gaat het beest naar de eeuwige jachtvelden.'

'Ja, het is een beetje een andere verhouding', zei ze, dat moest ze toegeven.

Sledehonden waren werkdieren, ook al had Christer met elk van hen een nauwe band, zover zij het kon beoordelen. Luna was zijn favoriet, kleine, tengere Luna vooraan in het team, waarin alle andere groter waren dan zij. En als er eens eentje niet in het gareel liep, draaide ze zich om en liet blaffend een paar krachttermen los die alleen honden verstonden, maar het werkte wel. Eén keer toen zij erbij was, begonnen twee reuen met elkaar te vechten.

'Kijk nu toch eens', zei Christer en hij beval de honden ter plekke te stoppen. Hij liet de reuen vechten, holde langs hen naar voren en maakte Luna los. Ze vloog als een witte tornado op hen af en sprong ertussen, snauwde naar beide kanten en stond bijna op haar achterpoten terwijl ze elk van de kemphanen met haar voorpoot een zet gaf. Ze hielden ogenblikkelijk op en doken in elkaar, waarop Luna hun haar boodschap inpeperde door ze achter hun oren te bijten, eerst de een, toen de ander, terwijl ze gromde als een razende. De reuen gilden het uit als puppy's.

'Bijt ze door?' vroeg Torunn.

'Ze raakt ze nauwelijks aan, ze gillen alleen om te laten weten dat ze zich overgeven.'

Voordat Luna klaar was, was de rest van de honden plat in de sneeuw gaan liggen en Torunn kon bijna zien hoe er vleugels uit hun rug groeiden. Toen Luna weer vooraan werd ingespannen, schudde ze zich driftig en snoof zelfingenomen, terwijl ze een snelle blik over haar schouder wierp.

'Zo'n teefje is haar gewicht in goud waard', zei Christer glimlachend en hij zette het team weer in beweging: 'Hiiii-ya!'

Maar vandaag zou ze hem niet zien, ze moest naar haar moeder. Daarom zat ze in de kantine samen met Sigurd de tijd te rekken. Hij was getrouwd en had vier kinderen, was al eeuwenlang getrouwd, wat wist hij nog van verliefdheid. Ten slotte belde haar moeder en vroeg waar ze bleef.

'Ik kom zo, ben hier wat opgehouden. Zal ik iets voor je meebrengen?'

Wat zou dat moeten zijn?

'Ik weet het niet. Iets lekkers? Iets waar je trek in hebt?' vroeg Torunn.

Haar moeder had nergens trek in.

Ze deed open in haar witzijden pyjama.

'Hallo, lieverd', zei ze en ze gaf Torunn een vluchtige zoen, draaide zich om en slofte de hal door.

‘Lag je in bed?’

‘Nee. Heb me alleen nog niet aangekleed.’

‘Maar lieve help, mama, het is negen uur ’s avonds!’

‘Dan heeft het in ieder geval geen zin meer me nog aan te kleden. Ga toch over een paar uur weer naar bed.’

‘Dit gaat niet langer, mama, dit gaat gewoon niet langer.’

‘Vertel me niet wat gaat en wat niet, je bent nog geen halve minuut binnen. Doe eerst je jas maar uit voordat je met je levenswijsheid om je heen strooit.’

‘Als je vervelend wordt ga ik weer weg. Ik ben eigenlijk best moe.’

Ze zou naar Christer kunnen gaan, hem verrassen, pizza en knabbels meenemen. Haar moeder bleef midden in de kamer staan, sloeg haar handen voor haar gezicht en begon luid te snikken.

‘Sorry, lieverd. Sorry! Ik weet dat je het goed meent!’

En toen was het weer het oude liedje, namelijk dat zij degene was die haar moeder moest troosten, hoewel de hatelijke opmerking uit de tegengestelde richting kwam. Torunn liep snel naar haar toe en trok haar tegen zich aan.

‘Kom, kom, mama, huil nu niet. Maar je moet er meer uit, je kunt toch niet de hele tijd thuis blijven zitten. Zullen we een paar dagen naar Kopenhagen? Erlend zou het ontzettend leuk vinden als we allebei kwamen. Ik kan een lang weekend vrij nemen.’

‘Misschien … Ook al is hij een Neshov, die hufters. Maar die Erlend lijkt me wel een leuke vent.’

‘Dat is hij ook, mama! Je zult weg van hem zijn! Hij kent alle winkels waar je goed kunt shoppen.’

‘Shoppen … Waarvoor? Als ik erover nadenk, heb ik niet eens geld voor een paar dagen Kopenhagen.’

Torunn liet haar los, ging in een leunstoel zitten, trok haar jas uit en liet hem naast zich op de grond vallen.

'Gunnar is toch niet van plan je financieel in de steek te laten', zei ze.

Haar moeder veegde met haastige bewegingen haar tranen af en sloeg met een dramatisch gebaar haar armen over elkaar.

'Hij kan mij de rest van zijn leven niet onderhouden, maar ik ben huisvrouw geweest sinds ik hem heb ontmoet, Torunn. En dat is, zoals je weet, heel wat jaar geleden. En zoals je ook weet heb ik geen enkele opleiding. Hij wil dat ik het huis verkoop.'

'Aha.'

'Aha? Is dat alles wat je daarop weet te zeggen? Het is mijn huis, ik woon hier al meer dan dertig jaar!'

'Het is ook Gunnars huis. En deze villa is vast een vermogen waard. Je zou een leuke flat kunnen kopen ...'

'Vertel eens, sta jij aan zijn kant? Doe je dat?'

'Mama. Kun je niet een beetje realistisch zijn. Je kunt toch niet alleen in een villa met twee verdiepingen in Røa wonen, terwijl Gunnar in een ...'

Ze zweeg, ze had geen idee hoe Gunnar woonde. Wie weet bezat Marie een penthouse op Aker Brygge, waar Gunnar van een riant rantsoen sigaren genoot en over een ondergrondse garage beschikte.

'Ik sta aan jouw kant, mama. Ik wil dat het goed met je gaat. Dat je alles ... achter je kunt laten.'

'Opgeven, zul je bedoelen.'

'Nee, integendeel eigenlijk. Dat je niet opgeeft', zei Torunn.

'Gunnar opgeven, bedoel je.'

Torunn staarde haar aan. 'Maar je hebt toch minstens duizend keer gezegd dat je hem nooit van zijn leven terug wilt hebben, al komt hij met zijn staart tussen zijn benen naar huis gekropen!'

'Nou ja. Die staart van hem is niet zo lang dat hij hem achterstevoren tussen zijn ...'

'Mama! Zoiets wil ik niet horen!'

'Mijn god, wat een tere ziel. Een kop thee, lieverd?'

Het was al bijna half een toen ze er eindelijk vandoor kon. Het eerste wat ze deed toen ze veilig en wel in haar auto zat, was Christer bellen. Hij nam op nadat de telefoon een eeuwigheid was overgegaan, en zei dat hij zat te werken.

'Zo laat nog?'

In Shanghai was het half acht 's ochtends.

'In Shanghai?'

Ja, in Shanghai. Daar gebeurde het allemaal.

'Wat allemaal?' vroeg ze.

Investeringen, zei hij, deze eeuw behoorde China. De vs en Japan kon je vergeten, het geld zat in investeringen in China. Een turbokapitalisme dat de wereld niet meer had gezien sinds Hongkong voor westelijk kapitaal werd opengesteld. Maar dit was nog een graadje heftiger.

'Ik geloof je best.'

Zijn stem klonk anders, op dit moment kon ze hem zich niet voorstellen achter een span honden. Eerder in pak met een wit overhemd en een glanzend zijden stropdas. Dat zwarte pak dat hij had gehouden voor begrafenissen. Ze had gehoopt dat hij zou zeggen: kom. Kom, al is het nog zo laat en al moet je weer vroeg op, Torunn. Dat zei hij niet, het klonk of hij het druk had. Maar hij kon natuurlijk niet zomaar alles uit handen laten vallen alleen omdat zij belde. Dit was waar hij van leefde.

'We bellen', zei ze.

'Dat doen we', zei hij. 'En denk eraan wat ik heb gezegd. Als je vijftigduizend kronen overhebt, zal ik ze voor je vermeerderen. Normaal gesproken werk ik niet met zulke kleine bedragen, maar voor jou maak ik een uitzondering.'

'Ik had zelfs vijftigduizend en nog wat, maar we laten alles terugvloeien in de kliniek, investeren in nieuwe computergestuurde röntgenapparatuur en misschien stellen we een extra ...'

'Hoe dan ook, vergeet niet wat ik heb gezegd. We bellen!'

Hij hing op. Ze dacht: hij zit te werken en hij wist dat ik vanavond iets anders had, hij verkeert in andere sferen, dat kan ik hem niet kwalijk nemen. Als ik nu rechtstreeks naar hem toe was gegaan en had aangeklopt, was hij vast hartstikke blij geweest.

Toen ze de deur van haar lege flat opendeed, voelde ze zich opeens ongekend alleen. Gek, ze vond het altijd heerlijk de deur open te doen in het besef dat dit haar eigen kleine hol was. Ze zette theewater op, kleedde zich uit en trok haar ochtendjas aan, bladerde de post door en schiftte de reclame eruit. Rekeningen en een uitnodiging voor een vergadering van de woningbouwvereniging. Ze had geen zin de agenda te bekijken. Ze ging even naar de gang om te kijken of er licht onder Margretes deur door scheen, maar daar was alles donker. Toen ze weer binnenkwam, was ze daar opgelucht over. Waar had ze met Margrete over moeten praten? Kon ze verdorie op zevenendertigjarige leeftijd geen relatie hebben met een ongetrouwde man van haar eigen leeftijd? Godzijdank dat ze het met haar moeder nog met geen woord over Christer had gehad. Maar dat kon ze niet over haar hart verkrijgen. Vertellen dat ze smoorverliefd was, terwijl haar moeder niets anders verwachtte dan dat Torunns leven een echo was van haar eigen liefdeloze bestaan.

Ze kreeg zin hem nog eens te bellen, zat met haar mobieltje in haar handen, haalde zijn nummer op het display tevoorschijn, maar zonder op de groene knop te drukken. Daar was zijn nummer in ieder geval. Áls ze drukte, zou zijn stem er zijn.

Erlend. Het was altijd heerlijk om met hem te praten. Maar het was wel laat. Het was al één uur. Toch stuurde ze een voorzichtig sms'je: *Kan k belle?*

Ok, antwoordde hij na een paar minuten.

'Ik ben het. Ik weet dat het al laat is, maar in Shanghai is het eigenlijk acht uur 's ochtends.'

Nee maar, kijk eens aan. Ze had werkelijk globaal overzicht.

'Jullie zijn ook nog laat op?'

Krumme niet. Alleen hij.

'En, wat ben je aan het doen?'

Niets bijzonders, hij zat zomaar wat met een cognacje over de lichten van Kopenhagen uit te kijken.

'Klinkt heerlijk.'

Ja, het was niet beroerd.

'Je klinkt een beetje ... somber? Is er iets gebeurd?'

Er was niets gebeurd. Hij had een nieuw rimpeltje ontdekt, onder zijn ene zak nog wel, maar dat vertelde hij zonder de gebruikelijke sjeu en dramatiek.

'Maar het is net alsof je niet helemaal jezelf bent, Erlend. Is er iets? Behalve dat rimpeltje bedoel ik.'

Ze moest zich niet dik maken en zich niets in haar hoofd halen. Hij had de dag ervoor die Aladdin Sane-poster afgehaald bij de lijstenmakerij, hij was prachtig geworden met al die gladgestreken kreukels en recht afgesneden randen zonder gaatjes van punaises en restjes plakband. Hij hing nu in een vuurrode lijst op de slaapkamer. En zelf had hij die dag een hele stapel ondertekende papieren teruggestuurd naar advocaat Berling in Trondheim, het zou niet lang meer duren of Tor was de rechtmatige eigenaar van de boerderij.

'Fijn', zei ze, en ze dacht: ik moet mijn vader morgen bellen. 'Heb je verder nog nieuws?'

Nou ja, Krumme was laatst bijna doodgereden, maar hij had alleen een paar schrammen en blauwe plekken, de auto had op het laatste nippertje nog kunnen stoppen.

'Mijn god! En dat vertel je nu pas? Is hij niet doodsbang geworden? O, die arme Krumme!'

Plotseling liet Erlend zijn stem dalen, zei dat Krumme weer

uit bed leek te komen, hij hoorde hem in de badkamer.

'Hebben jullie ruzie?' fluisterde ze terug. 'Omdat je fluistert?'

Dat hadden ze niet, maar er waren wat ... spanningen op het moment.

'Spanningen? Nee, nu maak je een grapje. Jij en Krumme zijn toch hartstikke ... Dat bestaat niet!'

Het bestond wel, maar het zou wel weer over gaan, daar moest zijn kleine nichtje zich verder niet druk over maken, en nu moest hij ophangen, ze zouden bellen.

Ze dook tussen het ijskoude beddengoed, kroop als een embryo in elkaar en kneep haar ogen dicht. Vanuit een open raam hoorde ze een kind huilen en beneden op straat hadden een paar jongeren een heftige, luidkeelse discussie. Wat spanningen op het moment ...

Het was windstil, het weer maakte geen enkel geluid. Ze hield ervan in bed te liggen bij wind of regen, als de reusachtige berkenbomen ruisten en haar in slaap wiegden. Een warm bed gaf zo'n eindeloos veel lekkerder gevoel als het buiten echt rotweer was. Maar het was windstil en droog in Stovner. Ze stond op, zette haar mobieltje aan en stuurde een sms: *K mis je. Zien w elkaar morge?* Ze bleef naar de rode digitale cijfers van de wekkerradio liggen kijken tot die 02:43 aangaven en ze in slaap viel zonder dat Christer had geantwoord.

Toen hij zoals gewoonlijk om half zeven opstond en beneden in de keuken kwam, zag hij op de thermometer dat het twaalf graden onder nul was buiten. Hij werd meteen ongerust. Hij had twee pasgeboren tomen, de jongste biggetjes waren net vijf dagen oud. Een van de zeven stierf de eerste week, dat was weliswaar statistisch en gemiddeld, maar hij haatte het als het zijn eigen werkelijkheid werd. En de kou was een verraderlijke vijand. Dan was de natuur de baas.

Toen zijn moeder een paar jaar geleden had besloten dat ze hun melkquotum zouden verkopen en op de varkensfokkerij zouden omschakelen, had hij de stal omgebouwd, maar hij had geen geld gehad voor vloerverwarming in de werphokken. De biggetjes sliepen in biggenkisten in de hoek, daar was het warm onder de lamp en ze lagen lekker op stro, maar als de zeug rufte en knorde en ze riep voor het eten, moesten ze over de betonnen vloer en daarna weer terug. Het was niet altijd even gemakkelijk voor zo'n klein opdondertje om de weg te vinden rondom het bergmassief van een moeder, die tussen de kou en de warmte in lag. En als ze toch al niet sterk waren, kregen ze het binnen de kortste keren koud en werden hangerig, en dan zat je in een kwade cirkel.

Maar eerst had hij een kop koffie nodig. Zonder koffie was hij geen mens.

Terwijl de koffie heet werd, stookte hij het houtfornuis goed op en maakte de kachel in de kamer aan. Zijn vader stond altijd pas later op en kon van het privilege genieten beneden te komen in een warme kamer met een restje lauwe koffie. Toen zijn moeder nog leefde, stookte zij de kachel altijd op en kwam hij zelf beneden in de warmte. Met kopjes, klontjes suiker en zelfgebakken haverkoekjes met bruine kaas op tafel. Hij kon zo vroeg nooit veel eten en dat wist ze, pas als hij na de ochtendvoedering uit de stal kwam, had hij honger als een paard.

Hij ging voor het raam staan en dronk zijn koffie op voordat de prut de tijd had om te zakken. De heldere sterrenhemel was lila gekleurd, alleen in het oosten hing een dun streepje licht. Hij zag ertegen op in die bijtende kou het erf over te steken, hij had een pesthekel aan kou. Niet alleen omdat die langzaam de huizen binnendrong, maar ook omdat alles zo omslachtig werd: geen gevoel in je vingers, moeilijk om de trekker te starten als hij naar de winkel moest. En dat moest hij vandaag, de koelkast was bijna leeg. Hij ging nooit met de Volvo naar de winkel, die stond droog en veilig in de hooischuur, werd alleen gestart als hij naar de stad moest en dat gebeurde niet zo vaak. Diesel kon hij van de belasting aftrekken en dan sprak het vanzelf dat hij geen kostbare benzine verspilde door als de eerste de beste patser met de Volvo naar de supermarkt te gaan.

Maar eigenlijk kon hij dat nu wel doen. Beetje patserig. Als eigenaar van een boerderij. Nou ja, eigenaar ... Margido noch Erlend had aanspraak gemaakt op de erfenis, dus hij was niet alleen van hem. Maar hij stond op zijn naam. Voor het eerst hoefde hij niet met alle papieren van de balans en de belastingaangifte naar de kamer waar zijn vader zat, om toe te kijken hoe die klungelig zijn naam eronder zette.

Dit jaar schreef hij op alle gestippelde lijntjes zijn eigen naam.

Was hij blij toen hij de papieren in de bus vond en toen Margido belde om hem te feliciteren? Hij wist het eigenlijk niet. En dat Margido het woord 'feliciteren' gebruikte, dat vond hij wel zo ongelooflijk vergezocht en idioot. De boerderij betekende immers verantwoordelijkheid, het was geen cadeautje dat hem voor zijn plezier in de schoot was geworpen.

De sneeuw kraakte onder zijn klompen, hij liep voorzichtig om niet te vallen. Hij had zich niet zo mogen laten verrassen door die kou, het was tenslotte pas midden februari. Het kwam alleen omdat januari hen volledig had beduveld met dat milde weer, dat veel warmer was dan normaal. Bij de Gaulosen waren zelfs al groepjes scholeksters gesignaleerd, had hij in de supermarkt gehoord.

Hij trok zijn overall en zijn laarzen aan, stapte de stal binnen en deed de tl-buizen aan het plafond aan. Vanuit alle hokken werd hij door slaapoogjes begluurd, de zeugen kwamen overeind en knorden hem welkom. Hij ging op zijn hurken zitten en bevoelde de vloer. Die was koud, ja. Er was een heleboel stro nodig. De zeugen zaten vol melk, ook voor hen was zo'n koude vloer niet goed. Het betekende een heleboel extra werk met zo veel meer stro dat aan één stuk door moest worden verschoond, maar het was niet anders.

Snel liep hij naar de jongste tomen. Door het licht waren beide zeugen de biggetjes gaan roepen om te komen eten en hij bestudeerde ze aandachtig. Ze hingen allemaal aan hun eigen speen; het duurde altijd een paar dagen voordat de rangorde tussen hen was bepaald en ze allemaal hun eigen privéspeen hadden bemachtigd. Als een van hen daarna de verkeerde nam, volgde een frontale aanval van het benadeelde broertje of zusje. De zeugen hadden genoeg spenen voor allemaal, het waren jonge zeugen, dus de tomen bedroegen niet meer dan elf of twaalf biggetjes. Hij sloeg de jongste toom aandachtig gade. De moeder heette Trulte en was een rustige, fijne zeug waar hij veel van verwachtte. Zelden had hij zo'n kalm en zelfverzekerd gedrag gezien tijdens het werpen, alleen Siri overtrof haar waarschijnlijk, maar zelfs Siri had het klaargespeeld een van haar jongen dood te liggen. Hij keek even in het hok waar de biggen van Siri en Sara samen in zaten, die veertien dagen geleden waren ontwend. Ze stonden hem aan te gapen, naast elkaar, en bewogen hun snuiten op en neer in de lucht alsof alleen al zijn geur hun kon verklaren waarom hij daar bleef staan staren terwijl zij uitgehongerd waren.

Sara zelf was een paar dagen nadat hij haar jongen had weggehaald, opgehaald door de veewagen van de slachterij in Eidsmo. Ze kreeg maar één toom, tijdens de geboorte beet ze vier van de negen jongen dood. Met zo'n onbetrouwbare zeug kon je niet verder fokken. Weliswaar was ze tijdens het werpen geschrokken van een ambulancehelikopter die veel te laag over hun huis richting St. Olavs-ziekenhuis vloog, maar toch. Ze was salami en gehakt geworden. Nu zou hij twee zeugen uit een van de nieuwe worpen kiezen en tot fokzeug opfokken. Die moesten anders worden gevoed dan gewone slachtvarkens, langzamer, aangezien het er niet om ging binnen een bepaalde tijd het volle slachtgewicht te bereiken, maar om gezonde en montere zeugen te krijgen die op de juiste manier groeiden. Hoe zou hij ze noemen? Dolly en Diana misschien. Ja, dat waren mooie namen. Hij hield ervan hun een naam te geven en niet alleen een nummer.

Twee van de biggetjes van Trulte maakten een wat slappe indruk. Ze aten niet net zo energiek als de andere. Het waren de twee kleinste. Toen ze klaar waren met drinken, pakte hij het ene bij de achterpootjes en haalde het naar zich toe. Het bibberde.

'Jij hebt nog niet veel vlees op je ribben, nee. En koud heb je het ook.'

Hij legde het midden onder de warmtelamp. Als de biggetjes

ruzie kregen, konden ze het in hun kop krijgen ook als ze gingen slapen een concurrent weg te duwen. Hier gold de pikorde net zo goed.

Het toom van Trine was fris en monter, hij zag geen enkel teken dat een van de biggetjes kwakkelde. Ze waren ook al acht dagen oud en over de kritieke fase heen. Zelfs de kleinste maakten een fitte en dartele indruk en lieten op geen enkele manier blijken dat het in de wereld buiten de grijze, stenen muren twaalf graden onder nul was.

Hij maakte alle hokken schoon en sjouwde stro en turfstrooisel aan. Hij trok de varkens aan de oren als ze hun snuit in de pellets staken, babbelde wat met de zeugen en noemde ze bij hun naam, glimlachte om de biggen, die over elkaar heen klauterden om er het eerst bij te zijn en nummer één in het hok te worden.

'Hoef niet bang te zijn dat jullie het koud hebben, nee, zoals jullie tekeergaan. Maar jullie krijgen wat extra stro, hè? Dan kunnen jullie daar lekker in ravotten.'

Hij trok twee grote strobalen naar de middengang tussen de hokken en haalde ze los, pakte de hooivork en schepte er royale porties halmen mee op. De biggen wierpen onmiddellijk hele plukken de lucht in en begonnen achter elkaar aan te jagen. De zeugen knorden tevreden en begonnen het stro te schikken. Siri stond zoals gewoonlijk op meer dan stro te wachten en hij stopte haar een gekookte aardappel toe van het middageten van de dag ervoor, die ze met luidruchtig genot verorberde.

'En je krijgt extra stro vanwege de kou.'

Siri had een nieuwe toom in haar buik, hij hoopte dat het een grote werd, hij had het liefst nieuwe fokzeugen van Siri. In de biggenkisten deed hij extra veel hooi, dat hij stevig aanstampte. Zo moest het maar goed zijn.

Toen hij het verplichte onderdeel achter de rug had en het in de stal weerklonk van gesmak en gestommel, ging hij naar het washok om een zuigfles te vullen met lauw suikerwater. Hij was bang voor die twee minne biggetjes van Trulte. De zak suiker in de kast was vochtig geworden, hij pakte een schroevendraaier en hakte wat los, kookte water op een kookplaatje dat op de bank stond, en roerde de suiker erdoorheen. Toen die was opgelost, deed hij er koud water bij tot het mengsel lauw aanvoelde en liep terug naar het werphok van Trulte.

Had hij het niet gedacht: de twee kleinste waren al helemaal naar de rand van de hoop slapende lijfjes onder het rode licht gedrongen. Hij pakte het ene op. Het sliep en was nauwelijks wakker te krijgen, hij moest de speen een hele tijd tegen het bekje duwen voordat de instincten eindelijk gewekt werden. Maar toen hapte het beestje erin en begon te zuigen als een gek.

'Zo ja, dat was lekker, denk ik. Maar niet alles, de andere helft is voor je zusje.'

Het biggetje bibberde nog steeds, ook nog toen hij het teruglegde onder de warmtelamp. Vierendertig graden was de optimale temperatuur voor pasgeboren biggetjes en hij dacht eigenlijk dat ze dat hadden, maar als ze eenmaal de kou te pakken hadden, was er enorm veel energie nodig om ze weer op lichaamstemperatuur te krijgen. Hij pakte het andere op en liet het de rest van het suikermengsel drinken. Plotseling schoot hem te binnen wat hij een tijdje geleden in de *Nationen* had gelezen, over een varkensboer die pasgeboren biggetjes in een emmer warm water deed, met een eigeel reddingsvest rond hun nek. Hij had hartelijk moeten lachen toen hij die foto had gezien, en verdraaid als het ook niet op het nieuws was geweest. Het ging juist om de sterfte onder pasgeboren biggetjes.

Een geel reddingsvest had hij niet, maar wel een emmer en warm water. En twee handen.

Hij haalde water en een paar droge doeken en viste een van

de biggetjes aan de achterpootjes op. Hij hield het in een stevige greep rond de schoudertjes en liet het in de emmer zakken. Het spartelde als een gek en gilde het uit alsof het met een staaf van gloeiend staal werd doorboord. De rest van de stal was plotseling stil, er werd oplettend geluisterd.

'Kalm nu maar, ik zal je heus niet doodmaken. Ik leef van jou, jij kleine mafkees.'

Het duurde slechts een paar seconden tot het protest verstomde en er een verzaligde uitdrukking op het kleine bekkie verscheen. Na nog een paar seconden hing het beestje slap tussen zijn handen slapend in het warme water.

Hij stond rot. Hoelang had dat biggetje met het gele reddingsvest in die emmer gehangen? Verdorie, dat herinnerde hij zich niet, als het al was genoemd.

Hij had op een strobaal moeten gaan zitten toen hij het biggetje erin liet zakken. Nu was het te laat. Hij hield vol tot zijn rug in brand leek te staan en het beestje hopelijk door en door warm was geworden. Toen tilde hij het eruit, wikkelde het in een droge doek en begon te wrijven. Het jong werd nauwelijks wakker, hij legde het tussen de andere, midden in de hoop, schoof een paar tegenstribbelende biggetjes opzij. Hij liep naar het washok, vulde de emmer bij met warm water en liet het andere pukkie dezelfde procedure ondergaan. Daarna legde hij het naast het eerste midden in de hoop onder de warmtelamp. Dat moesten ze maar accepteren, de goed doorvoede en warme broertjes en zusjes, dat anderen beslisten.

Hij veegde het stro weg uit de middengang, gooide het warme water uit de emmer over de vloer en veegde nog eens, bleef toen in gedachten verzonken op de bezemsteel staan leunen. Eigenlijk moest de hele stal worden schoongespoeld, zowel de vloer als de muren en het plafond. Als hij een IKB-inspecteur aan de deur kreeg, zou hij daar waarschijnlijk een waarschuwing voor krijgen. Maar bij deze kou kon je dat wel vergeten. Toch, bij de plotselinge gedachte aan de inspecteur kreeg hij het een beetje benauwd. Hij riskeerde een korting op de slachtprijs als hij niet aan alle eisen van een gezonde vleesproductie voldeed. Daarom haalde hij nog een paar emmers water, gooide die hier en daar leeg en veegde de bruine drab zo grondig mogelijk weg. Daarna spoelde hij de bezem goed uit, veegde ermee langs het plafond en trok de spinnenwebben naar beneden, haalde de bezem langs de tl-buizen en vond dat het er meteen een stuk beter uitzag. In het washok veegde hij met de doek waarmee hij de biggetjes had afgedroogd, de bank af, bleef staan en keek naar de kookplaat: die zag er niet fraai uit, was ooit wit geweest. Hij maakte een kast open en graaide met een hand in het donker helemaal achter op de plank. Net wat hij dacht, een oeroude fles schuurpoeder. Het blauwe en zilverkleurige karton was gerimpeld van het vocht en er kwam geen korreltje meer uit de gaatjes bovenin. Hij sneed het bovenste gedeelte eraf, bekeek de verdroogde witte klompen en ging opnieuw met de schroevendraaier aan de gang. Uitgerust met een doek, het schuurpoeder en lauw water schuurde hij de kookplaat dat het een aard had en hij voelde zich in zijn sas, had de situatie in de hand, kreeg dingen gedaan. De fles schuurpoeder herinnerde hem aan vroeger, dit spul verkochten ze nu niet meer. Nu gebruikten de mensen iets wat Jif heette en vloeibaar was. Zijn moeder nam nooit anders dan staalwol en Sunlight-zeep, en schoon dat het werd.

Toen hij het schuurpoeder terugzette in de kast, bleef hij naar de onderste plank staan kijken. Daar stonden een half flesje aquavit waar nog een bodempje in zat, een hoge, donkere fles Deense sterkedrank met een vergelijkbaar bodempje en een paar flesjes bier. Dat waren de resten van Kerst, die hij hier voor zichzelf naartoe had gebracht. Die ouwe daarbinnen kon toch niet tegen alcohol.

Hij pakte een flesje bier op. Net waar hij al bang voor was, het was al een beetje bevroren, er dreven al een paar ijsvlokjes achter het bruine glas. Hij nam alle flesjes bier mee naar de stal en zette ze voor een van de werphokken in de middengang.

Voordat hij het washok verliet, zette hij de kraan aan en liet een dun straaltje lopen. Daarmee voorkwam hij dat de buizen bevroren. En nu ging hij naar binnen voor een stevig ontbijt en om naar de weersverwachting te luisteren, daarna zou hij de trekker nemen naar de winkel.

De dag daarna kwam de gezinsverzorgster. De temperatuur was tot tien graden beneden nul opgelopen. Het eerste wat ze zei toen ze de keuken binnenkwam, was: 'Dit is mijn laatste dag hier.'

'Maar ...'

'Nou ja, jullie krijgen natuurlijk wel thuishulp, maar we hebben de routes een beetje omgegooid, dus er komt iemand anders.'

Hij was aan haar gewend geraakt. Ze neusde niet rond, deed alleen waar ze voor kwam en vertrok weer. En terwijl ze aan het werk was, liep ze met proppen in haar oren waar muziek uit kwam en neuriede ze mee. Juist dat beviel zijn vader niet, hij wilde praten. Hij begreep niet dat een jong ding zoals zij er helemaal geen zin in had een oude vent te horen zeuren over het weer en de oorlog en hoe het vroeger op Byneset was en hoe vreselijk het was dat ze in Spongdal een golfbaan hadden aangelegd, op goede teelaarde nog wel.

'Dan zetten we liever een streep onder de gezinsverzorging', zei Tor.

'Wat een onzin, het moet hier toch schoon zijn. Vandaag zet ik een machine aan met stalkleren, u moet me maar geven wat u gewassen wilt hebben. En trouwens, het heet "thuishulp", "gezinsverzorging" heette het vroeger. Nu ja, eigenlijk heet het ook geen "thuishulp", maar "schoonmaakeenheid". Maar dat klinkt zo stom, zo noem ik het zelf niet eens, en ik bén het nog wel.'

'Dan zetten we er liever een streep onder. Hoe het ook heet.'

Op hetzelfde moment schoot het hem te binnen dat Margido de eigen bijdrage betaalde en er dus achter zou komen als ze de zaak opzegden. Hij vloekte bij zichzelf, het had geen zin. Vanwege Tórunn ...

'Wie komt er dan?' vroeg hij.

'Geen idee. Dat ziet u wel als ze komt, haalt u nu uw overall? En uw geitenwollen sokken en zo, dan smijt ik dit groezelige plastic kleed eruit.'

Hij ontdekte ze toen hij met zijn overall in zijn handen even zijn hoofd om de deur stak om te kijken of alles in orde was met de varkens. Drie dikke, vette ratten achter in de middengang, ze zaten pellets te eten die hij tijdens de ochtendvoedering had gemorst.

'GODSODEJU!'

De ratten vlogen langs de muur naar de voerruimte, hij rende met grote sprongen achter ze aan, maar ze waren weg. Daarbinnen zaten kieren in de muren waar je ook keek, vrij baan naar zowel de hooizolder als de oude latrine en de trap naar de silo.

'RATTEN! Ik wil toch verdomme geen RATTEN bij mijn varkens hebben!' riep hij en hij sloeg met zijn vuist tegen de muur. Alleen al de gedachte aan wat een IKB-inspecteur daarvan zou zeggen ... Muizen waren niet te vermijden op een boerderij, maar rátten!

Hij holde met zijn overall naar binnen naar de gezinsverzorgster en weer naar buiten en wilde net op de trekker springen toen hij zich bedacht. Hij kon in de supermarkt geen rattenvallen en gif kopen, het gerucht zou binnen de kortste keren de ronde doen. Hij was genoodzaakt naar de stad te rijden, naar de verfwinkel van Østerlie, waar hij vlak voor de winkel kon parkeren. Met zware stappen liep hij terug het huis in naar de badkamer om zich een beetje op te knappen. Als de Volvo nu maar wilde starten in die verdomde kou.

'Ik moet even naar de stad, je zult wel klaar zijn voordat ik terug ben. Hartelijk bedankt voor je hulp', zei hij toen hij in zijn parka beneden kwam. Ze was bezig de keukenvloer te dweilen en reageerde niet. Hij moest haar met een vinger op haar schouder tikken, toen haalde ze een van haar oordopjes eruit. Het ding was piepklein en bleef aan een zwarte draad bungelen. Ongelooflijk dat er uit zoiets kleins geluid kwam.

'Zei u iets?' vroeg ze.

'Ik moet even naar de stad. Je zult wel klaar zijn als ik terugkom, hartelijk bedankt.'

'Geen dank. Het is gewoon mijn werk. *Take care*, dan!'

Hij knikte en ging ervandoor. Zijn vader zat in de kamer en had waarschijnlijk gehoord wat hij zei, hij hoefde niet nog eens extra te waarschuwen dat hij wegging.

De fjord lag er ijskoud en spiegelglad bij, geen rimpeltje te zien. Stadsbygda aan de andere oever lag zwak te trillen achter een blauwe vorstnevel en een schip van de Hurtigruta was op weg de Flakkfjord in, wit en langgerekt met rijen stippeltjes waar de ramen zaten. De zon stond elke dag iets hoger aan de hemel, winterwit, maar verwarmen deed hij nog niet erg. Hij vroeg zich af hoe het met de scholeksters ging, die waren vast doodgevroren, hij zag de dunne rode poten voor zich, wadend in ijswater bij twaalf graden onder nul. De zuigers gingen onregelmatig, de motor was nog niet warm genoeg en tot ver voorbij Rye moest hij aan de binnenkant het ijs van de voorruit krabben.

Een nieuwe gezinsverzorgster. En ratten in de stal.

En pas gister nog had hij die oude vreugde weer gevoeld, het gevoel gehad dat hij de dag aankon, dat alles op rolletjes liep. Wat was hij toch een oen. Je moest de dag niet voor de avond prijzen, het was volkomen zinloos dat alles op rolletjes liep.

Erlend stond voor de vitrinekast zijn Swarovski-figuurtjes te bekijken: honderddrie miniaturen van in facet geslepen kristal, kleine wonderwerken van schoonheid verlicht door spotjes en uitgestald op spiegels en glas. Miniaturen van dieren en bloemen, champagneglazen niet groter dan een paar centimeter, insecten met pootjes en piepkleine voelhoorns van zilver, tot in het kleinste detail perfecte kopieën van dagelijkse voorwerpen waaronder een mobiele telefoon van goud en kristal, slechts vier centimeter lang, waarop je met behulp van een vergrootglas de cijfers kon lezen en de Swarovski-zwaan kon zien die in het display was weergegeven.

De kast was het symbool van zijn grote, hartstochtelijke verzamelmanie en het schaakbord van helder kristal en zwart Jetkristal had een plaatsje op de middelste plank gekregen. Met een schaakprobleem uit de krant als uitgangspunt had hij de stukken zo neergezet dat zwart in twee zetten mat zou komen te staan. Krumme had het probleem natuurlijk onmiddellijk opgelost, er was niets wat die man niet kon. Maar toen Krumme op Nieuwjaarsdag voorstelde een kristallen partijtje schaak te spelen, had Erlend hem subiet duidelijk gemaakt dat dat nooit zou gebeuren. Daar moesten ze het oude schaakbord van hout voor nemen, met de houten stukken. Er konden krassen komen op het kristallen bord en wat als er een stuk op de grond viel? Bovendien zou hij verliezen, dat deed hij altijd. Maar met dit schaakbord, dat stond te schitteren en te fonkelen, zou hij altijd de winnaar zijn, omdat het van hem was.

Hij was alleen thuis en zou dat nog uren zijn. Krumme had late dienst, ze waren al bezig met de bijlagen voor de paaskrant over van alles en nog wat: van reportages over de traditie rond de paashaas en de beschilderde eieren tot interviews thuis bij trendsettende BD'ers die hun huis eind februari al versierden om met hun kop in de krant te komen.

Hij had een stukje quiche gegeten dat hij in de koelkast had ontdekt, er rode wijn bij gedronken en een kopje espresso gezet. Hij stond met dat kopje in zijn handen en dronk er kleine slokjes uit, terwijl hij al die nutteloze schoonheid bekeek die hem zo veel vreugde schonk. Hem anders altijd zo veel vreugde had geschonken, veel meer dan op dit moment.

Alles had een beetje zijn glans verloren nadat Krumme zijn ouder-kinddromen had gespuid. Een mens moest toch door een auto kunnen worden aangereden zonder plotseling de drang te krijgen zich voort te planten, dacht hij. Nou ja, als hij eerlijk was wilde Krumme zich niet voortplanten, hij wilde feitelijk dat Erlend de vader werd, hij beweerde dat Erlend over betere genen beschikte. Je hoefde alleen maar voor de spiegel te gaan staan, dan was de keus niet moeilijk meer, had hij gezegd.

Kinderen. Hij kende geen kinderen, zag nooit kinderen, had afgezien van de stijve en koude tentoonstellingspoppen bij Benetton niets met kinderen te maken. En zijn Swarovski-verzameling die hij stond te bekijken – hij zou genoodzaakt worden een gracht rond de vitrine te graven en levende krokodillenjongen in het water te houden. Kinderen en krokodillen hoorden samen op te groeien, het was immers goed voor een kind om met dieren groot te worden, had hij gehoord.

Niet zozeer het feit dat Krumme kinderen wilde had hem zo van zijn stuk gebracht, maar dat Krumme in het geniep met het gevoel had rondgelopen dat zijn leven niet perfect was. In het diepste geheim had hij het gevoel gehad dat er iets ontbrak, dat dit niet alles was.

Dat was zo erg.

En nog veel erger was dat Krumme er vast en zeker vandoor zou gaan, misschien om een vrouw te zoeken met wie hij kinderen kon krijgen. Krumme had twee keer een verhouding met een vrouw gehad voordat ze elkaar ontmoetten. Ook met mannen, maar dus twee keer met een vrouw: de gedachte was hem niet vreemd als die kinderhysterie de overhand zou krijgen.

Ze hadden het er niet meer over. Erlend verdacht Krumme ervan dat hij hem tijd wilde geven om na te denken, maar het enige waar Erlend aan dacht, was dat er iets in hun relatie was veranderd, of kapotgegaan. Vroeger flapte hij er altijd meteen uit wat hem bezighield, hij ontspande volkomen samen met Krumme, maar de laatste weken was hij zijn woorden eerst gaan afwegen. Hij paste ervoor op dat zinnen geen uitdrukkingen of onderwerpen bevatten die het gesprek op kinderen konden brengen.

Hij nam zijn kopje koffie mee naar de open haard en ging zitten zonder de gasvlam rond de kunstmatige blokken aan te steken. Hij voelde zich niet blij en dat haatte hij. Hij wilde blij zijn! Hij dacht aan die vreselijke avond toen Krumme was aangereden. Kon je gewoon maar een paar uur uit het verleden rukken en klaar is Kees, dan zou hij die uren eruit rukken. En daar zou hij heel veel voor overhebben, misschien zelfs het schaakbord wel. En aan die hologram-openhaard zou hij niet eens meer denken. Had hij daar maar niet van lopen dromen, dan zou Krumme niet zijn aangereden. Dat was zijn straf. Niet het vele is goed, maar het goede is veel.

Ook op zijn werk liep het niet lekker. Hij deed alles voornamelijk op de automatische piloot. Aan dat tableau met de dieven bij de goudsmid viel niet te denken nu hij zich zo voelde. De winkelier zeurde om een nieuwe etalage, maar Erlend beweerde stellig dat deze zoals hij nu was, minstens nog een paar weken de aantrekkingskracht van het nieuwe had. Klinkklare leugens natuurlijk. Hij had een groot deel aan Agnete en Oscar overgelaten, maar vorige week bij Illums lukte het hem zich te concentreren en kreeg hij een perfect idee. Illums' geschenkafdeling wilde het hele spectrum tussen alle prijsklassen laten zien: kostbare voorwerpen en goedkope snuisterijen die het puntje op de i vormden, en zo'n etalage creëerde hij dan ook. Als achtergrond hing hij een zwartfluwelen doek op en onder de stof bouwde hij twee kleine podia. Op het ene podium zette hij een handgevormde schaal van Steninge slott voor zevenendertigduizend kronen, op het andere legde hij een servetring van boombast met kleine blauwe stofhartjes eromheen voor veertien kronen. Naast de schaal en de servetring zette hij een even groot prijskaartje. Hij belichtte zowel de schaal als de servetring alsof het popsterren waren en klaar. Het effect was te gek, ook al waren de servetringen met blauwe hartjes na drie dagen uitverkocht en moest Illum hem vervangen door eentje van donker hout met gele puntjes voor drieëntwintig kronen.

Ze waren dus tevreden met zijn oplossing. Maar een dikke rekening kon hij hun voor die etalage natuurlijk niet sturen.

Plotseling meende hij het zoemende geluid te horen van een lift die stil bleef staan, en hij keek op de klok. Kwam Krumme al thuis? Hij luisterde. Het bleef volkomen stil. Het moesten de benedenburen zijn geweest. En op hetzelfde moment werd hij zich er met een schok van bewust: hij was opgelucht dat het Krumme niet was! Hij begon te huilen.

Koortsachtig schonk hij een royaal glas cognac voor zichzelf in, liet de espresso voor wat hij was en nam sigaretten en een schone asbak mee naar de logeerkamer die ze als kantoor gebruikten. Hij zette alles naast het toetsenbord, wreef met beide handen zijn ogen droog zonder zich erom te bekommeren dat hij zijn *kajal* uitsmeerde, dronk het glas cognac leeg en haalde er nog een, zette bij die gelegenheid Donna Summer op, sloot de luidsprekers in het kantoortje aan en liet zich toen op de stoel voor de monitor zakken. Ze moesten met elkaar praten. Alles lag onder het vloerkleed geveegd, je kon niet eens lopen over een kleed met zo veel bobbels en oneffenheden. Dat moest hij onder ogen zien en bij die gedachte raakte hij volledig in paniek.

'Godsklere', fluisterde hij en hij klikte naar de internetwinkel van Swarovski. De site vulde het scherm. Als lid van de Swarovski-verzamelclub kreeg hij speciale aanbiedingen voor figuurtjes die in beperkte oplage waren vervaardigd. Hij logde in en het eerste wat verscheen waren *The Eagle* uit 1995, die hij al had, *Peacock* uit 1998, die hij ook al had, en *The Bull* uit 2004. Die had hij nog niet. Hij klikte op *Add to shopping cart* en zocht verder. Hij kwam bij de jaarstukken waarvan elk lid maar één exemplaar mocht kopen: twee clownvissen die in symbiose leefden met een zeeanemoon. Nippend van zijn glas cognac boog hij voorover naar het scherm, de figuren waren werkelijk meesterlijk, er waren twee varianten, een in kleur en een van helder kristal. Hij koos de heldere: *Add to shopping cart.* Langzamerhand voelde hij zich weer een beetje blij, binnenkort zou hij een nieuwe vitrinekast moeten kopen, en dat zou nog een gracht betekenen en nog meer krokodillen.

Hij klikte op de link voor nieuws. Een heremietkreeft. Rondkrabbelend met zijn gestolen slakkenhuis, vanuit drie invalshoeken op het scherm getoond, *Add to shopping cart. Go to check out* nu? Ach wat, helemaal niet, waarom zou hij, hij kwam net lekker in de stemming. Een eenhoorn misschien? Krumme had hem ooit een Swarovski-eenhoorn cadeau gedaan, die hij had gebroken toen hij voor de Kerst de kast schoonmaakte. Hij zou een nieuwe kopen, en of hij dat zou doen! Krumme kon de pot op, hij had best een nieuwe voor hem kunnen kopen om hem een plezier te doen en hem te verrassen. Donna Summer rekte haar stembanden tot het uiterste, terwijl hij achter '*Search*' *unicorn* intypte en naar de kamer holde om meer cognac te halen. Toen hij terugkwam stond de eenhoorn op het scherm, met een gedraaide hoorn en een opgeheven voorpoot. Negentienhonderd kronen maar, een koopje, *Add to shopping cart* en *Go to check out.*

Kon Krumme nu niet gauw komen? Ze moesten met elkaar praten, hij kon er niet tegen zoals het nu was. Krumme beweerde dat je met hem niet kon praten, dat hij alleen maar gevoelsmatig reageerde, maar hoe kon je anders reageren als je hele leven op zijn kop werd gezet en voor je ogen uiteenviel? Als hij die klojo die Krumme had aangereden in zijn vingers kreeg! Hij zou hem buiten westen slaan en hem zijn ballen afsnijden! Maar nu kreeg hij binnenkort een os, twee clownvisjes met een anemoon, een heremietkreeft en een eenhoorn, ze waren al op weg via de post. Die gedachte deed goed. Hij herinnerde zich de heremietkreeften in de Gaulosen bij Øysand, bij eb weghollend in het lage water. Hij en grootvader Tallak moesten altijd lachen om hun brutale manier van doen als ze de oude gestolen slakkenhuisjes weggooiden omdat ze te klein waren geworden, en nieuwe, grotere stalen. Grootvader Tallak hielp hem ze te vangen. Ze deden ze in een emmer met een heleboel lege slakkenhuizen erbij en hadden een reuzelol als ze de kreeften poedelnaakt zagen rondrennen om nieuwe huizen te passen en de vorm en de ruimte te checken. Ze proberen het beste te vinden en worden onrustig omdat er te veel keus is, zei grootvader Tallak, ze beelden zich in dat ze zich in het oude niet lekker meer voelen als ze een nieuw ontdekken. Erlend was gefascineerd door het feit dat ze zo geboren waren, zo geboren waren dat ze de huizen van anderen stalen om te kunnen overleven.

Dat ze geboren waren zonder enige vorm van beschutting.

Daar liepen ze, hij en grootvader, door het water wadend, terwijl een groot stuk van hun broekspijpen nat werd. Gróót-vader. Ja, zo noemde ik je, dacht hij en hij deed zijn ogen dicht, herinnerde zich hoe de golven aan het strand knabbelden, hoe zijn tenen wit verschrompelden in het zoute water.

Hij zat in een leunstoel voor de open haard te slapen toen Krumme hem wakker maakte door hem even over zijn wang te strelen en hem op zijn voorhoofd te kussen. Hij zei: 'Ik heb pizza bij me. We hebben op het werk wat laten bezorgen en het was veel te veel. Heb je honger, poepie?'

'Ik ben geloof ik in slaap gevallen ...'

Hij had zijn roes uitgeslapen en kreeg onmiddellijk een slecht geweten omdat hij de eenhoorn had besteld. Hij moest hem maar een beetje verstopt neerzetten, helemaal achteraan op een van de platen. Krumme keek nooit naar de kast om, tenzij Erlend hem erheen duwde om zijn enthousiasme met hem te delen.

Krumme rook naar sigaar en knoflook en bier. Zijn Matrix-jas lag nonchalant over de armleuning van een van de empirestoelen in de hal. Krumme en de jas waren intussen onafscheidelijk.

'En, wat heb jij vandaag gedaan?' vroeg Krumme.

'Niet zo veel. Op kantoor gezeten, nieuwe catalogi voor rekwisieten besteld, een schema gemaakt naar welke vlooienmarkten we de assistenten zullen sturen, dat soort dingen. Je weet nooit wat voor maffe, rare spullen ze opduikelen die we in de etalages kunnen gebruiken, weet je. Vorige week zaterdag ontdekte Sally, die nieuwe, een ongelooflijk mooie, oeroude zwarte badkuip in Louis XVI-stijl met poten van echte zeeschildpad. Daar kunnen we vast wel wat mee doen als we iets met badkamers krijgen. Of met sexy ondergoed misschien, met poppen in een badkamer-entourage waar ze zich klaarmaken voor een feestje, bijvoorbeeld. Mogelijkheden te over ...'

Hij kletste maar wat en hoorde het zelf, voelde Krummes blik op zich gericht.

'Wat drinken we bij die pizza?' vroeg hij, hij liep naar de koelkast zodat hij met zijn rug naar Krumme toe kwam te staan. Ze hadden nooit pizza. Als ze al een afhaalmaaltijd namen was het Afrikaans, Chinees, Thais of sushi.

'Rode wijn, misschien', zei Krumme en hij schoof de pizza op het rooster van een van de bakovens. 'Ik warm hem een beetje op onder de grill.'

Erlend dronk een flesje Danskvand, pakte een fles rode wijn uit het rek zonder zelfs maar te kijken wat voor een, en maakte hem open.

'En, wat drinken we?' vroeg Krumme.

'Geen idee', zei hij en hij liet zich zwaar op zijn stoel zakken. 'Ik heb niet gekeken, heb hem gewoon opengemaakt.'

'Niet echt in vorm?'

'Nee. Ik raak hier helemaal ... kapot van.'

Hij begon te huilen, waarschijnlijk was hij toch nog niet helemaal nuchter. Hij had niet langer dan een uurtje geslapen en de lever had vast meer tijd nodig voor de vier cognac die hij uiteindelijk had gehad.

'Maar, Erlend ...'

'WAT DENK JIJ DAN DAT DAT VOOR GEVOEL GEEFT! ALS JE PLOTSELING NIET GOED GENOEG MEER BENT!'

'Niet goed genoeg? Maar dat begrijp je helemaal verkeerd, je draait het helemaal om! Het is juist het tegenovergestelde! Ik zei alleen dat ik graag zou willen dat we een kind kregen. En als ik dan ook nog wil dat jij de vader wordt, hoe kun je dan beweren dat je niet goed genoeg bent?' vroeg Krumme terwijl hij tegenover hem aan tafel ging zitten.

Waarom ging hij daar zitten, waarom kwam hij niet bij hem en sloeg zijn armen om hem heen en troostte hem, verjoeg al dat domme gedoe?

'Ons leven is niet goed genoeg, dat is wat je wilt zeggen. Ons leven! DIT!' zei Erlend en hij maakte een weids gebaar met zijn armen. 'Ik dacht dat we voor elkaar leefden! Voor ons werk, onze liefde, onze reizen, onze vrienden. Ons LEVEN!'

'Ik ben drieënveertig', zei Krumme zacht. 'Jij wordt over een paar maanden veertig. Ik dacht alleen dat ... dat het ons op een ander plan zou brengen. Het spijt me dat ik je zo vreselijk heb gekwetst. Dit is niet iets wat ík wil, dit is iets waarvan ik zou willen dat wíj het wilden.'

'Maar ik wil helemaal niet op een ander plan, Krumme! En nu is dit plan als het ware ... verziekt.'

'Hoor eens, als jij geen kinderen wilt dan komen er geen kinderen. Zo simpel is dat.'

'Dat is het NIET! Je gaat me verlaten.'

'Waarom dat?'

'Om kinderen te krijgen.'

'Mafketel', zei Krumme.

'Hoe had je je dat dan voorgesteld? Dat kind?'

'Ik heb toch al gezegd dat ik dat nog niet weet. Dat zouden we samen moeten uitdokteren, als jij het ook zou willen. Jytte en Lizzi hebben eens gezegd dat ze wel een kind willen, maar dat ze er niet aan moeten denken al hun vrijheid op te geven. Die denken een beetje zoals jij. Als we met een van hen een kind kregen, zouden we de verantwoordelijkheid met zijn vieren kunnen delen en toch nog een heleboel vrijheid hebben. We zouden ook een draagmoeder kunnen nemen, maar dan moeten we naar het buitenland. We kunnen natuurlijk ook iets heel anders doen, namelijk een kind adopteren.'

'Dat heb je allemaal al eens gezegd.'

'Waarom vraag je er dan naar?' vroeg Krumme.

'Het ruikt naar aangebrande pizza.'

Krumme kwam overeind en haalde de pizza uit de oven. 'Hij is alleen een beetje zwart aan de randjes.'

'Ik ben hoe dan ook de lul', zei Erlend. 'Als ik nee zeg, ga jij me haten. Als ik ja zeg, ga ik mezelf haten omdat ik in feite niet wil.'

'Maar waar ben je eigenlijk bang voor? Mag ik dat eens vragen? Wat jaagt je zo'n angst aan bij de gedachte vader te worden?'

Daar kon hij geen antwoord op geven: zijn vitrinekast, krassen op het parket, geklieder en rommel en achttien jaar lang je handen vol hebben, want voordat ze achttien waren gingen ze het huis toch niet uit?

'De verantwoordelijkheid', zei hij. 'En dat ik niets van kinderen afweet. Ik ken ze niet, zie ze niet, denk niet aan ze. Ze interesseren me niet.'

'Je zou iemand hebben om mee te spelen. Je bent gek op spelletjes, Erlend.'

'Ik wil met jou spelletjes doen. Ik wilde met jou spelletjes doen.'

'Neem nu maar een stuk pizza.'

Terwijl ze op hun pizza zaten te kauwen, bedacht hij dat gezinnen met kleine kinderen zoiets waarschijnlijk dagelijks aten. In Noorwegen was de Grandiosa-diepvriespizza de meest verkochte warme maaltijd, had Torunn verteld, omdat vaders en moeders nooit zin hadden om aardappels te koken. Hij keek Krumme niet aan, ze waren geen stap verder gekomen, het hele gesprek was een rondedans, steeds en steeds weer een bevestiging dat Krumme iets miste. Hij legde de verbrande korst van zijn stuk pizza weg en dronk zijn glas rode wijn leeg.

'Ik moet aan *La cage aux folles* denken', zei hij. 'Albin die al rondtrippelend wil bewijzen dat hij een moederfiguur kan zijn.

Een idioot wijf, dat is wat ik ben! Ik weet zeker dat je me in vrouwenkleren achter een kinderwagen ziet lopen terwijl ik met een piepstem praat!'

'Dat zou leuk zijn', zei Krumme. 'Dan ben ik Pierre, vlot en masculien.'

'Ik maak geen grapje, Krumme! Wil je misschien dat ik een geslachtsoperatie onderga? En met een kussen voor mijn buik rondloop tot een of ander vrouwmens klaar is met broeden, zodat we net kunnen doen alsof dat kind uit mij is geplopt?'

'Dat is misselijk. Wil je ruzie?'

'IK BEN HET ZAT NIET BLIJ TE ZIJN!'

'Als ik dat had geweten ...' zei Krumme en hij legde zijn pizza weg. Zijn rode wijn had hij nauwelijks aangeroerd, waarom dronk hij niet? Wat een idioot was Krumme eigenlijk.

'De rest van je leven, poeh! Plotseling is niets van dit alles goed genoeg meer, alleen omdat jij bijna werd overreden door een auto! En wat met de rest van mijn leven? Hè? Weet je wel dat kinderen tegenwoordig tot hun vierde in een luier piesen? VIER JAAR, Krumme! Dat stond in je eigen krant! En daar heb jij vier jaar lang zin in alleen omdat je met je wang op de straatstenen bent terechtgekomen. Ik geloof echt dat je met je kop op straat bent geknald.'

'We hebben het er niet meer over. We nemen geen kinderen. Jij wilt niet en dan nemen we ze ook niet', zei Krumme.

'Kalm maar, ik zal je vaderlijke instincten geen strobreed in de weg leggen! Spuit een beetje in een koffiekopje en geef dat aan Jytte en Lizzi! Als je bezoek krijgt van die pismachine, kan ik weggaan, elk tweede weekend bijvoorbeeld. Waarom drink je geen wijn?'

Erlend schonk zichzelf nog een glas in, het gutste eroverheen.

'Heb je veel gedronken?' vroeg Krumme. 'Voordat ik thuiskwam?'

'Geen druppel. Maar ik heb net voor meer dan zesduizend kronen Swarovski-figuren besteld. Misschien is me dat naar het hoofd gestegen.'

'Ik geloof dat ik naar bed ga', zei Krumme.

Nadat hij in zijn eentje in de keuken de hele fles rode wijn plus het bijna onaangeroerde glas van Krumme had leeggedronken, ging hij in de kamer met twee plaids over zich heen op de bank liggen.

'Verdomme', fluisterde hij. 'Verdomme, verdomme, verdomme.'

Hij moest denken aan wat Krumme hem had gevraagd: waar hij bang voor was, wat hem zo'n angst bezorgde bij de gedachte vader te worden. Hij kende het antwoord: hij had geen jeugd die hij kon doorgeven, zijn jeugd was op een leugen gebaseerd geweest. Hij had niets te geven, hij was niemand, en nu zouden hij en Krumme ook naar de ratsmodee gaan. Wat ze hadden, sámen.

Hij reed bij de koster langs en kreeg de sleutels te leen, ging de ijskoude kerk binnen en liet zich op de achterste bank zakken.

Dit had hij al veel eerder moeten doen, hierheen gaan en in zijn eentje opgaan in de vrede van het godshuis zonder dat de kerk vol rouwenden zat die zijn aandacht opeisten: namen die opgelezen moesten worden, boeketten met kaartjes en namen die genoteerd moesten worden, een kist die op de katafalk stond en waar hij de verantwoording voor had. Ook al had hij hier niet vaak een begrafenis.

Van alle kerken die hij kende hield hij het meest van de kerk van Byneset en hij wist er alles van. Zelfs de Nidarosdom kwam in zijn ogen op de tweede plaats. De dom was te groot en te majestueus en meer geschikt voor aanbidding en prijzende lofzang dan voor rouw. Bij rouw had je de intimiteit nodig van een kleiner kerkschip, zoals dit, met een bijna duizendjarige geschiedenis in de muren, muren die beschermden en niet vol pompeuze versieringen prijkten.

Hij hield zijn handen zo dat de mouwen van zijn jas een soort mof vormden, zijn handschoenen lagen nog in de auto. Het was min zeven graden buiten. Het daglicht drong als stoffig witte zuilen door de ramen hoog in de muur, alle hoeken in de kerk waren donker en ijskoud. Leegte, maar desondanks Gods duidelijke aanwezigheid. Hij ademde diep uit en keek naar de damp die uit zijn mond kwam, naar het versleten, schuine plankje voor zich waar je je psalmenbundel op kon leggen. Hij keek op naar de fresco aan de noordelijke muur, die de Zondaar voorstelde, met de zeven doodzonden die in de vorm van vette slangen uit het lichaam van de man kronkelden, elke slang met een kluitje doodsbange mensen in zijn muil. Aan welke van deze doodzonden had hij zich in de loop van een enkele avond zelf schuldig gemaakt? Vraatzucht in ieder geval. En ontucht. In de eerste plaats ontucht. En gedurende de lange jaren dat hij het geloof uit het oog was verloren en zich inbeeldde dat hij zonder God kon leven? Hoogmoed.

Hij haalde de bijbel uit zijn jaszak en sloeg hem open waar het zijden koordje tussen de pagina's geklemd lag, bij de brief van Paulus aan de Romeinen: 'De zonde mag niet langer over u heersen, want u staat niet onder de wet, maar leeft onder de genade', las hij hardop. 'Maar God zij gedankt: u was slaven van de zonde, maar nu gehoorzaamt u van ganser harte de leer waaraan u zich hebt toevertrouwd, en bevrijd van de zonde hebt u zich in dienst gesteld van de gerechtigheid ... Het loon van de zonde is de dood, maar het geschenk van God is het eeuwige leven in Christus Jezus, onze Heer.'

Hij deed zijn ogen dicht en luisterde naar zijn eigen woorden, naar de echo ervan tussen de stenen muren, de simpele logica erin en de liefde. Hij dacht aan de laatste keer dat hij hier was, druk bezig bij de kist van zijn moeder voordat alle anderen kwamen, en daarna op de voorste rij samen met Tor en Erlend, Torunn en Krumme en de oude man. Hoe vreemd het was dat ze daar samen zaten, en hoe verschillend ze de rouw ervoeren. Bij sommigen nauwelijks aanwezig, wist hij. Hij was hier ook op Kerstavond geweest, en daarvoor, voor de begrafenis van de zeventienjarige zoon van Lars Kotum, die vlak voor de Kerst zelfmoord had gepleegd in zijn bed. Intussen wist iedereen waarom. Het gerucht wilde eerst dat hij verliefd was op een meisje dat niets van hem wilde weten, maar later bleek het een jongen te zijn geweest.

Hij had de laatste weken vaak aan Erlend gedacht, welk onrecht hem was aangedaan. Hij was ongelooflijk dankbaar dat hij geen dominee was, een dominee mocht er geen eigen mening op na houden en stond onder toezicht van de bisschop. Daar had hij zelf geen last van. Want wie kon Erlend terecht van zonde betichten? Was hij niet ook een schepsel Gods? Had God hem niet met een bedoeling geschapen, bedoeld dat hij zo zou zijn? Niemand met een beetje verstand kon beweren dat Erlend zijn geaardheid had gekozen om ontucht te bedrijven. Als kleine jongen al kon je duidelijk zien dat hij anders was, meisjesachtig. En zijn opstandigheid en de kracht om voor zichzelf op te komen dwongen hem de plek te verlaten waar hij veroordeeld werd.

Ja, veróórdeeld, dacht hij. Omdat ze dachten dat hij het bewust deed, om te provoceren. Maar dat was immers niet zo. Hij was Erlend.

En die jongen van Lars Kotum ... Als hij had mogen kiezen tussen de dood en een risicoloze en algemeen geaccepteerde verliefdheid op wat voor meisje dan ook ... Maar hij was niet in de positie geweest te kunnen kiezen. Hij was gewoon zichzelf. In alle geheim en vernedering en schaamte. En dat kostte hem het leven.

Ja. Er was Erlend groot onrecht aangedaan.

Hij had geen idee of de verbittering die Erlend moest voelen, minder was geworden tijdens de kerstdagen; ook al was gebleken dat Erlends verhaal onderdeel van een groter geheel was. Hij had het hem graag gezegd, dat niemand hem ergens om veroordeelde, maar dat zou nu wel onmogelijk zijn na dat telefoontje toen hij als een verdwaasde idioot op een muurtje zat en in zijn delirische roes dacht dat hij een ander was geworden, zonder verantwoording voor zijn eigen handelingen.

Hij sloeg zijn handen voor zijn gezicht, drukte zijn hard in zijn oogkassen, drukte tot het pijn deed en hij vanuit een zwart centrum rood en groen pulserende ringen zag verschijnen. Het gekke was dat hij hogere eisen stelde aan zichzelf dan aan Erlend. Lange tijd bleef hij met zijn handen voor zijn gezicht zitten terwijl hij zich afvroeg waarom, tot hij tot de slotsom kwam dat het moest zijn omdat hijzelf sterk was en Erlend niet. Maar hij had intussen ook geleerd dat hij die kracht uit het geloof putte. Toen hij zich aan vraatzucht en de lust van het vlees overgaf, stond hij met zijn rug naar God gekeerd en God was genoodzaakt geweest een heel eind te gaan om hem de weg te wijzen.

Pas toen hij merkte dat hij bijna geen gevoel meer in zijn voeten had van de kou, stond hij met stijve gebaren op, verliet de kerk en deed met de enorme smeedijzeren sleutel de deur achter zich op slot.

Tor zat aan de keukentafel met de *Nationen* voor zich, de oude man zat in de kamer een boek te lezen, de radio stond zachtjes aan. Ze hadden allebei een leeg koffiekopje voor zich.

'Ben jij het', zei Tor.

'Ja. Is die koffie nog warm?'

'Is hier in de kerk een begrafenis geweest? Ik heb de klokken niet horen luiden.'

'Nee, ik wilde gewoon even in de kerk zitten, alleen.'

'Waarom dat? Heb je weer gezondigd?'

'Tor ...'

'Misschien niet warm, maar in ieder geval nog lauw.'

Er was een heleboel keer nieuw water op de prut gedaan, proefde hij.

'Dus je hebt de *Nationen* nog?' vroeg hij toen en hij ging aan de keukentafel zitten.

'Ben eraan gewend geraakt. Komt immers iedere dag. Het *Bondebladet* komt alleen vrijdags.'

'Zou je niet liever een plaatselijke krant hebben?' vroeg Margido.

'Nee. Dat hoor ik allemaal op de radio.'

'En in de stal? De varkens lekker vet?'

'Ja hoor, maar vet mogen ze niet worden, dan krijg je een slechte prijs. Moeten het juiste vleespercentage hebben.'

'Hoe controleer je zoiets?'

'Soort en hoeveelheid voer reguleren dat', zei Tor.

'Ik heb ... Ik ben bezig de steen voor moeder te regelen. Wit graniet.'

'Kwam je daarom?'

'Maar we laten hem pas van het voorjaar neerzetten. Er staat links een bronzen roos op en haar naam is in zwart lak ingegraveerd.'

Hij praatte luider dan als hij daar alleen met Tor had gezeten, zodat de oude man in de kamer het ook kon horen.

'Klinkt duur', zei Tor.

'Hij kost wel wat, ja. Maar het moet er toch goed uitzien?'

'Plaats voor meer namen ook', zei Tor.

Margido knikte. Tor vouwde de krant samen en ging naar de oude man, die hem dadelijk aannam, zijn vergrootglas weglegde en in plaats daarvan een bril opzette. Margido vroeg zich af hoelang het geleden was dat zijn ogen gemeten waren en hoelang hij die bril al had. Misschien moest hij maar eens een afspraak bij de opticien maken en er met hem heen gaan, nadat hij hem ertoe had gebracht zich te wassen en schone kleren aan te trekken.

Tor schonk zijn kopje vol, op het laatst kwam er alleen nog pure prut uit de ketel, maar hij leek het niet te merken. 'Heb ratten', zei hij en hij slaakte een diepe zucht.

'Rátten?'

'In de stal. Een godverdommes gesodemieter. Ja, ik zeg waar

het op staat, ook voor jouw tere oren. Een godverdommes gesodemieter. En ze gaan godsamme niet eens in de val, zijn veel te slim. Maar ze eten van het gif en liggen langs de muren dood te gaan. Alleen, het gaat niet snel genoeg, er komen er steeds meer, heb hun sporen een heel stuk op het erf gezien.'

'Je moet contact opnemen met de ongediertebestrijding.'

'Dan moet ik een contract tekenen. Heb gebeld en gevraagd. Duizenden kronen. Nooit ofte nimmer', zei Tor en hij schudde zijn hoofd.

'Kunnen ze de varkens bijten? Of ze ergens mee besmetten?'

'Was het eerste waaraan ik dacht. Zag ze al voor me aan de spenen van de zeugen, godsklere. Maar nu is het dichtgespijkerd en afgesloten naar de varkensstal en in het voerhok krijgen ze alleen te pakken wat op de grond is gemorst, maar ik pas ontzettend op, veeg alles bij elkaar en hou het daar schoon. Alleen, de warmte, weet je, de warmte van de beesten. En ze vermeerderen zich zo snel ...'

'Ik heb een keer een akelige manier gehoord om van ratten af te komen', zei Margido.

'O?'

'Je vangt er één levend ...'

'Nee, dank je wel.'

'Je vangt er één levend,' zei Margido, 'dan brand je hem de ogen uit en laat hem weer los. Zijn gegil jaagt alle andere weg als het goed is.'

'Godallemachtig. Dat klinkt niet erg naar naastenliefde.'

'Het zijn toch maar ratten', zei Margido.

'Ook zij schepselen Gods, toch', zei Tor met een scheve glimlach.

Ook Margido moest glimlachen en hij voelde dat het nu mogelijk was iets te zeggen, tegen de achtergrond van deze glimlachen. Hij liet zijn stem dalen en wierp even een blik naar de kamer. De oude man zat voorovergebogen over de krant, voor de zekerheid liep Margido naar de radio en zette hem iets harder. 'Ik heb nagedacht over Erlend', zei hij.

'Hoe bedoel je?'

'Dat we niet erg aardig voor hem zijn geweest. Hij ... ook niet.'

'Ze mochten hier toch logeren met Kerst, allebei', zei Tor. 'En toen ze weggingen, heb ik die Deen een hand gegeven en hem gezegd dat hij van de zomer ook welkom was. Ik zei dat het hier dan zo mooi was.'

'Heb je dat echt gezegd?'

'Het is hier 's zomers toch mooi?'

'Dat niet. Maar dat hij welkom was.'

'Ja, dat heb ik gezegd.'

'Dat was netjes van je, Tor.'

'Maar jij bent toch christelijk en zo. Hoe kun je ... Dat kan toch niet. Jij bent toch min of meer gedwongen om te zeggen dat het verkeerd is. En zondig en zo', zei Tor zacht.

'Nee, daar ben ik niet toe gedwongen. Daarom heb ik ervoor gekozen over dat onderwerp hetzelfde te zeggen als Jezus heeft gezegd.'

'En wat was dat?'

'Helemaal niets', zei Margido.

Ze bleven een tijdje stil zitten, keken samen naar de lege voederplank, waar lege groene netjes naast hingen.

'Tja, hier zitten we dan', zei Tor. 'Wij hebben niemand, en Erlend wel. Gek hoor.'

'En zo blijft het ook.'

'Jij ontmoet toch wel vrouwen, Margido?'

Ze bleven strak naar de voederplank kijken.

'Ja, maar ik wil niemand. Ik wil alleen leven. In alle rust.'

'De rest van je leven?'

'Ja, natuurlijk. Nu ik al zo ver ben, zal de rest ook nog wel lukken.'

'Dat is zo. Maar het is wel raar. Ik had moeder immers.'

'Ja', zei Margido.

'Zal ik ... nog wat koffie zetten?'

'Voor mij niet.'

'We krijgen een nieuwe gezinsverzorgster, ze hebben een nieuwe route, heb je ooit zoiets onzinnigs gehoord!' zei Tor en hij praatte niet langer met gedempte stem.

'Was de vorige beter?'

'Geen idee, die nieuwe is nog niet geweest. De vorige was oké, ze maakte schoon en ging ervandoor.'

'Dat moet ik nu ook', zei Margido en hij stond op. 'Bedankt voor de koffie.'

'Gek dat je tijd had om langs te komen. Op een doodnormale werkdag.'

'Niet zo veel te doen rond deze tijd. Voor de Kerst en vlak daarna is het meestal druk. Heb maar twee begrafenissen deze week. Eén eergister en één morgen.'

'Grappig,' zei Tor, 'dat je ook bij zoiets met seizoenschommelingen te maken hebt. Moeder ook ... Maar zij was eerst ziek, natuurlijk.'

'De meesten zijn eerst ziek. Ongelukken komen minder vaak voor.'

Hij zei niet tegen Tor dat hij weg moest omdat hij thuis de makelaar verwachtte. Tor zou dat met een sauna niet begrijpen, hij had daar naar alle waarschijnlijkheid nog nooit in gezeten en zou niet snappen dat hij er behoefte aan had om alles eruit te zweten na een begrafenis, de geur van snijbloemen en van druipende, walmende kaarsen eruit te zweten.

Zijn flat was opgeruimd en smetteloos schoongemaakt. De komische jongeman in donkerblauw pak liep langzaam door de kamers en maakte aantekeningen op een notitieblok met een ijzeren klemmetje bovenaan.

'We moeten het een beetje opkalefateren voor een eventuele bezichtiging. De kamers een beetje opfleuren.'

'De kamers opfleuren?' vroeg Margido en hij voelde zich uiterst ongemakkelijk met die man in zijn huis, koel taxerend te midden van al zijn spullen. Hierbinnen kwam nooit iemand. En wat was hij jong, veel te jong voor de zelfverzekerdheid die hij uitstraalde.

'Dat regelen wij wel. Er is niet veel voor nodig.'

'Maar wat bedoelt u precies?' vroeg Margido.

'Een paar grote vazen met bloemen, een fruitschaal op tafel, wat kleedjes en kaarsen, een paar dingen om aan de muur te hangen; zo lijken het wel gevangenismuren. We moeten zorgen dat het er gezellig uitziet.'

'U hebt het over mijn huis. En ik vind het prettig zoals het is.'

'Ja, natuurlijk. We staan toch aan één kant, mijnheer Neshov. Maar mensen moeten zodra ze binnenkomen zin krijgen hier te wonen, in gedachten al aan het verhuizen slaan. Op die manier halen we er de best mogelijke prijs uit. En het uitgangspunt is perfect, je ziet eigenlijk nergens slijtage. Misschien nog wat kleden op de grond.'

'Kleden? Maar de vloeren verkeren in een uitstekende staat.'

'Veel te kil en ongezellig. Wij nemen spullen mee en regelen de bezichtiging, alles inclusief. En natuurlijk halen we ze daarna ook weer weg. Maar wat had u zich in plaats hiervan voorgesteld? Ik kan u heel wat flats laten zien als u wat dichter bij het centrum wilt wonen.'

'Er moet een sauna in zitten', zei Margido.

'Staat genoteerd. En verder?'

'Verder niets. Verder net zo. Dat is de reden dat ik wil verhuizen.'

'Alleen dáárom?'

De man bleef hem staan aankijken, zo verbluft dat Margido

moeite had het te accepteren: het was toch waarachtig niets ongebruikelijks graag te saunaën.

'Ja!' zei Margido.

'Neem me niet kwalijk, maar ... Dat begrijp ik niet helemaal. U moet toch nog een andere reden hebben? En als ik een nieuwe flat voor u moet vinden is het belangrijk dat ik ... Is het hier misschien nogal gehorig? Een boel gezinnen met kleine kinderen?'

'Nee! Dat ik een sauna wil hebben, is de enige reden dat ik wil verhuizen!'

'Maar ...' De man maakte een radeloze indruk en begon weinig flatteus aan het randje van zijn ene neusgat te pulken. Plotseling kon Margido zich met geen mogelijkheid meer herinneren hoe hij heette. Christian of Thomas of Magnus, zo heetten alle jongemannen tegenwoordig. Hij had het zich graag herinnerd, hier en nu, zodat hij hem met gebruik van zijn volle naam een beetje terecht had kunnen wijzen.

'Maar ik snap het niet helemaal. Waarom hebt u dan geen sauna laten installeren? Of wilt u lager in prijs met de flat die u wilt kopen? Dat u geen geld hebt om ...'

'Een sauna te laten installeren? Natuurlijk heb ik daar geld voor! Maar u hebt toch zelf gezien hoe klein de keuken is en dat hij aan de badkamer grenst. Daar kun je geen vierkante meter van afhalen!' zei Margido en hij moest zich met geweld beheersen om niet boos te worden. Een melkmuil die hier kwam aanzetten en zich inbeeldde dat je talloze vierkante meters tevoorschijn kon toveren ...

'Maar de badkamer zelf', zei de man zacht.

'Daar is toch geen plaats voor een sauna. Dat hebt u zelf kunnen zien.'

Was die vent blind?

'Natuurlijk is daar plaats', zei de man. 'U hebt toch een bad?'

'Nou en?'

De man keek hem recht aan, schudde zijn hoofd en glimlachte een beetje schaapachtig.

'Vertelt u eens, hebt u eigenlijk de mogelijkheid onderzocht om een sauna in uw badkamer te installeren? Je kunt een gecombineerde sauna en stoomdouche krijgen.'

Margido bleef hem staan aanstaren. Voor hem betekende een sauna dat je een zware deur opendeed en een ruimte binnenstapte met banken tot onder het plafond en met voorin een grote kachel op de grond waar je water op stenen plensde, zoals het in het oude zwembad in de Prinsens gate was geweest, dat nu dicht was. Natuurlijk begreep hij dat hij niet zo'n grote sauna nodig had, maar om nu meteen te denken dat er plaats was in zijn badkamer ...

'Luister,' zei de man, 'ik verkoop uw flat graag, maar als dat de enige reden is dat u hem wilt verkopen, dan beduvel ik u als ik u dit niet vertel. Uw badkamer is groter dan acht vierkante meter, dat is geen probleem. Praat u eens met de mensen in de Baderomsbutikk in de Fjordgate. Bevalt wat u daar ziet u niet, dan belt u me weer. Hoor ik niets meer van u, dan kan ik mezelf natuurlijk voor mijn kop slaan omdat ik een goede deal ben misgelopen. Maar ik kon me niet voorstellen dat die sauna de enige reden was dat u wilde verkopen. En het zou een slechte indruk maken als de nieuwe flat die u zou vinden, net zo'n grote badkamer had inclusief sauna.'

'Eerlijk duurt het langst', zei Margido timide.

'Zoiets heb ik ook gehoord, ja', zei de man.

Tijdens de lunchpauze de volgende dag ging hij naar de Baderomsbutikk en kreeg een heleboel brochures voor zijn neus. Hij geloofde nauwelijks wat hij zag. Daar had hij jarenlang lopen dromen zonder de mogelijkheden te onderzoeken.

Een *compactsauna.* Dat was de kleinste en die had niet meer ruimte nodig dan normale kamerhoogte en een vloeroppervlak zo groot als een badkuip. Een stoomgenerator aan het plafond gemonteerd vulde het vertrek met stoom en je zat op een houten bank, rustte met je voeten op hout, plus dat je hout in je rug had. Als je klaar was, klapte je die bank tegen de muur en stond je plotseling in een grote douchecel. Tegels op de vloer en aan de muren, smaakvolle kranen en douchekop. Als hij bovendien de wasbak een stukje kon verschuiven, had hij ruimte voor de hoekvariant, die nog een beetje ruimer was.

Toen hij de winkel uit liep, voelde hij zich ongelooflijk opgelucht en zo blij als een kind. Hij merkte dat hij het niet kon laten te glimlachen, het was een wonder.

Nu hoefde hij niet te verhuizen.

Ze zouden langskomen om de maat op te nemen, het was alleen een kwestie van tijd of zijn droom was werkelijkheid geworden en hij had alles wat hij nodig had op deze wereld.

'Dank u, lieve God', fluisterde hij.

Er was zo veel om blij over te zijn: het gesprek met Tor gister toen ze naar elkaar hadden geglimlacht, dat Tor Krumme had gezegd dat hij altijd welkom was, dat er misschien hoop voor hen was. Opeens flitste de herinnering aan oudejaarsnacht door hem heen en hij versomberde even, maar Erlend was het vast vergeten, of misschien had hij niet gehoord wat hij zei met al dat lawaai om hem heen.

Hij zou Deense koffiebroodjes meenemen naar kantoor voor bij de koffie die middag. Daar zou hij de dames een plezier mee doen. Ze werkten hard, hij zou ze eigenlijk een loonsverhoging moeten geven, niet veel, maar net genoeg dat ze begrepen dat hij hen waardeerde. Hij ging de banketbakkerij bij Byhaven binnen.

'Ik neem drie stuks van die met noten en chocola erop. En doet u ook nog maar drie soezen. Mét slagroom'

Ze kreeg al zin als hij haar alleen maar aankeek, op die speciale manier die ze intussen had leren kennen: iets met zijn ogen, ze versmalden en werden donkerder, net de ogen van Styrk, een van de jonge reuen die zo op een wolf leek. Na die nacht veertien dagen geleden, toen ze thuis in het donker dacht dat het voorbij was omdat hij haar sms'je niet had beantwoord, en ze zich zo'n bezitterig, zeurderig vrouwmens had gevoeld waar geen man iets van wil weten, was er iets veranderd.

Later vertelde hij dat hij die nacht meer dan tweehonderdduizend kronen had verdiend. Ze begreep niet hoe dat mogelijk was, je wist dat zulke dingen gebeurden, maar je geloofde het niet helemaal. Toen hij haar een keer op haar werk belde en zij net assisteerde bij een oogoperatie van een boxerteefje met een beschadigd hoornvlies, lukte het haar nauwelijks het pincet stil te houden terwijl Anja het knipvlies hechtte. Ze had een speciale ringtoon voor hem gedownload en had haar mobieltje in de zak van haar broek.

'Apart belgeluid', zei Anja en ze verstelde de operatielamp en deed een heel dun stukje slang om de hechtdraad ter bescherming van het ooglid.

'Van een film', zei Torunn.

'Ik heb het al eens eerder gehoord, maar het schiet me niet te binnen wat het is.'

'The Good, the Bad and the Ugly.'

Maar hij was altijd alleen die eerste. Hij kookte voor haar en rekende erop dat ze kwam als hij belde om haar dat te vragen. En ze kwam. Als hij zei dat hij moest werken, liet ze hem met rust, hij moest immers honderdduizenden verdienen.

Nu nam ze de laatste bochten tussen de torenhoge dennenbomen door, fris gedoucht, in een schone spijkerbroek en trui en een splinternieuw The North Face-fleecejack. Dat was een beetje ruiger dan haar andere outdoorkleding en ze was ervan overtuigd dat het hem zou bevallen. Ze was een beetje laat na een consultatiegesprek met het hele gezin van Nero. De pup had het dochtertje gebeten en fiks gegromd naar de rest, de een na de ander. Ze adviseerde hun de hond terug te geven aan de fokker, maar ze waren al veel te veel aan hem gehecht, daarom wilden ze de koe bij de hoorns vatten. Eigenlijk had ze ontzettend veel zin die fokker te bellen en hem de huid vol te schelden. Hij moest toch al in de eerste weken hebben gezien dat Nero een dominant alfa-individu was, hij had hem nooit van zijn leven aan een gezin met kleine kinderen mogen verkopen dat voor het eerst een hond kreeg.

Plotseling sprong er een haas de weg op, het scheelde maar een paar centimeter, maar ze wist hem te ontwijken en zag hem in het achteruitkijkspiegeltje verder huppelen, zonder een schrammetje. Gelukkig had ze spijkerbanden en had ze de koplampen schoongemaakt, er waren hier geen straatlantaarns.

Ze dacht dat ze zou blijven slapen, maar als hij die nacht moest werken ...

Ook dat was voorgekomen, dat er in de loop van de avond een e-mailtje voor hem was gekomen en hij die starende blik had gekregen. 'Die geldblik' noemde ze hem bij zichzelf. Als hij een belangrijke e-mail kreeg, kwam er een berichtje binnen op zijn mobieltje, en dat zette hij alleen uit als hij met de honden op pad was.

Juist dát begreep ze niet. Hij was van de mallemolen gesprongen om met honden bezig te kunnen zijn, maar zodra de honden in hun hokken zaten en gevoerd waren, was hij via zijn computer beschikbaar. Was dat vrijheid? Als het werk altijd wel ergens op aarde in volle gang was en hij altijd wist hoe laat het daar was? De laatste veertien dagen had ze echter maar drie nachten thuis in haar eigen bed geslapen en als ze niet bij elkaar waren, was hij de hele dag in haar gedachten. Ze pleegde nog wel de verplichte telefoontjes met haar moeder, maar zonder het over Christer te hebben. Tijdens die gesprekken herhaalde ze uit den treure dat het veel beter voor Cissi zou zijn als zij en Gunnar het huis verkochten en de opbrengst deelden. Aan het feit dat het haar eigen ouderlijk huis was, besteedde ze geen enkele aandacht. Ze was te oud om het uit te brullen over kinderlijke sentimenten, ook al zou het raar zijn om de zolder leeg te ruimen, waar de ene kist met haar jeugd na de andere stond, zoals ze wist. Knuffelbeesten, kinderboeken en schriften en tekenblokken uit haar hele schooltijd. Kleren, ski's, kunstschaatsen, sleetjes en haar eerste step, die Gunnar knalrood had geverfd zodat niemand hem zou stelen.

Ze had Gunnar niet meer gezien sinds die dag in het café toen hij zijn verdedigingsrede had gehouden. Ze had er geen zin in, ook al had hij een paar keer op haar antwoordapparaat ingesproken. Intuïtief begreep ze dat hij haar wilde inzetten als wegbereider voor de verkoop van het huis. Hij had eens moeten weten dat ze die rol sowieso al speelde. Haar moeder was een mooie vrouw, als ze deze vernedering eenmaal te boven was, zou ze opbloeien, net als Gunnar zei. Waarschijnlijk zelfs een baantje vinden, ze had welgestelde vriendinnen die hun tijd doodden met een paar uurtjes in kunstgaleries en boetiekjes en als vrijwilligsters actief waren voor Rotary of Inner Wheel. Ze zou niet met haar handen in haar schoot gaan zitten, daar was ze het type niet naar. Al die jaren dat ze zogenaamd 'thuis' was, had ze duizend ijzers in het vuur gehad, onder andere als Oslo-guide voor bezoekende vrouwenloges en andere keurige groeperingen. Maar daar vroeg ze nauwelijks geld voor, aangezien ze financieel niets tekortkwam. Nu zou ze gedwongen zijn betaling aan te nemen. Het is niet zielig voor haar, troostte Torunn zichzelf voor de zoveelste maal. Maar tot dat inzicht moest Cissi zelf komen.

Ze zag er ook op toe dat ze de verplichte telefoontjes met haar vader pleegde. Ze zouden een nieuwe thuishulp krijgen en dat beviel hun niets. Zover ze wist was dat de enige donkere wolk aan de hemel daar op de boerderij. Maar zo snel als haar vader aan de eerste was gewend, zou het met de tweede ook wel loslopen.

De honden kondigden haar komst al aan, blaffend en huilend met lange uithalen, terwijl ze wild tegen het gaas op sprongen. Vijf stuks, waaronder Luna, holden buiten rond, de rest stond in de hokken opgewonden in koor te blaffen, ook het stel dat haar niet eens kon zien.

'Hallo! Ik ben het!'

Ze holde naar het gaas, stak haar vingers door de gaatjes, drukte haar gezicht ertegenaan en werd overal waar de honden bij konden, gelikt. Ze probeerden allemaal hoger te springen dan de rest.

'Luna, meisje, wat ben je toch mooi ...'

Het was jammer dat ze niet zo lang achter elkaar binnen konden zijn, maar dan hijgden ze als gekken. In dit jaargetijde was hun vacht op temperaturen beneden het vriespunt ingesteld. Ook met Oudjaar, toen Luna politieagent moest spelen, werd ze na korte tijd buiten vastgebonden zodat ze zich behaaglijk kon oprollen in de koude sneeuw.

Hij wachtte haar op in de deuropening, sloeg zijn armen om haar heen en gaf haar snel een zoen op haar voorhoofd, op haar wangen en op haar mond.

'Blijf je slapen?' fluisterde hij in haar haar.

'Graag, als je wilt.'

'Ja, dat wil ik. Mooi jack. Nieuw?'

'Nee, dat heb ik van de herfst een keer gekocht.'

Hij maakte een prutje uit een zakje met gebraden gehakt en rijst, roerde alles in een hapjespan door elkaar. Het smaakte niet bijzonder, maar hij had het klaargemaakt. Hij schonk rode wijn in de glazen en de open haard brandde. Zodra ze geparkeerd had, had ze haar mobieltje uitgezet. Hier zat ze en ze voelde zich gelukkig en op haar plek, midden in het moment, samen. Meer samen dan met welke andere man voor hem dan ook. Onder invloed van de wijn stelde ze een domme vraag: 'Waarom vind je mij leuk, eigenlijk? Mij, dus?'

Hij haalde zijn schouders op, glimlachte even, nam een slok.

'Omdat jij mij leuk vindt, misschien? En mijn honden?'

Ze hadden het nooit over de toekomst, leefden bij de dag, deden nooit iets als stel behalve bij elkaar zijn in dit huisje. Ze miste het ook niet, wilde hem met niemand delen, ook al zou het best leuk zijn met hem te pronken, een beetje de blits te maken met deze masculiene beer, de afgunst van andere vrouwen te zien.

'Hoe laat moet je op?' vroeg hij.

'Zeven uur.'

'Dan kunnen we net zo goed nu naar bed gaan.'

'Het is nog maar half negen', zei ze glimlachend.

'Daarom.'

En toen was hij er weer, die wolfsblik.

Toen hij een hele tijd later de rest van de wijn en de glazen haalde en mee terug naar bed nam, begon ze over Erlend te vertellen.

Ze kreeg hem nauwelijks meer te pakken, het was veertien dagen geleden dat hij verteld had dat de situatie een beetje gespannen was tussen hem en Krumme. De paar keer dat ze zijn stem live aan de lijn had en niet op de voicemail, had hij het druk en kon hij niet praten, en alles was in orde, niets om je zorgen over te maken, hij was met nieuwe etalages bezig, Pasen en het voorjaar stonden voor de deur, hij had een triljoen opdrachten, zei hij. Maar hij had het er niet meer over dat ze naar Kopenhagen moest komen en dat vond ze vreemd.

Ze had het nog niet eerder met Christer over Erlend gehad. Het enige wat hij over haar familie wist, was dat haar moeder net door haar man was verlaten en dat haar vader een boerderij op Byneset had, even buiten Trondheim. Hij had haar niet eens gevraagd wat voor boerderij: met koeien, varkens, schapen, graan, aardappelen, aardbeien of alles tegelijk.

Maar nu lag ze hier zo vol erotisch welbehagen en liefde dat ze het iedereen op de hele wereld gunde zich zo te voelen, en dan deed het pijn aan Erlend en Krumme te denken, daarom babbelde ze erop los.

'Dus hij is een nicht', zei Christer toen ze het een en ander had verteld.

'Ja. En qua leeftijd liggen we zo dicht bij elkaar, weet je, hij is nauwelijks drie jaar ouder dan ik. Daarom is hij eigenlijk niet echt een oom, hij is meer een broer. Ik heb nooit een broer of zus gehad.'

'En hij heeft ruzie met zijn partner?'

'Ja, er is iets gebeurd. Het bevalt me niets. Ik moet er steeds aan denken. Als ik niet aan jou denk, denk ik aan hen. Ze passen zo goed bij elkaar.'

Ze lag op zijn arm, bezwete nek op bezwete bovenarm, ze

rook de geur van zijn oksel, het laken onder hen was vochtig, het was nog maar half twaalf en de nacht was nog lang. Ze richtte zich op op haar elleboog en nam een slok wijn uit haar glas op het nachtkastje, moest over hem heen buigen, hij streelde haar borst.

'De wereld is toch vol nichten', zei hij.

'Wat bedoel je?'

'Die Erlend ... die oom van je. Hij versiert toch zo een ander. Dat doen die lui permanent, in sauna's en op het terras. Die jongens draaien niet om de hete brij heen. George Michael gebruikte openbare toiletten als versierplek. Stel je voor, miljonair, en dan versier je een vent op een openbaar toilet. Maar dat had dan ook een enorme rel tot gevolg! Zijn contract met de platenfirma was naar de kloten, dat werd een dure pijpbeurt.'

'Dat kun je niet helemaal vergelijken. Erlend en Krumme wonen al twaalf jaar samen', zei ze.

'Ach, die hebben er toch zeker anderen naast. Nichten hebben open relaties.'

'Jij weet er alles van, zie ik', zei ze. 'Maar ik geloof echt dat ze elkaar verdomd trouw zijn.'

'Nou ja. Als jij het zegt.'

'Daarom is het triest. Als er iets misgaat tussen hen.'

'Dat zal wel', zei hij.

Ze bleef naar het plafond liggen staren. De deur naar de kamer stond open, ze hoorde dat hij meer hout op de haard had gedaan toen hij de wijn had gehaald. Ze wist dat ze nu haar mond zou moeten houden.

'Zou jij het erger vinden als het een heterostel was geweest dat problemen had na twaalf jaar?' vroeg ze.

'Dat was in ieder geval natuurlijker geweest.'

Ze liet een lachje horen en zei: 'Ben jij homofoob of zo?' waarna ze hem snel een zoen gaf.

'Ik vind het alleen niet helemaal normaal. Vooral als je bedenkt hoe ze het doen.'

'Denk daar dan maar niet aan.'

'Maar het is smerig. Ik vind het smerig.'

'Niemand vraagt jou het te doen', zei ze.

'Nee. Maar ik zou me niet prettig voelen met dat soort.'

'Dat soort?'

'Nichten', zei hij.

'Denk je dat Erlend je zou verkrachten of zo?' vroeg ze lachend. Ze voelde haar hart bonzen, ook hij moest dat kunnen voelen, hoe haar hart als een wals tekeerging in haar lichaam.

'Nee. Maar misschien geflirt of zo. Dan zou ik over mijn nek gaan.'

'Mijn god, Christer ...'

'Ik zeg alleen wat ik voel. Ik zou over mijn nek gaan.'

Ze hadden geen seks meer. Ze ging naar de wc en bleef daar een hele tijd kwasten in de panelen zitten tellen, en toen ze terugkwam was hij in slaap gevallen. Ze dacht aan de vijf honden die nog niet naar hun hokken waren gebracht, en ze kleedde zich aan en ging naar buiten.

Ze wisten zelf wie waar hoorde, en ze kropen moe en tevreden in hun stro. Ze ging op haar hurken bij Luna zitten en aaide haar een tijdje.

'Mooi klein wijfie ... Je hebt een echte macho daarbinnen. Je zou bijna denken dat hij zelf een beetje homo was.'

Luna kwispelde met haar staart en likte haar polsen.

Ze deed het hok dicht en bleef naar de lucht staan kijken.

Het noorderlicht gleed als een vage sluier over de heuvels. Het is niet erg, dacht ze, ook al ben je gek op elkaar, je kunt toch over van alles van mening verschillen. Ze wou alleen dat dit het niet was. Dan liever politiek of godsdienst en of het terecht was om tienduizend kronen uit te geven voor celremmers voor een kat. Het maakte niet uit wat, maar niet dit.

Ze was volledig aangekleed. En daar stond haar auto. Ze bleef even staan, toen ging ze naar binnen, kleedde zich uit en kroop onder het dekbed tegen hem aan. Hij werd niet wakker. Zijn ademhaling klonk net als altijd, eigenlijk was alles net als altijd.

VANDAAG ZOU DE nieuwe gezinsverzorgster komen. Hij had het gevoel alsof het gister was dat hij er zo tegen opzag een vreemde in huis te krijgen, en nu was het al weer raak. Hij hield zichzelf voor hoe goed het de vorige keer eigenlijk was gegaan, ondanks alles, en dat de Electrolux nog bruikbaar was. Maar toch. Je had geen idee wie er kwam. Intussen waren er zelfs mannelijke gezinsverzorgers, had hij op de radio gehoord. In dat geval was het goed dat hij Erlend met Kerst om zich heen had gehad, zodat hij geen shock kreeg als er een man met een schort voor rond liep te paraderen.

Na de ochtendverzorging in de stal begon hij de dode ratten weg te halen, kokhalzend. Verder kon hij overal tegen: varkensstront en nageboortes en bedorven eten in de koelkast, hij dronk zelfs zure melk zonder te mopperen – liever dat dan het in de gootsteen te kieperen – en hij propte die rariteit van een onderbroek van zijn vader in de wasmachine zonder zijn neus op te halen. Maar dit. Rattenkadavers langs de muren. Een weeïge geur die een beetje aan pasgebakken brood deed denken als je niet beter wist.

Ze kwamen nu ook al op de hooizolder, sleepten zich voort tot ze neerstortten, terwijl het bloed uit hun bek liep. Er zat verbrijzeld glas in het gif zover hij wist, ze werden van binnen opengereten. Net goed. Hier zijn levenswerk binnen te dringen.

Als de VWA of de IKB-inspecteur daar lucht van kreeg, riskeerde hij een leveringsverbod bij de slachterij.

Hij ontdekte er twee bij de trekker en schoof zijn schep eronder. Zoals gebruikelijk waren de vallen leeg, op de havermout na. Hij vond er nog een bij de deur naar de stal, die intussen was dichtgespijkerd, en een laatste bij de Volvo. Hij droeg de schep met de bungelende staarten naar buiten achter de hooischuur en gooide ze op de plek waar hij afval verbrandde. Daar belandde ook het matras van zijn moeder die keer, daar belandden alle biggetjes die doodgingen. Gelukkig wist hij die twee kleintjes van Trulte te redden dankzij een warm bad. Dat had hij verdorie niet gedacht, dat er niet meer voor nodig was dan zoiets simpels als een paar dagen lang 's ochtends en 's avonds een emmer warm water.

Hij goot rijkelijk petroleum op de rattenkadavers en stak ze aan, daarna liep hij terug naar de hooischuur en ging verder met zoeken. Die weeë kadaverlucht drong zoetig door de varkenslucht heen. Als ze op de balken van de hooischuur bleven liggen om dood te gaan, gingen ze door de warmte in de stal snel rotten. Hij kon er net bij als hij op een kruk ging staan, schoof de schep naar voren en haalde tevoorschijn wat die zoal tegenkwam: slijmerige, verrotte flarden vacht. En als het straks lente werd en warm ... Wie weet hoeveel er dan nog achter de getimmerde wanden tevoorschijn kwamen. Als ze niet verdroogden in de vrieskou, dacht hij hoopvol.

Af en toe drong de gedachte zich aan hem op dat de strijd verloren was, het lukte hem niet ze snel genoeg te vergiftigen, hij had hulp nodig. Maar hij zette hem net zo snel weer van zich af. Dat betekende de nederlaag: niemand mocht het weten. Achteraf had het hem zelf verbaasd dat hij het Margido had verteld. En hij was net zo verbaasd over wat Margido over Erlend had gezegd. Zelf had hij altijd gedacht dat Jezus in hoogsteigen persoon had verkondigd dat mannen geen seks met mannen mochten hebben.

Hij liet wat vallen en schepte het weer op, het moesten zo'n twee of drie ratten zijn geweest, van nu af aan was hij genoodzaakt die balk dagelijks te controleren, ze te vinden voordat ze begonnen te rotten. Hij droeg de smerige rommel naar het vuur en gooide het erin, goot er nog wat petroleum op. Daarna stak hij de schep een heleboel keer hard in de sneeuw, totdat hij schoon was. In het washok waste hij zijn handen met koud water en Sunlight-zeep tot ze knalrood zagen. Hij trok de oude overall uit die hij voor dit werk gebruikte, en hing hem samen met het gereedschap buiten. Er mocht geen enkel contact zijn tussen de ratten en zijn varkens. Behalve de vliegen dan. Geen varkensboer op Gods groene akkers die de vliegen eronder kreeg.

Een kat. Hij zou een kat of vijf moeten lenen. Ze 's nachts in de hooischuur moeten opsluiten. Een kitten kon je vergeten, die zouden de ratten naar de keel vliegen. Nee, het moesten volgroeide killerkaters zijn, maar waar haalde je die vandaan. Misschien kon hij Røstad eens bellen en vragen, een dierenarts moest zoiets toch weten.

Ze zaten net als de vorige keer toen de auto het erf op reed, hij aan de keukentafel, zijn vader in de kamer. Zijn vader was lang niet zo ongeduldig en verwachtingsvol als die eerste keer.

'Het is een ferme dame', zei Tor en hij keek toe hoe ze net als de studente in de rechten al haar spullen achter uit de auto haalde.

'Aha', zei zijn vader.

'Dik.'

'Aha.'

'Ziet eruit als een gezinsverzorgster. Zo'n ouderwetse.'

'Oef', zei zijn vader.

'Ja, dat is jouw schuld.'

'Marit Bonseth', zei ze nadat ze haar schoonmaakspullen in de gang had neergezet.

'Tor Neshov.'

Ze zweette nu al, zag hij, van die paar spullen die ze naar binnen had gedragen. Donkerbruine krullen, wat baardgroei in beide mondhoekjes, samengegroeide wenkbrauwen als bij een man, rond de vijftig als hij moest schatten, dikke borsten in een gebreid vest dat spande tussen de knopen.

'Een ouderwetse extra gootsteen. Dat is langgeleden dat ik die heb gezien! Ben opgegroeid op een boerderij in Fosen, weet u. Maar nu hebben ze daar alles opgeknapt, nadat mijn broer hem heeft overgenomen, zelfs met een wijnrek boven de afzuigkap. U hebt geen afzuigkap, zie ik.'

'Nee, we hebben ramen.'

Ze ontdekte zijn vader door de openstaande kamerdeur.

'Marit Bonseth', zei ze en ze liep energiek met uitgestoken hand op hem af. Zijn vader tilde zijn achterste even op en stelde zich voor, met een angstige blik op Tor.

'Wilt u koffie?' vroeg Tor.

'Ja, dat zou lekker zijn voordat ik aan de slag ga.'

De buizenstoel met rode plastic zitting gilde het uit toen ze ging zitten.

'Ik heb nog wat mariakaakjes', zei hij.

'Ja, lekker, dank u.'

'En suiker?'

'Graag. En het is echte kookkoffie, zie ik.'

'We hebben geen filter', zei Tor.

'Daar kunt u zich gelukkig om prijzen. Koffie moet echte koffie zijn.'

Ze keek om zich heen, stak al een mariakaakje in haar mond voordat hij kans zag een kopje voor haar in te schenken. 'Hier voel ik me thuis. Precies zo'n keuken als waar ik mee ben opgegroeid. Nog een echt houtfornuis zelfs. Herinner me nog dat mijn moeder een elektrisch fornuis kreeg. Alles kookte over.'

Hij zou blij moeten zijn met haar complimentjes, maar dat was hij niet en hij wist niet helemaal waarom. Ze vulde de keuken als het ware tot de rand toe, en daarvoor was ze hier immers niet.

'Ik ga altijd naar de stal als de ... thuishulp er is', zei hij. 'En boven hoeft u alleen de badkamer te doen. De slaapkamers doen we zelf.'

'O, waarom dat? Ik kan toch het beddengoed verschonen en de vloer dweilen?'

'Nee, dat hoeft niet.'

'Ik ben hier om schoon te maken, dat is mijn werk, het gaat er niet om wat ik hoef te doen', zei ze glimlachend.

'Maar dat is niet nodig', zei hij.

'Wat verbergt u daar dan? Dat u zo bezorgd bent?' vroeg ze en ze barstte in een schaterende lach uit, haar zilveren vullingen, die gedeeltelijk met restjes mariakaakjes waren bedekt, schitterden.

'Daarbinnen doen we zelf wat nodig is', zei Tor en hij kwam overeind. 'En nu ga ik naar de stal.'

Toen hij de staldeur achter zich had dichtgedaan, bleef hij een hele tijd staan met haatdragende gedachten ten opzichte van zijn vader, die dit allemaal had veroorzaakt met zijn gezeur dat hij naar een bejaardentehuis wilde. Maar hijzelf kon zich hier terugtrekken en dat kon zijn vader niet. Alles wat hij deed, was voor brandhout zorgen, en ook dat soort karweitjes werd de laatste tijd steeds minder. Dat was ook wel begrijpelijk, houthakken was zwaar werk. Het mocht dan al in blokken zijn gehakt, het moest toch gekloofd worden. Eigenlijk verbluffend dat zijn vader dat zo lang had gered. Tor zag hem voor zich met de bijl hoog boven zijn hoofd om hem het volgende moment met een dreun op het hakblok neer te laten komen zodat de splinters alle kanten op vlogen. Misschien had hij hem onderschat. Of overschat, veel te veel van hem verwacht voor een oude man als hij. Hij moest van nu af aan maar wat helpen met het hout.

Hij liep naar het raampje en keek naar het huis. De keukenramen waren al beslagen en daar kwam zowaar zijn vader de deur uit gestrompeld, in de richting van de houtschuur met de zinken teil in zijn knuisten en op zijn vilten pantoffels. Zo ze zien had hij het maar wat druk. Dit was wel even iets anders dan zo'n stadsmeisje met dopjes in haar oren. En dat ze uit Fosen kwam. Van boerenafkomst. Ergere vreemden kon je je nauwelijks voorstellen.

Zijn blik viel op de kast, hij maakte hem open, haalde het bodempje aquavit eruit, schroefde de dop eraf, zette de fles aan zijn mond en dronk hem leeg. Er zat niet veel meer in, maar het was toch nog een aardige mondvol. Hij hield zijn mond onder de kraan en spoelde hem met koud water uit. Hij bleef op het warme gevoel staan wachten: daar had je het al, samen met dat lichte. En met een minuscuul lachje over wat ze daar nu in huis hadden gekregen. Hij kreeg zin om Margido te bellen en het te vertellen, misschien moest hij maar zo'n mobiele telefoon aanschaffen, dat was niet moeilijker dan een normale telefoon, zei Torunn. In plaats dat je de hoorn erop legde, drukte je een rood knopje in, en in plaats dat je de hoorn opnam, drukte je een groen knopje in. Dan kon hij in de stal met haar staan praten. Maar plotseling schoot hem te binnen dat hij het voor haar verborgen hield, dat met de ratten. Wat als er plotseling een rat aan kwam rennen en hij een gil gaf en alles uitkwam?

Hij keek weer door het raampje. De deur van de houtschuur stond op een kiertje, zijn vader was nog steeds binnen. Zouden ze gedwongen zijn zich één keer per week in de stal en in de houtschuur te verstoppen? Hij begon te grijnzen, en hij grijnsde nog meer omdat hij hier stond te grijnzen. Hij haalde het bodempje met de Deense borrel tevoorschijn en dronk die fles ook gelijk maar leeg. Op was op en het water om te verdunnen smaakte ook achteraf voortreffelijk. Ze hadden lekker water hier op Neshov, dat moest gezegd. Hij keek weer door het raampje en hikte even. Daar had je haar, op weg hierheen. Hierheen! Hier kwam behalve de dierenarts en Torunn niemand binnen. Hij was met één sprong bij de deur en rukte hem open.

'Ja?'

'Lieve help, wat hebt u?'

'Wat was er … wat is er aan de hand?'

'Er is telefoon voor u. Een zekere Torunn.'

'Zeg maar dat ik later terugbel.'

'Prima. Maar u hoeft niet zo onvriendelijk te zijn als ik de moeite neem het u te komen vertellen.'

'Neem me niet kwalijk, het was niet de bedoeling om … Ik schrok alleen een beetje.'

'Aha', zei ze en ze kneep haar lippen op elkaar, draaide zich om en liep terug. Ze had een blauw schort omgedaan met een strik achter in haar nek en een in haar middel. Haar bovenarmen staken dik uit de korte mouwen van een truitje. Halverwege het erf riep ze achterom: 'U draagt toch niet dezelfde kleren in de stal als in huis?'

'Dat is niet geoorloofd!' riep hij. 'Daar zijn regels voor tegen besmetting!'

'U weet heel goed wat ik bedoel', zei ze. 'Stelt u zich maar niet zo aan.'

Hij haalde een van de flesjes bier uit de stal bij het werphok, waar hij ze had neergezet om te ontdooien, en maakte het open. Ze was hier nog geen uur en ze had hem al zover gekregen dat hij zich verontschuldigde, en hem op de vingers getikt vanwege zijn stalkleren. Hij ging toch zeker nooit in zijn overall naar binnen, maar met de rest nam hij het niet zo nauw, dat klopte, en de geur zat tot in je ondergoed.

In Fosen trokken ze vast schoon ondergoed aan nadat ze de dieren hadden verzorgd, dacht hij, ik zie het voor me. Wat een kenau. Zijn moeder had ook altijd over die stallucht gezeurd.

'Verdomme, ik leef van die geur!' zei hij en hij gaf met zijn vlakke hand een klap op de bank. Hij dronk het flesje bier in één lange teug leeg en boerde uitgebreid en grondig. Toen liep hij weer naar het raampje. De deur van de houtschuur stond op een kier, zijn vader had hun woordenwisseling vast gehoord en zich kostelijk vermaakt, stond daarbinnen te kleumen zonder zelfs maar iets te drinken te hebben.

'Bejaardentehuis. Ik krijg jou nog wel met je bejaardentehuis. Daar zitten we nu verdorie met zo'n furie opgescheept ...'

Hij rukte de staldeur open en marcheerde naar de houtschuur, liep met grote passen naar binnen en voelde de roes als glad staal op zijn tong liggen. Zijn vader zat op het hakblok en toen Tor in het halfdonker binnenkwam, straalde de naakte angst van zijn gezicht.

'Ik ben het maar', zei Tor.

'O, gelukkig!'

'We weten wie dit op zijn geweten heeft.'

'Ja.'

'Waarom zit je dan hier en verstop je je?'

'Ze zei dat ik me moest gaan douchen', fluisterde zijn vader.

'Maar dat wilde je toch. Naar het bejaardentehuis zodat iemand dat tegen je kon zeggen?'

'Nee, wil ik niet.'

'Wat wil je niet?'

'Ik ... ik weet het niet.'

Plotseling begon Tor te lachen. Zijn vader keek hem met een scheve glimlach verbaasd aan, blies op zijn vingers. Tor bleef lachen, moest zijn handen in zijn zij zetten, kon zich met geen mogelijkheid herinneren wanneer hij voor het laatst zo lekker had gelachen, of hij dat ooit had gedaan. Maar het was allemaal zo belachelijk: zijn vader op het hakblok, hijzelf in de stal en daarbinnen dat mens uit Fosen dat 'ach' en 'jee' zei over een simpele extra gootsteen.

'We gaan naar binnen', zei hij ten slotte en hij veegde zijn ogen droog. 'We gaan naar binnen en vertellen wie het hier voor het zeggen heeft en dat die ... die ...'

'Marit Bonseth', zei zijn vader.

'En dat die Marit Bonseth geen woord heeft in te brengen.'

'Heb je wat gedronken?'

'Nee. Kom. We gaan naar binnen.'

'We hebben hout nodig.'

'Dat doe ik wel', zei Tor. 'Uit de weg.'

Bij het derde blok gleed de bijl weg, ketste op het moment dat hij het hakblok raakte, schuin naar beneden en plantte zich diep in zijn bovenbeen, waar hij een paar eindeloze seconden bleef staan tot hij met bebloed blad in het zaagsel viel.

Tor boog zijn hoofd en staarde naar het bloed dat door de stof van zijn broek gutste. Zijn vader stond met zijn rug naar hem toe, pakte de gekloofde stukken hout van het vorige blok op en deed ze in de zinken teil.

'Ik ... ik ...'

Zijn vader draaide zich om en staarde strak naar zijn dijbeen, toen keek hij hem aan. Hun blikken ontmoetten elkaar.

'De stal', zei Tor. Dat was het enige waar hij aan dacht. Aan de stal. Niet aan zijn been.

'Ik ga haar halen!' zei zijn vader met overslaande stem en hij holde met grote, beverige passen de houtschuur uit. 'Hallo!' riep hij nog voordat hij de deur uit was. 'Hallo! Help! Marit Bonseth!'

Hij liet zich op de grond zakken, probeerde de stof van zijn broek open te scheuren, kreeg het niet voor elkaar en verloor even het bewustzijn. Toen hij weer bijkwam, stonden ze daar allebei, hoog boven hem uittorenend, zij met theedoeken uit de keuken.

Hij lag zonder een woord te zeggen naar haar op te kijken, keek toe hoe ze de theedoeken in repen scheurde alsof ze van papier waren. Toen scheurde ze zijn broekspijp open en bond een reep strak boven en een onder de wond; hij vermeed het ernaar te kijken. Ten slotte bond ze nog een hele theedoek rond zijn bovenbeen.

'Dan gaan we', zei ze en ze richtte zich op.

'Gaan we? Waarheen?'

'Naar het ziekenhuis.'

'Maar kunnen we niet gewoon ... U kunt toch ...'

'Het is veel te diep. Kom, sta op. Ik rij u erheen, natuurlijk.'

'Nee! Ik kan de stal niet alleen laten!'

Ze greep hem bij zijn arm en begon aan hem te trekken.

'NEE, zei ik!'

'Je moet, Tor', zei zijn vader.

'Jij blijft hier', zei hij.

'Ja.'

'En je moet ... Bel Margido. Nee ... Bel ...'

'Kom nu overeind', zei ze. 'U kunt hier niet blijven liggen! U bloedt als een rund! Die wond gaat tot op het bot!'

Hij liet toe dat ze hem overeind trok, alles draaide om hem heen, hij greep zijn vader bij de schouders. 'Je moet Røstad bellen, vraag hem voor een invaller te zorgen vanavond. Daarna regel ik alles zelf wel. Hoor je?'

'Ja', zei zijn vader.

'Heb nog nooit invallers gehad', zei hij en hij keek Marit Bonseth recht aan, haar gezicht was slechts een paar centimeter van het zijne verwijderd. Ze bracht hem naar de auto, hem half ondersteunend, half trekkend. 'Nog nooit van mijn leven invallers gehad! Ik heb het altijd alleen gered.'

'U ruikt naar alcohol.'

Ze deed het portier open, duwde hem naar binnen en gooide het met een klap weer dicht. Hij draaide onmiddellijk het raampje naar beneden, langzamerhand overmand door paniek, heviger dan de pijn of de shock. Terwijl Marit Bonseth het huis in holde om haar tas te halen, wenkte hij zijn vader, die nog steeds hulpeloos en met een verloren gezicht voor de houtschuur stond.

'Kom hier! Kom nou hier! Snel!'

Opeens kwam zijn vader aangestrompeld alsof hij uit de dood was opgestaan.

'Ja?'

Hij fluisterde terwijl hij steeds weer een blik op het halletje wierp: 'Ga naar de stal, naar het washok. Ruim de lege flessen op die daar staan! Twee lege flessen sterkedrank en een bierflesje. Zet ze ...'

Hij kon zijn vader niet vragen ze in de oude latrine te gooien, want dan zou hij horen hoe glas op glas stuiterde.

'Stop ze diep weg in de kast daar!'

'Je zei dat je niet had ...'

'Doe wat ik zeg! In de middengang in de stal staan nog een paar volle flesjes bier, zet die op dezelfde plek in de kast. En geen woord over ratten tegen Røstad of de invaller. Snap je?'

Zijn vader knikte.

'En je belt niet Margido.'

'Nee.'

'Morgen ben ik weer helemaal in orde. We hoeven hem hier niet mee lastig te vallen.'

'Nee.'

Toen was ze er weer, Marit Bonseth, stapte in, moest het portier nog eens opendoen omdat haar jas ertussen zat.

'Doe het raampje maar dicht', zei ze. 'Het wordt veel te koud tijdens het rijden. Zweet u? Of hebt u het koud? Dan is het mogelijk dat u een shock hebt, namelijk.'

'Voel me prima. Rij nu maar', zei hij en hij draaide het raampje omhoog.

Ze reed. Snel en vastberaden in de bochten. Hij staarde een poosje recht voor zich uit, toen naar de geruite theedoek om zijn bovenbeen. In het midden sijpelde bloed door de stof heen, het liep op de bekleding eronder. Die was van plastic, maar er zaten overal gaatjes in dat plastic, het bloed zou erin trekken, in het vulmateriaal. Hij wierp een blik op haar, ze keek even snel terug.

'Gaat het?' vroeg ze.

'Heb nog nooit eerder invallers gehad', zei hij. 'Dat is waar, dat is niet iets wat ik zomaar zeg.'

'Eens moet de eerste keer zijn', zei ze.

Haar handen op het stuur zaten onder het bloed, tot ver onder haar nagels.

'Sorry voor de overlast', zei hij. 'Het lekt door in de zitting.'

'Dat komt wel weer in orde, maakt u zich maar niet druk.'

'En ik heb niet gedronken', zei hij.

'Ik ben van boerenafkomst uit Fosen en ik ben niet van gister. Maar ik ben niet van plan het daar met iemand over te hebben. Als ik voor jullie werk en zo. Het had erger kunnen zijn.'

Daar had hij een heleboel tegen in kunnen brengen, maar hij verkoos het erbij te laten, deed in plaats daarvan zijn ogen dicht en probeerde niet aan ratten en lege flessen te denken.

Hij vond de dichtstbijzijnde kroeg en bestelde een dubbele espresso, een flesje Danksvand en een ciabatta met salami, feta en zwarte olijven. De man achter de tap was jong, had een gekleurde huid en een sixpack onder een strak zittend, zwart T-shirt zonder print op de borst, alleen met een Levi's-merkje langs de rand van zijn mouw. Een strakke spijkerbroek, smalle, lange vingers. Ze zagen er sterk uit, als van een pianist. Geen ring, noch aan zijn vingers, noch in zijn oren; de hele verschijning maakte een kraakheldere indruk. Zodra hij hem zag voelde Erlend zich beter, maar hij slaakte desondanks opzettelijk een diepe zucht toen die spetter met zijn eten en zijn drankjes op een rond, zwart dienblad kwam aanlopen en alles voor hem neerzette, inclusief de rekening. Hij was weg van die knielange schorten die hippe cafébediening droeg en waarbij het achterste uitstak als een klein, pas gerezen kadetje.

'Wat een zucht. Is de wereld bezig te vergaan? Zonder dat ik het heb gemerkt hier achter de zonwering?'

'Ja, dat is hij', zei Erlend en hij pakte de kassabon op en deed alsof hij hem bestudeerde. 'Hoe zou jij je voelen als je op een doodnormale klotedoordeweekse vierentwintigste februari te horen kreeg dat die zak van een grote broer van je ver weg op een oertrieste boerderij in Noorwegen zijn been eraf hakt en dat zijn boerderij van de ratten is vergeven? En alsof dat allemaal nog niet genoeg is, mogelijk zelfs alcoholist is geworden omdat je op Kerstavond een Gammel Dansk voor hem hebt ingeschonken?'

'Dat was een mondvol, zeg.'

Erlend keek snel even op. Flirtte hij? De man beantwoordde zijn glimlach. Nee, helaas, zijn glimlach was superstraight. Alweer een punt op zijn lijstje met oorzaken voor een diepe depressie.

'Dat kun je wel zeggen, een hele mondvol', zei Erlend en hij proefde van de espresso.

'Dus dit is je laatste maal voor je je fluit omhangt en de rattenvanger van Hamelen gaat spelen?'

'Ben je gek. Ik ga daar niet heen.'

'Dat zou je moeten doen. Ratten vangen op één been lukt niet.'

'Ik heb nog een broer. Daar. Hij bekommert zich erom, dus waarom in hemelsnaam moet hij mijn dag verpesten en het vertellen? Godsamme ...'

'Ik geloof dat je wel een cognacje bij je espresso kunt gebruiken. Ik haal er een. Van het huis.'

'Maar het is nog maar twee uur', zei Erlend.

'Het is vast wel ergens negen uur 's avonds.'

'In Shanghai.'

'Is dat zo?'

'Ja, dat lijkt me wel. Dus zeg ik "ja, graag". En aangezien ik een dubbele espresso heb, hoor ik ook een dubbele cognac te krijgen', zei Erlend. 'Die ene halve betaal ik natuurlijk zelf. Ik bedoel ... die ene hele. Trouwens, ik kan jou er ook een aanbieden als je me gezelschap houdt.'

'Ik ben klaar voor vandaag.'

'Zie je. Perfect. Haast je.'

Het kwam hem uitstekend uit om met een wildvreemde te praten. Net zoiets als een anoniem nummer bellen waar gezichtloze stemmen telefoonwacht hadden en moesten verhinderen dat je zelfmoord pleegde of een overijlde abortus liet uitvoeren of je naaste familie met een bijl te lijf ging. Als hij erover nadacht, viel hij onder alle drie de categorieën, ook al kwam dat met die abortus er eigenlijk op neer dat hij een overijlde ontvangenis verhinderde.

'Dus jij bent uit Noorwegen?'

'Nee, ik ben uit Noorwegen gekomen. Nu ben ik hier. En ik heet Erlend.'

'Ik heet Jorges. Uit Algerije, via een aantal jaar Frankrijk, Parijs. Ken je Parijs?' vroeg hij terwijl hij hem een hand reikte, en die hand voelde precies zo aan als hij eruitzag: sterk, warm en in potentie gruwelijk resoluut. Die kon Brahms Hongaarse dansen spelen tot het krieken van de dag als hij wilde.

'Ik heb een keer bedorven beloegakaviaar gehad in een restaurant in Les Halles', zei Erlend en hij trok zijn hand terug, puur met behulp van monogame wilskracht. 'Dat is alles wat ik met Parijs verbind. De wc-pot en het tegelpatroon op de badkamervloer, in zwart, offwhite en mosgroen. Ik ben meer een New York- en Londen-mens. Ik word doodmoe van die Fransen, ze roepen en wuiven met hun armen – ze doen me denken aan Bergenser, maar die ken jij niet – en er zit niets achter al dat geroep, als je begrijpt wat ik bedoel. Vat het niet persoonlijk op. Je praat trouwens bijna perfect Deens, Jorges.'

'Dank je. En ik ben hetero.'

'Dat had ik meteen al door. Helaas. Maar ik flirt toch een beetje met je, dat ligt in mijn natuur, dus dat moet je ook niet persoonlijk opvatten. Stom dat je dat schort hebt afgedaan, trouwens, dat stond je fantastisch.'

'Ik ben vrij na twee uur.'

'Maar het staat je zo goed. Draag het dag en nacht. Ook in bed. Alleen dat schort, verder niets.'

Jorges lachte met tanden zo wit dat hij aan iedereen die het genot mocht smaken die lach te beleven, een zonverduisteringsbril zou moeten uitdelen. Zijn gehemelte was roze met groefjes, zoals bij een kat.

'Nu ben jij degene die flirt', zei Erlend en hij slikte.

'Ik moest lachen!'

'Dat komt op hetzelfde neer. Als je zo met open mond lacht.'

'Oké, ik zal niet meer lachen. Dus je broer heeft zijn been eraf gehakt. Dat klinkt dramatisch. Is het nog gevonden? Dat been?'

'Niet helemaal afgehakt, maar er tot op het bot in gehouwen. Hij is gister in het ziekenhuis opgenomen en mag er nog niet uit. Heeft een hysterische aanval omdat hij daar een paar dagen moet blijven, hij wil naar huis, naar zijn varkens. Hij is varkensboer.'

'Er zijn toch wel mensen die met de beesten kunnen helpen?'

'Jawel, maar dat is helemaal niet naar zijn zin. Die varkens zijn alles wat hij heeft.'

'En zijn broers.'

'Nou ja. Ook daar ligt een mondvol. Begraven. Onder een dode hond die niet te vaak gewekt mag worden. Maar proost, gij jonge, schone.'

'Proost.'

Hij genoot van de aanblik van Jorges' lippen toen die zich naar de rand van het glas spitsten. Zijn zwarte, krullende haar glansde zo dat het leek of het gelakt was, er zat een krulletje rond zijn ene oorlelletje gewikkeld.

'Maar dat klinkt naar een onwaarschijnlijk snel ontwikkeld alcoholisme, wat je zei over die borrel op Kerstavond', zei Jorges en hij zette zijn glas neer.

'Mijn vader heeft gelabbekakt. Nou ja, hij is eigenlijk niet mijn vader, maar hij heeft gelabbekakt tegen mijn broer.'

'Is hij niet je vader?'

‘Nee, hij is mijn halfbroer. En hij heeft gelabbekakt tegen mijn broer, die daarna een beetje heeft rondgesnuffeld in de stal en lege flessen in de kasten heeft gevonden. En in de latrine.’

‘Dus je broer drinkt in de stal? Dat klinkt maf. Doen ze dat in Noorwegen?’

‘Hij kon binnen niet drinken vanwege mijn moeder.’

‘Is zij ook je halfbroer, eigenlijk?’

‘Nee, maar daar op de boerderij drinken ze alleen als niemand het ziet. Eigenlijk.’

‘Ik haal nog wat cognac.’

‘Ja, doe dat. Maar dan moet je dat schort voordoen. Aangezien het toch op werken neerkomt.’

Hij leunde achterover. Hij had het eten niet aangeroerd: die ciabatta zag er zo droog uit en de salamischijfjes die ertussen uitstaken, waren donker en glommen en krulden om langs de randjes. Eigenlijk was hij op weg naar huis toen Margido belde. En Margido was zo van de kaart dat hij geen grapjes kon maken over een date of oudejaarsavond of iets dergelijks. De etalage van een papierwinkel op Nørrebro was net delicaat gedecoreerd met handgeschept Japans papier, kalligrafiepennen en Japanse tekens die hij had laten uitvergroten en in zwart en rood op rijstpapier had laten zeefdrukken als decor. De enige versiering behalve de producten en het decor was een witte orchidee. Het was een piepkleine etalage, weinig plaats, maar ze wensten een signatuur van goede kwaliteit, en in dat geval belde je Erlend Neshov. Ieder ander zou de etalage tot op het smakeloze af hebben volgepropt, juist omdat ze zo klein was.

‘Alsjeblieft, nog een dubbele’, zei Jorges. ‘Maar waarom eet je niets?’

‘Ziet er droog uit.’

‘Sorry. Om negen uur klaargemaakt.’

‘Dat zie ik.’

'Ik vind dat je naar je broer toe moet gaan. Met afgehakte benen en ratten en alcoholisme valt niet te spotten.'

'Maar wat kan ik daar doen?! Ik ben doodsbang voor die enorme varkens. Het zijn roofdieren, heeft mijn broer gezegd, en ik kan niet tegen die stallucht. Bovendien ben ik er net met Kerst geweest, dat is o zo veel meer dan genoeg. Maar misschien zegt Krumme dat ook wel, dat ik erheen moet, daarom mag hij het niet te weten komen.'

'Krumme. Is dat je partner?'

'Ja.'

'Zulke serieuze dingen hou je niet stil voor je partner, Erlend. Dat doe je gewoon niet.'

'Hij heeft zijn dingen voor mij stilgehouden.'

Jorges keek hem vragend aan.

'Dat hij wilde dat we een kind kregen', zei Erlend en hij slaakte een zucht. Nu was het gezegd, tegen een wildvreemde, hij staarde in zijn cognac. Nog even en die zou in zijn maag zitten, dat was een heerlijke gedachte. En waar het vandaan kwam was nog meer, alcohol was absoluut het meest geschikte middel als je vergetelheid en onverschilligheid nastreefde. Hij begreep heel goed dat Tor trek kreeg in een borreltje en Margido overdreef waarschijnlijk ontzettend, die flessen in de latrine konden daar al wel jaren liggen. Hij kreeg echt zin om een duchtige levering drank voor Neshov te bestellen, gebracht door de opvallende bestelwagen van de slijterij en in kisten gestapeld in de stal; dat zou Margido een lesje leren.

'Hij is van mening dat we op een ander plan moeten omdat hij is aangereden en bijna is doodgegaan en zich afvroeg wat hij met de rest van zijn leven moest doen.'

'Zijn jullie al lang bij elkaar?' vroeg Jorges.

'Al twaalf jaar.'

'En jij wilt niet? Geen kind?'

'Nee.'

'Hou je van hem?'

'Ongelooflijk veel.'

'Ben je hem trouw, Erlend?'

'Trouwer man bestaat niet aan deze kant van de maan. Hetzelfde geldt voor Krumme.'

'En hij wil dat jullie een kind krijgen.'

'Ja, dat zei hij.'

'Maar, Erlend, dat is toch een fantastische liefdesverklaring.'

'Wat? Wat bedoel je?' vroeg Erlend.

'Wat ik zeg. Een kind willen, dat jullie een kind krijgen, dat is toch de grootste liefdesverklaring die er bestaat. Het totale vertrouwen.'

Van het ene moment op het andere voelde hij de tranen in zijn ogen opwellen. Hij drukte zijn vingers ertegen. Jorges greep hem bij de pols.

'Ik heb een vreemde man aan het huilen gebracht. Sorry', zei Jorges zacht.

'O god o god o god. Neem me niet kwalijk, hoor. O god, de mensen zullen wel denken ...'

'Het café is leeg, de lunchpauze is allang voorbij. Geen paniek.'

'O god o god ... Niet mijn hand loslaten! Waarom moet ik huilen? Godsamme godsamme ... Niet loslaten, zeg ik!'

'God aanroepen en vervloeken in een en dezelfde zin, is dat ook typisch Noors?'

Hij begon te lachen in plaats van te huilen, trok zijn hand naar zich toe, pakte zijn servet, depte voorzichtig zijn ogen droog zodat hij de kajal niet uitsmeerde, snoot zijn neus en keek Jorges aan.

'Dank je wel', zei hij.

'Omdat ik je aan het huilen heb gemaakt?' vroeg Jorges.

'Ja. Je hebt iets gezegd waar ik niet aan heb gedacht. Niet op díé manier.'

'Maar wat vindt Krumme ervan? Wat zegt hij? En waarom wil jij niet als jullie al twaalf jaar bij elkaar zijn?'

'Jij vraagt meer dan tien wijzen kunnen antwoorden. En ik heb alleen de Noorse middenschool maar.'

'Probeer het', zei Jorges. 'Ik haal de fles cognac. Of ... wat er nog van over is.'

Een uur later nam hij een taxi naar Krummes krant. In de lift bestudeerde hij zijn gezicht in de spiegel: hij had nog steeds rode ogen en hij had geen Clear Eyes bij zich, maar dat kon hem niets schelen. Zijn hart ging als een razende tekeer, helemaal in zijn strottenhoofd. Hij kreeg ontzettende trek in een sigaret, maar hij had niet meer.

Hij knikte naar de bimbo's in de receptie zonder zijn pas in te houden, maar ze riepen hem terug.

'U moet u hier eerst registreren! En mag ik vragen of u een afspraak hebt?'

Hij kwam hier nooit. Bijna nooit. De vorige keer was twee jaar geleden, toen een groep dierenactivisten hem te lijf was gegaan omdat hij aan een etalage voor een bontwinkel werkte, en ze zowel hem als de poppen en de bontjassen knalrood spoten, zelfs de waanzinnig dure parelkettingen die hij met veel moeite bij A. Dragsted had kunnen lenen. En alles – absoluut alles! – zat onder de rode verf. Hij was naar Krummes krant gestormd om ze de doodstraf voor de activisten te laten eisen, op de voorpagina welteverstaan, maar Krumme had hem weten te kalmeren en mee naar huis genomen en huid en haar met wasbenzine schoongeschrobd. Hij had wekenlang naar oplosmiddel gestonken.

Dat hij hier bijna nooit kwam, betekende echter niet dat Krumme zich op een of andere manier voor hem schaamde of geheimhield dat hij samenwoonde met een man, maar Krumme stond op waterdichte schotten tussen zijn werk en zijn privéleven.

Hij haatte het niet vrij te kunnen zijn als hij vrij had, en ging buiten zijn werk niet met zijn collega's om. Erlend maakte snel vrienden en kon puur impulsief mensen uitnodigen die hij leuk vond. Daarom had Krumme gezegd dat hij er geen zin in had dat Erlend zich met de mensen van zijn werk zou verbroederen. En Erlend respecteerde dat volkomen, hij ontmoette overal boeiende mensen en was niet op de werknemers van de *BT* aangewezen. Jorges was al uitgenodigd voor zijn veertigste verjaardag, al had hij gelogen en gezegd dat hij vijfendertig werd.

'Registreren? Ik moet naar ... Carl Thomsen.'

'Hij heeft een vergadering. Hebt u een afspraak?'

'Krijg het heen-en-weer, ik vind hem wel, waar moet ik me registreren? Laat maar zien! Hier met die pen!'

'We hebben veiligheidsroutines ...'

'Ja, maar ik héb een afspraak!'

'Dat moeten we checken bij zijn secretaresses. Gaat u maar even zitten.'

Hij bleef staan. Krummes secretaresses kenden hem en twintig seconden later zat hij in Krummes rommelige kantoor de geur van papier en stof en sigaren in te ademen. Op het bureau stonden drie grote monitors opgesteld en overal lagen uitdraaien. Een grote, witte gipsbuste van Brahms hield een wakend oog op de chaos. Er stonden een stereo-installatie en een tv en een witleren zitgroep, die Erlend eigenhandig had uitgezocht. Hij ontdekte nu dat wit een blunder was geweest, het leer was grondig verkleurd door drukinkt en spijkergoed, hij moest Krumme maar een paar flessen leerreiniger meegeven naar zijn werk.

Hij rommelde wat op het bureau tot hij een doosje Romeo y Julieta vond en stak er een op. Hij had net een weinig flatterende hoestaanval toen Krumme binnenkwam, samen met een bloedmooie vrouw op hakken hoger dan de Rundetårn van de sterrenwacht en met borsten die tot minstens vijf regenjassen van de fijnste silicone konden worden gerecycled.

'Jij hier?' vroeg Krumme glimlachend. 'Heeft iemand je iets gedaan?'

'Ja, die sigaar', zei hij en hij hoestte nog een laatste keer definitief. 'Heb je geen gewone sigaretten? Ik heb een rookpauze nodig.'

'Heb ik wel', zei de vrouw en ze haalde een pakje Marlboro uit de zak van haar jasje en bood hem er een aan. 'Kom straks gewoon even langs, Carl, dan bespreken we het verder.'

Ze waren alleen. Erlend liet zich op de leren bank zakken: 'Doe de deur eens dicht, Krumme.'

'Wat is er aan de hand?' vroeg Krumme en hij gaf de deur een zetje met zijn voet, waarbij hij bijna zijn evenwicht verloor.

'Ik bied je mijn excuses aan, Krumme. Ik heb alleen aan die open haard gedacht, terwijl jij ... Maar ik hou immers van je, dat weet je toch. En toch ...'

In de taxi had hij precies bedacht wat hij wilde zeggen, maar nu werd het allemaal alleen maar een chaos. Hij slingerde de onaangestoken sigaret op tafel.

'Hebben we het over een open haard gehad? Wanneer dan?' vroeg Krumme.

'Nee, over het kind!'

'Het kind?' fluisterde Krumme en hij kwam naast hem zitten.

Erlend greep zijn hand en kneep erin, deed zijn ogen dicht en wendde zich af, concentreerde zich op het gesprek met Jorges en op de woorden die hij in de taxi had bedacht: 'Ik dacht dat dat kind met jou te maken had, dat je niet tevreden was met het leven dat we leefden. Ik heb me vergist. Ik begrijp dat het een ... liefdesverklaring was ... is. Een bewijs van vertrouwen. Aan mij. Ik was een egoïst. Ik krijg het Spaans benauwd bij de gedachte aan een kind, dat moet ik eerlijk toegeven. Ik weet niet of ik een kind iets te bieden heb. Of ik het iets kan meegeven. Maar ik heb ook aan grootvader Tallak gedacht – tja, zo heb ik hem immers altijd genoemd en dat kan ik niet zo maar veranderen … Ik heb eraan gedacht dat hij me een heleboel heeft meegegeven. Ook al leefden we in een leugenbel, hij schonk me een heleboel liefde, juist omdat hij wist dat hij mijn vader was, ook al wist ik dat niet. Misschien kan ik een beetje van die liefde voor iets zinvols gebruiken. Hoe dan ook, ik zeg geen ja, maar ik zeg dat we erover kunnen praten zonder dat ik hysterisch word …'

Hij deed zijn ogen open en draaide zich naar Krumme toe.

Krumme huilde, hij zat doodstil op de bank terwijl de tranen hem over de wangen biggelden. Hij kneep Erlend hard in zijn hand.

'Meen je dat?' fluisterde hij.

'Mijn lieve, allerliefste Krumme, ik meen precies wat ik zeg. Dat ik het Spaans benauwd krijg bij de gedachte, maar dat we erover kunnen praten, misschien met Lizzi en Jytte. Helemaal alleen zijn met een kind dat geen moeder heeft, dat het kind alleen van ons is vierentwintig uur per dag en gekocht en betaald bij een draagmoeder, dat lijkt me echt niks, maar ik wil graag horen wat Jytte en Lizzi ervan vinden. Heb jij het er met hen over gehad, Krumme? Zonder dat ik …'

'Niet over ons. Natuurlijk niet. Over zoiets heb je het toch niet met anderen voor je zelf …'

'Nee. Natuurlijk niet', zei Erlend.

'Ze vertelden alleen dat zij graag een kind wilden en ik zei dat ik dat goed kon begrijpen. Maar een zaadcel krijgen ze overal.'

'We kunnen ze wel een avondje te eten vragen', zei Erlend.

'Ja, dat doen we. Vanavond?'

'Vanavond al? Ja … Ja, dat is goed.'

'O, Erlend, scheetje.'

Ze omhelsden elkaar stevig.

'Wat er ook gebeurt,' fluisterde Krumme, 'het is goed. Als ik weet dat jij de moed hebt opgebracht het te overwegen, dan is het goed. Wat we ook beslissen. Als we er allebei achter staan.'

Erlend knikte. Het was geen goede gelegenheid om met nog meer nieuws te komen, over afgehakte benen en ratten en stiekem drankmisbruik op de latrine, hoewel hij het natuurlijk wel moest vertellen. Maar op dit moment had hij er meer dan genoeg mee te stellen gelukkig te zijn, hij voelde het geluk in zich gloeien, fysiek, zo krachtig dat zelfs de grootste paniek bij de gedachte aan een kind werd overschaduwd. Tot welk besluit ze ook zouden komen. De kans bestond natuurlijk dat Jytte en Lizzi hen absoluut niet geschikt vonden als vader. Maar dan hadden ze het in ieder geval geprobeerd.

'Zin in een nummertje?' fluisterde hij.

'Je bent niet goed wijs', zei Krumme en hij duwde hem lachend weg. 'Terwijl Brahms toekijkt? Dat kan zijn hart niet aan. Ga jij nu maar, ik doe op weg naar huis boodschappen en jij belt de dames om ze uit te nodigen. Ik heb hier nog ik-weet-niet-wat te regelen.'

'Met die siliconenborsten?'

'Onder andere. Verder nog nieuws? Is het goed afgelopen met die papieretalage?'

'Met die etalage is alles prima gegaan. Verder is er wat nieuws uit het noorden, maar dat komt later wel. En ik zal leerreiniger voor je kopen, die bank ziet er niet uit! Tot ziens, schat.'

Hij gaf Krumme een zoen op zijn voorhoofd en ging ervandoor. Staarde de bimbo's in de receptie neerbuigend aan toen hij langsliep. Op weg naar huis wipte hij even een reisbureau binnen en nam brochures mee van de meest exotische reisdoelen die hij kon vinden.

Hij had het gevoel dat er haast bij was, dat het een kwestie van uren was als ze ooit de Chinese muur of het Great Barrier Reef wilden zien, overweldigd door een plotseling angstvisioen achttien lange jaren geïsoleerd thuis te zitten met een kind dat niet wilde leren naar de wc te gaan. Maar als Krumme erbij was bestond er een mogelijkheid dat hij het uithield. Nádat hij de Chinese muur en het Great Barrier Reef had gezien. Dat zou hij als minimale eis stellen. Misschien wilde Krumme wel duiken bij het rif.

Krumme in duikpak, dat zou het zelfs winnen van Krumme in zijn nauwsluitende leren jas.

Margido had ontzettend met Tor te doen en kon het niet echt opbrengen verontwaardigd te zijn over de onafgebroken stroom vloeken die hij uitbraakte, vanaf het moment dat hij hem bij het St. Olavs-ziekenhuis in de auto wist te krijgen tot hij hem op Neshov door het halletje en de keuken naar de tv-kamer ondersteunde en met zijn been op een krukje in een leunstoel installeerde. Hij had er alle reden toe te vloeken nadat de dokters het been met een heleboel steken hadden gehecht en vanaf de lies tot midden op de kuit in het gips hadden gedaan, opdat de knie gefixeerd bleef. Ze hadden hem erop voorbereid dat het vijf tot zes weken zou duren voordat het gips en het verband er eindelijk af mochten.

Gelukkig had Tor er geen flauw vermoeden van dat de flessen waren ontdekt. Margido en de oude man hadden afgesproken dat ze het daar met geen woord tegen hem over zouden hebben. Tor zou binnen afzienbare tijd toch niet in staat zijn zich naar de stal te slepen. Ze hadden alle kasten doorzocht: behalve de lege flessen stonden er alleen een paar ongeopende flesjes bier voor een van de varkenshokken en die had de oude man samen met de lege in de kast in het washok gezet. Hij had ze Margido laten zien.

'Hoe koud is het buiten?' vroeg Tor terwijl hij de armleuningen van de leunstoel in een vaste greep hield.

'Vijf graden onder nul', zei zijn vader. Hij zat in de andere leunstoel, helemaal op het randje, terwijl zijn haar alle kanten op stond en hij zijn duimen in een razend tempo om elkaar heen liet draaien. Op het salontafeltje was het één grote bende vol koffiekopjes, kranten, een bril, een vergrootglas, bordjes met kruimels en een pakje rozijnen dat aan de verkeerde kant was opengemaakt.

'Wat is het voor iemand?' vroeg Tor.

'De invaller?'

'Ja. Wie anders.'

'Ik heb toch niet ... Hij regelt alles zelf. Maar die ratten ...'

'Waarom moest je over die verdomde ratten beginnen? Wat heb ik je gezegd voor ik wegging, nou? Wat heb ik gezegd?'

'Hij heeft ze zelf gezien. Of hij ... heeft ze gehoord. Geloof ik', zei zijn vader met zijn blik op de vloer gericht.

'Hij heeft ze gezien', zei Margido. 'Ik heb hem gesproken. Die Røstad belde me. De dierenarts.'

'Ik weet wie Røstad is', zei Tor. 'Nu wordt het verdomme allemaal één grote klerezooi hier!'

'Het is een klerezooi hier', zei Margido. 'Maar het geld voor de invaller betaalt het ziekenfonds, daar heb je recht op. En de ongediertebestrijding is al geweest. Die moet je zelf betalen. Ze waren hier vandaag. Ze hebben een paar muren opengebroken en hier en daar meer gif gestrooid. Maar ze zeiden dat het er veel waren. Ontzettend veel.'

'Godsklere ...'

'Kalm nu maar,' zei Margido, 'het komt wel weer goed, het duurt alleen even. En jij hebt nog genoeg te doen met je boekhouding, daar heb je nu de tijd voor nu je niet aan de stal hoeft te denken. Ik zet wat koffie.'

'"Niet aan de stal hoeft te denken?" "Kalm nu maar?" Je begrijpt er geen jota van. Als die ratten mijn varkens verzieken ... en de slachterij ze niet meer wil ...'

'De invaller, die overigens Kai Roger Sivertsen heet, zei dat er niets aan de hand was zolang de stal en de voerruimte dicht en afgesloten waren. En dat zei Røstad ook', zei Margido.

'En Marit Bonseth komt om de dag', zei zijn vader snel.

'Wat zeg je me nóú?' vroeg Tor. 'Om de dag?'

'Dat heb ik geregeld', zei Margido.

'Mijn hemel ...' zei Tor.

'Ze doet boodschappen voor jullie en kookt voor twee dagen en helpt je met je kleren en dergelijke. Jij kunt de trap niet op, ik heb een veldbed voor je bij me dat ik bij IKEA heb gekocht, en je moet je in de keuken wassen. De wc is lastiger. Ik heb een ... chemisch toilet bij me.'

'Was dat die emmer achter in de auto?'

'Ja. Het ding is splinternieuw. Ik doe wat vloeistof onderin, dan gaat het niet stinken, zeiden ze. Ik zet hem in de kast in de gang.'

'Je hebt verdorie aan alles gedacht', zei Tor hard.

'Nu haal ik beddengoed en je tandenborstel en handdoeken en zo van boven, dan is dat maar gebeurd. Maar eerst koffie', zei hij.

'Wat een klerezooi', zei Tor en hij schudde zijn hoofd en richtte zijn blik op de oude man: 'En het ziet er hier niet uit! Je had toch wel een beetje kunnen opruimen, jij! Dan hadden we die gezinsverzorgster misschien niet nodig gehad!'

Zijn vader bleef naar de grond zitten staren, hij gaf geen antwoord. Zijn duimen draaiden driftig rond en rond.

Tors bed zag er nu niet bepaald fris uit. Margido keek de kamer rond, het was jaren geleden dat hij hier was geweest. Het nachtkastje was leeg op een oude wekker na met kleine halve bellen bovenop; als hij afging hamerde er een klein metalen staafje tegen die bellen en hij moest met de hand worden opgewonden. Hij zag Tor voor zich: in een lange, witte onderbroek en een hemd op de rand van zijn bed zittend terwijl hij daarmee bezig was, gehuld in een grote stilte die slechts werd onderbroken door het geluid van het opwindmechanisme aan de achterkant van de wekker, waar hij aan bleef draaien tot het niet verder ging. Een grote, lichtgroene klerenkast in de muur, een voddenkleed, blauwe gordijnen, een dressoir tegen de muur, een radiator vlak onder de vensterbank, met roestvlekken van regendruppels die bij westenwind door het open raam waren verdwaald. Langs de plinten lagen grijze stofdotten, op de grond voor het dressoir lag een oude, losgerukte pleister. Hij deed het laatje van het nachtkastje open, een jaarverslag van de Noorse vereniging van varkensfokkers, hij schoof het een stukje opzij, er lag een boek onder, hij tilde het op, stond er ademloos een paar seconden naar te kijken en sloeg het toen achteraan open. 10 november 1969. Haastig legde hij het weer terug, verschoonde het kussensloop en het dekbedovertrek en pakte een schoon onderlaken, handdoeken, washandjes en onderbroeken. In de badkamer stonden twee tandenborstels in een gele plastic beker. Boven aan de trap kuchte hij eerst grondig om er zeker van te zijn dat zijn stem normaal zou klinken, toen riep hij naar beneden: 'Van wie is de rode tandenborstel?'

'Van mij', antwoordde Tor.

Thuis in zijn flat waren de werklui druk in de weer. Hij had niet langer dan een week hoeven wachten voor ze begonnen, er waren niet veel mensen die zich een dergelijke renovatie konden veroorloven vlak na de Kerst. Over twee uur had hij een begrafenis in de Tilfredshet-kapel. Nadat hij had geholpen de kist binnen te brengen en op de katafalk te zetten, zouden de dames verder de kandelaars en de bloemen regelen. Hij had daarna de liturgieën van de drukkerij gehaald en was naar het St. Olavs-ziekenhuis gereden om Tor thuis te brengen. Godzijdank dat die Marit Bonseth bereid was zo vaak te komen. Het was onmogelijk op zo korte termijn zo'n intensieve verzorging te regelen, daarom had ze zich op eigen initiatief ziek gemeld en liet ze Margido zwart betalen. Hij probeerde er niet aan te denken hoe onethisch het was, maar dat lukte hem niet helemaal. Hoe dan ook, het was haar idee, zij bood het aan en wat moest hij anders? In het budget van de gemeente zat absoluut geen rek meer. Hoe vaak had hij niet een lijk verzorgd bij oude mensen thuis die in diepe ellende hadden geleefd, overgeleverd aan de thuishulp en de thuiszorg, die ze vlak na het kinderprogramma naar bed brachten en geen oog hadden voor het verval en de vertwijfeling? Ook zij waren slechts mensen en konden niet alles. En dat alles wist Marit Bonseth net zo goed als hijzelf. Hij zou haar eeuwig dankbaar moeten zijn omdat ze zich over hen ontfermde, en liever bedenken dat haar ziekengeld er voor Tor en de oude man op een andere manier voor zorgde dat ze kregen waar ze eigenlijk recht op hadden. Er was heel wat belastinggeld van Neshov in de staatskas gevloeid en ze hadden nauwelijks eerder een beroep gedaan op de gezondheidszorg. Hij probeerde ook niet aan al het geld te denken dat van zijn eigen rekening vloeide, ook al wist hij diep in zijn hart dat het geen probleem was. Hij had zichzelf nog nooit iets kostbaars gegund, de zaak liep goed, zijn flat was al tijden geleden afbetaald en zijn bankrekeningen floreerden dermate dat hij maandelijks telefoontjes van de bank kreeg met het advies in fondsen en aandelen te investeren. Maar dat had altijd een onzekere en beangstigende indruk op hem gemaakt en daar was hij nu blij om. Het geld was beschikbaar en niet op onzinnige wijze vastgelegd. Nu hij het nodig had, kon hij het gebruiken.

Na wat gehannes lukte het hem het veldbed in de hoek achter de tv uit te klappen en hij begon het op te maken.

'Je pijnstillers en antibiotica liggen op het aanrecht. Vergeet niet dat die pijnstillers nogal sterk zijn, niet meer dan drie keer per dag één pil. Er zitten er honderd in het doosje, dus dan heb je voor iets langer dan een maand, maar ik betwijfel of je ze zo lang nodig zult hebben. En Torunn belt vanavond. Ze weet dat je vandaag thuiskomt.'

'Dat zal wel weer', zei Tor. 'Het was eigenlijk niet de bedoeling dat iemand zou ...'

'Margido belde zelf', zei zijn vader. 'Anders had ik niets gezegd.'

'En toen moest je per se vertellen dat ik gewond was aan mijn been?'

'Hou op met die onzin. Je hebt toch hulp nodig, je komt de trap niet op, dat weet je best. Ik belde eigenlijk om te vertellen dat ik begin volgende week naar Kopenhagen zou gaan', zei Margido.

'O? Hoezo dat?' vroeg Tor met verraste stem.

'Nee, nu ga ik niet. Ik ga ook eigenlijk nooit naar zulke beurzen, maar ...'

'Beurzen?'

'Nou ja, je wordt weleens hier en daar voor uitgenodigd. Mensen die ons dingen willen verkopen. Of die willen dat we ze nabestaanden aanbevelen. Maar ik heb me altijd beperkt tot brochures die ik toegestuurd kreeg.'

'Van kisten?'

'En stenen. Noors gesteente bewerkt door Deense steenhouwers, modern design, dat soort dingen. Ze betalen een deel van de reis en de verblijfskosten.'

'Dat had ik niet van jou gedacht, Margido. Snoepreisjes. Heb ik een programma over gezien op tv', zei Tor.

'Dat zijn geen snoepreisjes. Ik beslis zelf van wie ik kisten betrek en welke leveranciers ik voor grafmonumenten neem. Maar ik ga niet.'

'Waarom niet?'

'Ik kan er toch niet zomaar vandoor gaan als jij ...'

'NU IS HET GODSAMME GENOEG!'

'Tor,' zei Margido, 'hou je in!'

'Een invaller en een gezinsverzorgster en de duvel en zijn ouwe moer! Het zal een opluchting betekenen jou kwijt te zijn!'

'Maar, Tor', zei zijn vader.

'Ja? Is er iets?' vroeg Tor en opeens sloeg hij zijn handen voor zijn gezicht. Margido vouwde het dekbed dubbel en streek het overtrek glad. Het was volkomen stil in de kamer. Zijn vader kuchte voorzichtig.

Toen hoorde Margido gelukkig gesis uit de keuken.

'De koffie', zei hij. 'Het water kookt over.'

'De koffie, ja. Een kop koffie zou wel smaken', zei Tor zachtjes, hij haalde zijn handen voor zijn gezicht weg en hees zich een stukje op in de stoel. 'En het zal heus niet lang duren voor ik weer in de stal ben om te zien wat die invaller zoal uitspookt.'

Terwijl hij het fornuis droogdepte en koffie in de ketel deed – hij had geen idee hoeveel erin moest, hij dronk zelf alleen oploskoffie – liet Margido vanuit de keuken de bom barsten: 'Ik heb een rollator achter in de auto, van het Groene Kruis. Die mag je lenen tot je weer gezond bent.'

Hij had hem achter het chemisch toilet verstopt, zodat Tor hem vanaf de voorbank niet kon zien. Het werd nog stiller in de kamer dan daarvoor, de oude man durfde niet eens te kuchen.

'Een rollator?' vroeg Tor. 'Een rollátor? Zo'n ding als oude mensen gebruiken?'

'Je kunt erop steunen. Dat was veel beter dan krukken, zeiden ze', zei Margido en hij liet het water met de koffie kort weer opkoken.

'Ik ben nog maar zesenvijftig', zei Tor.

'Het is gemakkelijker om je met zo'n ding te bewegen', zei Margido. 'Gemakkelijker ook om naar de stal te komen.'

Hij luisterde afwachtend. Verwachtte weer een tirade vol vloeken en ontkenning.

'Op één voorwaarde', zei Tor daarbinnen.

'En die is?'

'Dat jij naar Kopenhagen gaat.'

'Het is eigenlijk niet in Kopenhagen zelf, maar in een stadje iets ten noorden ervan dat Frederiksværk heet', zei Margido snel en hij staarde in het water waarin door de laag koffie heen luchtbelletjes opborrelden.

'Ben je al eens eerder in het buitenland geweest?'

'Nee.'

'Doe de groeten', zei Tor.

'Aan wie?'

'Natuurlijk ga je op bezoek. Als je eenmaal in het buitenland bent. En haal die rollator maar zodat ik hem kan bekijken. Misschien kan ik echt binnen de kortste keren naar de stal. De varkens begrijpen er immers geen snars van.'

Hij parkeerde voor de Tilfredshet-kapel en haalde zijn kam door zijn haar, terwijl hij zich naar het achteruitkijkspiegeltje strekte. Hij verheugde zich op de begrafenis. Het was een oude man, iets boven de negentig, gestorven na drie maanden ziekbed, vier kinderen, talloze kleinkinderen en achterkleinkinderen, een grote familie die verzameld zou zijn. Dergelijke begrafenissen waren een geschenk te midden van ongelukken en kanker en een veel te vroege dood. Hij keek uit naar de preek van de dominee, naar Gods woord, het eeuwige ervan, de rust in de kerk, het bruisende orgel. Een van de kleinkinderen zou solo zingen, *'t Zonnetje gaat van ons scheiden*, dat zou mooi worden. Misschien zou de sfeer in de kapel alle overige zorgen buitensluiten. En hij ging op reis, hij had nooit verwacht dat het mogelijk was. De eerste keer dat hij werkelijk zin had naar een dergelijke beurs te gaan en dan gebeurt dat met Tor. Maar nu kon hij er toch heen.

Hij wou dat Torunn kwam. Het zou niet te harden zijn op Neshov met dat tweetal samen in de tv-kamer en Tor aan zijn stoel gekluisterd, ver weg van zijn varkens. Het was te hopen dat die invaller zijn mannetje stond. Torunn had een speciale manier om met Tor om te gaan, doordat ze hem wat de varkens betrof zo tegemoetkwam; ze vond ze leuk en zei dat ook, gaf complimentjes over ze. Zij zou er nu moeten zijn. Natuurlijk had hij haar niet gevraagd te komen toen hij belde, dat moest ze zelf bedenken, maar hij had wel gehoord dat ze bezorgd was. Dat met de lege flessen wuifde ze weg, beweerde dat het beslist een eenmalige zaak was, alleen omdat er nog wat flessen stonden van na de Kerst. Daarom had hij maar niets van de latrine verteld. Hij had er met een zaklantaarn in geschenen en wel vijftig bierflesjes geteld plus heel wat halve aquavitflesjes en nog een paar waarvan hij het label niet herkende. Ze moesten daar door de jaren heen in zijn gegooid.

Torunn was vooral bezorgd omdat haar vader gewond was, en vanwege de ratten. Ze was van mening dat een invaller het met de varkens prima redde. Het is voor Tor vast veel erger dan voor de beesten, had ze gezegd. Maar dat met de ratten beviel haar niet. Ook zij had het over een leveringsverbod van de slachterij.

Mevrouw Marstad kwam de kapel uit en liep naar de andere auto. Hij haastte zich uit te stappen met de tas vol liturgieën.

'Alles onder controle?' vroeg hij.

'Ja hoor. Het wordt een prachtige begrafenis. Een zee van bloemen, ongekend. We hebben ons best gedaan.'

'En dat is het beste, mevrouw Marstad.'

'O, dank je … Maar hoe gaat het met je broer?'

'Die zit intussen vloekend in een leunstoel op Neshov.'

Geschokt hield ze even haar adem in en bracht ze een hand naar haar mond.

'En dat vind ik niet zo gek,' ging hij verder, 'gezien de omstandigheden. Het is niets gedaan voor een boer om op een veldbed in de kamer te liggen en geen heer in eigen huis te zijn.'

'En zijn dochter? Torunn? Komt zij niet helpen?'

'Ik geloof het niet. Ze heeft waarschijnlijk genoeg aan haar hoofd, ze heeft een fulltimebaan.'

'Maar ze is toch zijn dochter. Ook al ben jij zijn broer, in een dergelijke situatie hoort de dochter toch klaar te staan.'

'De wereld is niet altijd zoals hij hoort te zijn, mevrouw Marstad. Daar weten we alles van. Trouwens, ik ga volgende week toch naar Kopenhagen. Of … naar dat stadje, via Kopenhagen, er gaat een trein heen vanuit Kopenhagen.'

'Dat zal je goed doen. Er even tussenuit.'

'Ik ben eigenlijk niet het type om ertussenuit te knijpen als de problemen zich opstapelen, maar mijn broer stond erop dat ik ging. Dus dan blijven we bij wat we eerder hebben besproken, dat jullie gewoon doorverwijzen als er ergens een ongeluk is gebeurd of zo. Daar hoeven jullie je niet om te bekommeren.'

'Ik ben alleen een beetje bang voor een rouwdienst', zei mevrouw Marstad. 'Ook als ik zeg dat wij dat niet kunnen doen, dat ze dan toch van mening veranderen en er een willen hebben.'

'Hou dan gewoon een samenkomst in de kapel met kaarsen en stilte. En stel voor samen het Onze Vader te bidden. Bel als er iets is. Als jullie onzeker zijn, verwijs de mensen dan naar andere bureaus.'

'Het zal wel gaan. Dat lukt ons wel. En dit wordt in ieder geval een mooie begrafenis. De kleindochter is er al en oefent samen met de organist, ze zingt prachtig.'

Ze gingen naar binnen. De tafel bij de ingang stond al klaar met een wit tafellaken, een kandelaar, een ingelijste foto, het condoleanceregister en een balpen. Hij haalde de liturgieën uit zijn tas en legde ze ernaast.

Mevrouw Gabrielsen was bezig met de naamkaartjes bij de boeketten, die in hoge vazen op de grond stonden. Het middenpad lag vol kransen, tot bijna halverwege tussen de rijen banken. Hij bleef lang naar het enorme hart van rode rozen staan kijken dat vooraan op de kist lag.

Hij streek over zijn haar, voelde of zijn Windsor-knoop goed zat. Hij was een beetje bezweet geraakt terwijl hij met het beddengoed en het veldbed in de weer was, maar hij merkte dat hij niet rook. Hij wierp een blik op zijn horloge. Over twintig minuten zouden de klokken gaan luiden.

'MAMA, DAT MEEN je niet. Als je even nadenkt. Ik ben zevenendertig, ik kan toch niet zomaar alles achter me laten wat ik heb opgebouwd in de loop van ...'

'Wat heeft je leeftijd er nu mee te maken? Nu raaskal je. Kom met een normaal argument, iets verstandigs!'

'Ik wil ... hoe moet ik het zeggen, mijn eigen leven leiden.'

'Dat kun je toch ook! Als we de eerste en de tweede etage scheiden, krijgen we twee woningen. Als een eigen etage geen eigen leven betekent, dan weet ik het niet meer. Maar de zolder en de kelder moeten we delen, dat lukt je toch wel, als we elkaar alleen zo nu en dan tegenkomen op de trap? Mijn hemel, Torunn, een flatje in Stovner, en daarvoor laat je dit lopen? Een half eengezinshuis in Røa? Zonder verdere kosten dan jouw aandeel in de renovatie?'

'Ik heb een man leren kennen. Het zou iets kunnen worden.'

Haar moeder liet zich op de bank neervallen en begon te huilen. Lange, trage snikken. De lak op haar vingernagels was gaan schilferen, ze zat alleen gekleed in een nylonpanty en een fosforgroen fluwelen truitje dat tot haar taille reikte. Eigenlijk was ze zich aan het omkleden voor een afspraakje met een paar vriendinnen toen Torunn op weg naar huis van haar werk onverwachts langskwam, om aardig te zijn, om te laten zien dat ze haar uit eigen vrije wil bezocht, ook zonder smekend en verbitterd telefoontje.

Ze zou zo graag willen dat de dingen weer normaal waren, laten zien dat haar moeder deel uitmaakte van haar leven van alledag, maar het leek hoe dan ook aldoor weer een drama te worden. Zoals nu: door de tekeningen van een architect, die haar moeder Torunn dat weekend had willen laten zien tijdens een etentje waar ze haar voor had willen uitnodigen, maar die ze nu al had laten zien omdat ze niet kon wachten.

'Je had toch een afspraak, mama? Het is al acht uur.'

'Een man, ja. Ga je … is het serieus? Torunn, is het serieus?'

'Misschien wel.'

'Maar de helft van dit huis beslaat honderdtwintig vierkante meter, is dat niet genoeg voor een man? Voor wat voor man ook?'

'Niet voor wat voor man ook.'

'Nee, daar heb je gelijk in. Niet voor Gunnar, bijvoorbeeld', zei haar moeder en ze huilde niet langer. In plaats daarvan keek ze Torunn met roodomrande ogen aan. 'Dus je wilt niet?' vroeg ze.

'Ik geloof alleen niet dat het zo verstandig is als wij tweeën …'

'We zijn toch moeder en dochter? Wat is daar mis mee?'

'Maar Gunnar wil dat het huis wordt verkocht. Ik heb een beetje het gevoel dat je dit hebt bedacht om …'

Haar mobieltje ging. *The Good, the Bad and the Ugly*.

'Ik neem hem buiten', zei ze en ze holde weg.

'Ja, ik snap wel wie dat is!' riep haar moeder haar na. 'Ik denk niet dat je zo snel bent als ik bel!'

Ze hadden afgesproken dat ze rond een uur of negen zou komen. Misschien wil hij dat ik onderweg iets lekkers koop, bedacht ze nog voor ze opnam.

'Hoi', zei ze vrolijk. 'Mis je me zó?'

Daar gaf hij geen antwoord op, maar er was iets tussen gekomen, dus het ging niet. Zijn stem klonk vreemd, hectisch.

'Het gaat niet? Dat ik kom, bedoel je? Hier is er niets tussen gekomen, behalve een hysterische moeder', zei ze nog steeds met die vrolijke klank in haar stem.

Hij had bezoek gekregen, het was een beetje moeilijk, het paste niet dat ze die avond kwam.

'Wat voor bezoek, dan?'

Het was wat lastig dat via de telefoon uit te leggen.

'Ik kan ook iets later komen. Als je bezoek weg is. Komt eigenlijk goed uit, dan kan ik wat kleren wassen en zo.'

Nee, het was beter dat ze morgen afspraken.

'Oké. Wordt eenzaam voor je alleen onder het dekbed', zei ze lachend, en plotseling snapte ze niet waar ze de kracht vandaan haalde, om te lachen.

Hij zou bellen, zei hij en hij verbrak de verbinding.

Ze haalde diep adem en liet haar blik over de daken van de villawijk glijden, het was gaan sneeuwen, hier en daar een vederlicht vlokje. Ze voelde een siddering in haar middenrif, het was geen begin van een huilbui, maar van iets anders. Angst, misschien.

In de kamer zat haar moeder met een royaal glas cognac in haar handen op de bank.

'Wil jij ook, schat?'

'Ik moet rijden. Dat weet je toch.'

'Neem een taxi naar huis. Ik betaal. Of moet je ergens anders heen?'

'Misschien wel.'

Torunn liep de kamer uit en haalde een flesje spa uit de koelkast. Toen ze terugkwam, had haar moeder het hele glas leeggedronken en stond ze net een nieuw voor zichzelf in te schenken.

'Ga je je bezatten of zo? Moest je niet weg? Je ziet er trouwens komisch uit zo in je panty ronddartelend.'

'Ik heb afgezegd terwijl jij met je minnaar praatte', zij haar moeder en ze liet zich op de matgroene fluwelen bank met de zalmroze en zwarte kussens zakken. Ze zag er verloren uit: magertjes, rimpelig en bleek. Haar knieën leken net kleine, opeengeklemde apensmoeltjes in de nylonpanty en ze begon ze tegen elkaar te slaan, steeds weer, met haar handen onder haar bovenbenen terwijl ze een andere kant op keek, als een pruilend kind.

'Maar waarom, mama? Je hebt hartstikke leuke vriendinnen en dan wil je ze niet zien?'

'Ik wil mijn dochter zien, maar dat wil zij duidelijk niet!' zei haar moeder en ze keek haar recht aan.

'Ik ben toch langsgekomen! Is het niet?' vroeg Torunn. 'Je bent zo veranderd, zoals nu was je vroeger nooit. Jij was altijd degene die alles onder controle had en bijna nooit tijd had als ik jou en Gunnar uitnodigde.'

'Daar zei je iets. Mij en Gunnar. Maar nu ben ik alleen over en dat is lang niet zo leuk.'

'Mama ...'

'Jij ziet hem zeker vaak?' vroeg haar moeder en ze keek Torunn strak aan.

'Gunnar? Nee, hoezo ...'

'Ze heet Marie. Ik heb een beetje navraag gedaan. Ze heeft een groot huis op Blommenholm, daar wonen ze. Ben je er geweest?'

'Nee!'

'Dat geloof ik niet. En als Gunnar je de helft van dat huis zou aanbieden, zou je niet aarzelen, denk ik zomaar.'

'Ik geloof dat ik ervandoor ga. Als je gaat drinken en vervelend wordt. Vroeger kon je wel een uur over een cognacje doen.'

'Toen zat ik samen met Gunnar met een cognacje.'

'Ik heb je altijd als een sterke vrouw beschouwd, mama. Maar nu lijkt het wel alsof je ... instort ...'

'En wiens schuld is dat als ik vragen mag?'

'Het is in ieder geval niet Gunnars schuld dat jij hier in zelfmedelijden verzinkt.'

'En wie doet dat anders als ik het niet doe? Heb jij medelijden met me? Heeft GUNNAR medelijden met me?'

'Maar mama ... Ik snap het niet. Wil je dat mensen medelijden met je hebben? Is dat wat je wilt? Is dat niet een beetje ... zielig?'

'Een beetje sympathie is nooit weg ...'

'Die krijg je ook, in overvloed! En ik wil je wel vertellen dat jij je vriendinnen zult verliezen als je je zo tegenover hen gedraagt. De een na de ander. Zeurkousen vinden mensen het ergste wat er is. Niemand heeft zin om met zeurkousen om te gaan!'

'Ga toch weg. Toe, ga dan!'

In de hal kwam haar moeder op wankele benen achter haar aan gehold, terwijl Torunn op één been stond om de rits van haar ene laarsje dicht te trekken.

'Torunn! Niet weggaan!'

'Ik moet ergens heen.'

'Naar die man?'

'Misschien wel. Of naar huis om mijn vader te bellen. Hij zeurt niet, hij raast en tiert en dat is eigenlijk een stuk prettiger.'

'Vanwege dat been?'

'Niet vanwege dat been, maar vanwege alles wat hij niet kan doen vanwege dat been.'

'Moederszoontje ...'

'Dat is hij niet meer. Ze is dood, weet je.'

'Eens een moederszoontje, altijd een moederszoontje. En dat been groeit wel weer dicht. Echtgenoten groeien niet meer aan.'

'Maar het is toch naar voor hem.'

'Je overweegt zeker daarheen te gaan?' vroeg haar moeder.

'Die gedachte is bij me opgekomen, ja. Dat ik dat zou moeten doen. Maar ik heb verschillende cursussen op het moment. Ik kan niet weg.'

Haar moeder zocht steun bij de muur en haalde diep adem: 'Meen je dat, Torunn? Dat je er echt aan hebt gedacht daarheen te gaan? Als je er net met Kerst bent geweest? En *ik je hier nodig heb*?'

'Hij heeft me meer nodig dan jij.'

'Weet je wel wat je zegt?' vroeg haar moeder met een hysterische klank in haar stem die Torunn nog nooit eerder had gehoord. 'Ik heb toch de verantwoordelijkheid voor je gedragen! Hij heeft nooit iets van zich laten horen! NIETS! En dan komt hij aankakken als je bijna veertig bent en lokt je met een doodzieke oma die je nooit hebt gezien, en plotseling overweeg je erheen te gaan om voor zijn varkens te zorgen alleen omdat hij zijn been heeft bezeerd? Terwijl ik me hier met mijn hele geruïneerde leven geen raad weet?! Snap je niet hoe kwetsend dat is ten opzichte van mij en van alles wat ik voor je heb gedaan? Hè? Snap je eigenlijk zelf wel wat je zegt?'

'We praten morgen verder. Ik bel', zei Torunn en ze haastte zich naar buiten. Zelfs met een aanzienlijke hoeveelheid cognac in haar bloed begreep haar moeder toch zeker wel dat ze niet in haar panty achter haar aan kon hollen. Dit was een nette buurt waar je niet in het openbaar met je gevoelens te koop liep. Haar moeder bleef in de deuropening staan. Ze zwaaide niet terug toen Torunn vanachter het autoraampje zwaaide.

In de auto zette ze keihard R.E.M. op, zo hard dat de luidsprekers ervan knetterden. Tijdens het rijden sloeg ze met haar vlakke hand op het stuur. Zou ze Gunnar bellen en hem smeken bij haar moeder terug te keren, alleen om zelf rust te hebben? Kon ze maar gewoon naar Christer gaan en haar woede in vruchtbare energie omzetten. Zich al in de hal op hem storten en hem zo echt verrassen. In een opening die nauwelijks ruimte bood aan een driewieler, drong een auto zich voor de hare. Ze toeterde als een gek, toeterde en toeterde tot de auto langzamer ging rijden en iemand haar met gebalde vuist dreigde. Toen kwam ze weer tot bezinning, wisselde naar de linkerrijbaan en gaf gas, weg van iedereen.

Weg van iedereen. Behalve van Christer.

Het kwam niet door haar werk dat ze niet naar het noorden ging, maar door Christer. Ze had plenty vrienden in het hondenwereldje die haar cursussen konden overnemen en de draad konden oppakken waar zij hem liet vallen, ook voor de cursus met de pups. Daar oefenden ze oogcontact, de speeloefening en wachten voor de etensbak. Ze oefenden ijverig en regelmatig, met wisselend succes. Ze was trots op ze. Alleen Nero was de regel die de uitzondering bevestigde, ook al was hijzelf eigenlijk het enige wat hij bevestigde. Als het gezin hem nog veel langer hield, zou het onmogelijk worden hem ergens anders onder te brengen en moest hij een spuitje. Ze had eraan gedacht hem zelf een dag of veertien te nemen om zijn zelfverzekerdheid open te breken en van een paar barsten te voorzien, maar ze wist dat het slechts een pijnlijk uitstel van executie zou zijn als de deskundigheid in het gezin ontbrak.

Ze ging haar flat binnen. Bij Margrete was alles donker, ze was niet thuis. Wat had ze net tegen haar moeder over haar vriendinnen gezegd? Het was gemakkelijk anderen van advies te dienen. Als het fout liep met Christer zou ze met de staart tussen de benen bij Margrete komen aankruipen om getroost te worden, terwijl ze nu bijna niets van zich liet horen …

Ze stopte de wasmachine vol en zette hem aan, stofzuigde wat, zette koffie, ging voor haar pc zitten om via het internet een paar rekeningen te betalen, ruimde de keuken op, schuurde de wc-pot, ging het balkon op om de vallende sneeuw gade te slaan, bestudeerde de bevroren bloementuiltjes in de bakken, ging weer naar binnen.

Om elf uur verliet ze haar flat en nam ze de lift naar de parkeergarage.

In de laatste bochten voor zijn huisje zag ze wielsporen in de verse sneeuw, van een smalle, kleine auto. Achter het huisje stond alleen zijn landrover, het bezoek was weg. De sneeuw dempte alle geluiden, ze parkeerde haar auto naast de zijne, zette de motor af en bleef stil zitten wachten om te zien of hij haar misschien toch had gehoord. De ramen waren verlicht, een flikkerend licht dat haar vertelde dat de open haard volop brandde. De honden begonnen zacht te blaffen. Verdomme. Verse sneeuw hield hen niet voor de gek. Snel stapte ze uit en ze haastte zich naar het ijzergaas.

'Sst. Ik ben het. Stil nu maar. Stil …'

'Hallo? Is daar iemand?'

'Ik ben het.'

'Torunn?'

Hij draaide zich om en liep voor haar uit de hal door. Dat had hij nooit eerder gedaan, hij had haar altijd in de deuropening ontvangen.

'Ik had niet moeten komen', zei ze tegen zijn rug. 'Ik weet het. Maar ik was bang. Je deed zo … raar aan de telefoon toen we met elkaar praatten.'

'Omdat ik niet wilde praten. Ik wilde je alleen laten weten dat je niet moest komen', zei hij.

Zijn rug was breed en licht gebogen, gehuld in een grijze, gebreide trui. Hij ging aan de eettafel zitten, ze zag in één oogopslag dat er twee personen hadden gezeten en dat die ander een vrouw was geweest. Ze wist niet hoe het kwam dat ze dat begreep, maar er was iets met de manier waarop het servet op het bordje dat niet voor Christer stond, was opgevouwen. Netjes en zorgvuldig was opgevouwen.

'Ze is zwanger', zei hij.

'Wie?'

'Ga zitten. Wil je iets?'

Laat dit niet gebeuren, dacht ze. 'Water', zei ze. 'Koud.'

Hij kwam overeind. Ze hoorde hoe hij de straal in de keuken een eeuwigheid liet lopen; dat was niet nodig, dat wist ze heel goed, het water hier was koud zodra je de kraan opendraaide. Hij kwam binnen met het glas en zette het voor haar neer, keek haar niet aan.

'Wie?'

'Ik had iets met haar tijdens een hondenren eind november, dus je moet niet denken dat ... Op Ringebufjell. Maar één avond. En toen ...'

'Is ze zwanger geworden.'

'Ja.'

'En dat vertelt ze je nu pas? Eind februari? Dat moet ze toch al ik weet niet hoelang weten?'

'Ja.'

'Maar, Christer', zei ze en ze strekte haar hand over tafel uit om de zijne te pakken. Hij greep hem niet, sloeg in plaats daarvan zijn armen over elkaar, leunde achterover op zijn stoel en staarde in de vlammen van de open haard.

'Ik zei dat we morgen konden praten', zei hij. 'En dan kom je toch. Dát vind ik nu een beetje ...'

'Maar we hebben toch een relatie! Je moet me vertellen wat er aan de hand is!'

Hij keek haar recht aan, leunde met zijn ellebogen op tafel en zei: 'Ze wilde het niet zeggen voordat het te laat was om het weg te laten halen. Ze wil een kind. Ze wil niet per se een kind van mij, maar ze wil een kind. En ze wilde het me vertellen. Ik wist niet helemaal hoe ik moest reageren, maar ze zei dat ik kon relaxen, zei dat het haar verantwoordelijkheid was. Godsamme! Vrouwen denken dat ze ... alleen omdat ze een baarmoeder hebben, kunnen doen en laten wat ze willen met het leven van anderen. "Relaxen" ... en mijn "verantwoordelijkheid" ... Gezeik!'

'Wat bedoel je met "gezeik"? Het klinkt toch verstandig?'

'Natuurlijk wil ik ook mijn verantwoordelijkheid op me nemen. Ik heb haar gezegd dat ze me verdomme als vader moest opgeven.'

'Heb je dat gezegd?'

'Ja, natuurlijk. Ik wil haar toch helpen.'

'Haar helpen met de ... zwangerschap en zo?'

'Het is mijn kind, Torunn! Dat zij draagt! Natuurlijk wil ik haar helpen zodat alles goed gaat. En het kind leren kennen, een vader zijn voor hem ... of haar.'

Ze dronk haar glas leeg, voelde de kou langs haar strottenhoofd en haar longen glijden, helemaal tot in haar maag. Zijn wangen waren rood – wat was hij mooi. Hij had geen wolfsblik, zijn ogen waren kogelrond, glansden. Ze stond op.

'Ik ga ervandoor. Het was ... fijn, Christer.'

'Ga zitten. Mal kind. Dit heeft toch niets met ons te maken', zei hij, maar zijn lichaamstaal harmonieerde niet met zijn woorden, want hij bleef gewoon zitten zonder zijn hand naar haar uit te steken, zonder te laten zien dat hij wilde dat ze bleef. Hij zat daar en zou vader worden, dat was alles waar hij aan dacht.

'O nee? Heeft dit niets met ons te maken? Het ga je goed, Christer, en veel succes. Je zult vast een goede vader worden.'

Hij kwam haar niet achterna, stond niet eens voor het raam toen ze wegreed.

Niemand drong zich voor haar op haar rijbaan, de weg lag er bijna verlaten bij. De linkerruitenwisser was in het midden gerafeld en liet een waas van samengeklonterde sneeuw achter, net op de plek waar zij haar blik op de weg gericht hield.

Ze begon pas te huilen toen ze thuis met haar tandenborstel in haar mond naakt voor de spiegel stond. Ze poetste mechanisch, wit schuim druppelde van het puntje van haar kin. Het kwam door het beeld van haar schouders in de spiegel. Ze waren zo smal en zo bleek. Eenzaam, er lagen geen handen op, geen handen die ze streelden of vasthielden. En het waren haar schouders. Dit waren haar schouders. Ze zouden in een nachtjapon worden gehuld en onder een koud dekbed kruipen, en zij zou morgenvroeg wakker worden zonder iets om zich op te verheugen, nog steeds met die smalle, witte schouders.

Hij moest zich inhouden om het niet uit te schreeuwen, zei alleen: 'Nee, bedankt, dat kan ik zelf.'

'Dat wil ik weleens zien,' zei Marit Bonseth, 'hoe je dat gedaan krijgt, Tor Neshov.'

Maar eigenlijk had hij nog helemaal niet geprobeerd om zijn ondergoed te verschonen. Het was al moeizaam genoeg zijn onderbroek naar beneden te krijgen als hij met veel moeite het chemisch toilet bezocht, laat staan hem helemaal uit te trekken.

'Dat lukt me best', zei hij.

'Ik heb jarenlang als hulpverpleegkundige in het ziekenhuis gewerkt voordat ik in de thuiszorg begon. Ik heb duizenden oudemannenpiemels gezien. En net zo veel konten gewassen.'

In de kamer liet zijn vader een kuchje horen, zelf kreeg Tor een hete kop en het lukte hem noch te kuchen, noch te slikken. Hij schoof wat op zijn stoel heen en weer, tilde het gordijn een stukje op en staarde uitgebreid en langdurig op de buitenthermometer. Toen hij het gordijn losliet, herinnerde hij zich niet hoe koud het was. Marit Bonseth had zich gelukkig weer naar het aanrecht gedraaid, ze sneed groente alsof ze ervoor betaald kreeg, en dat was natuurlijk ook zo. Gelukkig stond de radio aan.

'Kun je hem iets harder zetten?' vroeg hij.

'Dus jij bent geïnteresseerd in het nieuws in het Laps?'

Daar gaf hij niet eens antwoord op, in plaats daarvan wierp

hij weer een blik op de thermometer. In het ziekenhuis was het iets anders. Als vrouwen in een uniform rondliepen, was het veel normaler dat ze aan je zaten, je deed gewoon je ogen dicht en liet het gebeuren. Maar als een vrouw die in je eigen keuken stond, over piemels en konten begon alsof het de normaalste zaak van de wereld was … Er waren toch grenzen. Hij voelde de woede in zich opkomen, maar hij beheerste zich weer, vanwege Margido, die overmorgen naar Denemarken zou vertrekken. Hij en Marit Bonseth telefoneerden vast met elkaar, het was niet nodig dat Margido al te bezorgd werd.

'Als dit klaar is, hebben jullie groentesoep voor twee dagen', zei ze.

'Bedankt.'

Hij hoorde dat zijn vader binnen bij het ene kamerraam stond, hoorde hoe hij voortdurend van zijn ene been op zijn andere ging staan, zijn vilten pantoffels veegden over de houten planken. Hij kon nooit stil blijven staan, moest als het ware op de plaats rust rondbanjeren, dat was irritant, zowel om te zien als om te horen. Vanuit dat ene raam zag je een stukje van de weg, helemaal aan het eind van de oprijlaan met de esdoorns waar de brievenbus aan een houten paal was bevestigd. En de postauto was gemakkelijk te herkennen. Ze wachtten allebei. De *Nationen* van gister lag ook nog in de bus, dan hadden ze vandaag elk een krant en hoefde hij het zeikerige gezucht en gekuch van zijn vader niet aan te horen, terwijl hij langzaam de pagina's doorbladerde en zich inprentte wat hij later nog eens grondiger wilde lezen.

'Daar is hij', hoorde hij de stem van zijn vader.

'Mooi zo', zei Tor. 'Misschien wil Marit Bonseth …'

'Hou toch eens op met die achternaam!' zei ze zonder zich om te draaien. 'Dat klinkt zo idioot. En ik ga hetzelfde doen tot jullie ermee ophouden.'

'Mevrouw Bonseth', zei hij.

'Marit', zei ze.

'Dat zijn we niet gewend.'

'Wat zijn jullie niet gewend?' vroeg ze terwijl ze zich omdraaide. Er droop water van haar handen.

'Kunt u de post halen?' vroeg hij terwijl hij haar aankeek, oudemannenpiemel of niet, die kranten wilde hij nu dadelijk in huis hebben.

'Dat kan ik natuurlijk wel,' zei ze, 'maar ik snap niet dat Tormod Neshov dat stukje naar de brievenbus niet kan lopen als hij wel voor hout kan zorgen.'

In de kamer bleef zijn vader een poosje doodstil staan, Tor hoorde zelfs zijn vilten pantoffels niet over de grond vegen. Toen kwam hij aangesloft, liep zonder een woord te zeggen langs hen en ging naar de gang. Hij deed de keukendeur stil achter zich dicht en zelfs door het gebabbel in het Laps op de radio heen hoorde Tor hoe hij met veel omhaal zijn schoenen aandeed en zijn jas aantrok. Na een hele poos liep hij buiten langzaam langs het keukenraam. En na iets wat een eeuwigheid leek, kwam hij weer terug. Hij had lang werk nodig in de gang, deed de deur open, legde een krant en twee vensterenveloppen voor Tor op tafel neer en liep met de andere krant in zijn handen door naar de kamer. Hij had er een kleur van.

'Dat wandelingetje doet je goed. Dagelijks', zei ze zonder zich om te draaien.

Niemand gaf antwoord. Tor keek naar de datum.

'Deze is van vandaag', zei hij luid. 'Ik wil die van gister eerst lezen, anders wordt het maar een rommeltje.'

Zijn vader kwam terug met de andere krant en ruilde ze om.

'En als hij dat nu ook vindt?' vroeg zij, terwijl ze de snijplank leegveegde boven de dampende soeppan. 'Heb je daar weleens aan gedacht, Tor Neshov?'

Toen de krant voor hem op de keukentafel lag, kwam er een soort rust over hem. Hij keek weer op de thermometer, het was vijf graden boven nul. Het had die nacht geregend, de sneeuw was zacht en bezig te verdwijnen; op de radio meldden ze de eerstkomende tijd mild weer en daar was hij eeuwig dankbaar voor. Hij zou ertegen opzien een invaller te moeten vragen sneeuw te ruimen, een boer moest toch verdorie zijn eigen wegen sneeuwvrij kunnen houden. De invaller maakte trouwens een geschikte indruk en had intussen volledig overzicht nadat Tor de hele stal op een blocnote voor hem had uitgetekend, inclusief hokken en zeugen en alles, en alle gegevens die hij in zijn hoofd had, had opgedreund. De invaller schreef op wanneer de varkens vitaminepreparaten nodig hadden en ingeënt moesten worden, noteerde de leeftijd van de biggen en de hoeveelheden en het soort voer. Maar voordat er een toom bij de moeder werd weggehaald, moest hij toch weer zo ver in orde zijn dat hij mee kon de stal in om de boel in de gaten te houden. En voor 1 april kreeg hij geen nieuwe tomen. Een dezer dagen zou Røstad langskomen om te zien of alles in de stal in orde was. Met de varkens was alles in orde, beweerde de invaller, geen biggendiarree of andere ziektes en de zeugen waren niet gestrester dan anders.

Alleen de gedachte aan de ratten hield hem 's nachts uit zijn slaap. Hij bladerde de krant door zonder veel in zich op te nemen, want zodra hij aan de ratten dacht, was het gedaan met zijn rust, hoewel hij verdomd goed wist dat die ratten net zo'n probleem zouden zijn als hij hier met twee volkomen bruikbare benen had gezeten. De ongediertebestrijding zocht nu naar de nesten, ze zouden morgen terugkomen met een videocamera op een stok, waar ze hier en daar mee zouden rondkijken. Ze hadden het over gas, maar ze vroegen zich af hoe ze de stal hermetisch dicht kregen. Hij hield niet van dat idee met gas, het was een oude stal, je kreeg hem onmogelijk helemaal luchtdicht.

Hij dacht terug aan de tijd voordat zijn moeder ziek werd. Toen alles op rolletjes liep. Geen thuishulp, geen invaller, geen ratten, de ene dag als de volgende. Aan de andere kant was het goed dat ze weer met elkaar praatten, de broers, en dat Torunn was geweest. Hij had haar eergisteravond gebeld, maar ze had niet opgenomen.

'Een kopje koffie?' vroeg Marit Bonseth.

'Zou smaken, ja', zei hij.

Hij keek toe hoe ze het aanrecht afnam en het groenteafval in een emmer bijeenveegde. Het brede achterwerk onder de strik van haar schort, de benen dik en stabiel in een paar bruine slippers op het gestreepte voddenkleed. Eigenlijk was ze best aardig.

'Dat zou smaken, ja', zei hij nog eens.

'Waar kan ik dit weggooien? Hebben jullie ergens een compostbak?'

'Nee. Gooi maar ergens neer, het verdwijnt immers vanzelf.'

'Midden op het erf dan maar?'

'Natuurlijk niet. Maar ... bij de schuur of zo. Aan de achterkant.'

Hij volgde haar met zijn blik over het erf, zag hoe ze in het voorbijgaan een paar boterhammen op de voederplank verkruimelde. Ze kwam nu met haar eigen auto, een kleine, rode waarvan hij het geluid al kende. Het deed best goed haar zo te zien, te weten dat ze weer terug zou komen, koffie zou zetten. En toen ze terugkwam, zei hij: 'In de kist in de gang zitten nog wat schorten van mijn moeder. Een heleboel mooie. Hier heeft niemand ze meer nodig, je kunt ze wel krijgen. Niet alleen om ... hier te dragen, maar echt krijgen.'

Toen Marit Bonseth wegging, nam hij twee paracetamol met een glas water. Zijn bovenbeen was gaan kloppen en deed pijn, maar hij wilde niet klagen waar zij bij was. De sterke pijnstillers die Margido op het recept van het ziekenhuis had gehaald, wilde hij niet innemen. Daar werd hij doezelig van in zijn hoofd, op een onaangename manier doezelig, niet prettig, zoals na een flesje bier. Zijn vader deed boven een dutje en over een paar uur kwam de invaller. Hij liet zich weer op de stoel aan tafel neerzakken en bleef naar de rollator zitten kijken. Eigenlijk een prima ding. Hij voelde zich redelijk veilig als hij rondslofte met zijn stijve been. Voorzichtig streek hij erover, over het harde oppervlak onder de stof van zijn broek. Over een paar dagen moest hij weer naar het ziekenhuis om het verband te wisselen. Dan zou hij gewoon een taxi bellen, het ziekenfonds betaalde de heen- en de terugrit, maar hij zag er vreselijk tegen op. Hij zou de hele tijd zijn ogen dichthouden. Hij zag ook tegen de geuren op, hij wist dat een dichte wond stonk.

Plotseling werd hij door een machteloze vertwijfeling overvallen, hij barstte bijna in huilen uit: het was niet om uit te houden. Vijf à zes weken. Hij trok zich weer overeind, maar toen hij eindelijk stond, wist hij niet waar hij heen wilde. Kon hij maar naar de stal.

Misschien kon hij dat wel.

Zijn overall kreeg hij niet aan, maar was er niet iets anders wat hij om zich heen kon slaan? Hij leunde op de rollator en dacht na. De pijn ebde langzaam weg. Regenkleding. Ja, dat zou kunnen. Om elke voet een jack knopen en eentje voor boven, maar had hij er wel zo veel? Toen schoot hem het oeroude slagersschort te binnen dat nog steeds in het washok hing. Dat kon hij gebruiken! Samen met een regenjas! Met veel moeite liep hij naar de koelkast en hij onderzocht de inhoud. Hij pakte vijf plakjes schapenworst en een blikje leverpastei dat bijna leeg was, en stopte het in zijn zak. Toen zette hij koers naar het erf. In de gang pakte hij een regenjack en wierp het over de rollator.

Het kostte tijd. Stel je voor dat je eigen erf wel een hoogvlakte leek die je moest oversteken. Toen hij de deur van het washok dichtdeed, beefden zijn armen en liep het zweet in straaltjes langs zijn lijf. Maar toen hij de geuren van de varkensstal rook en de overbekende afwachtende stilte hoorde, moest hij glimlachen. Het was vier dagen geleden dat ze hem hadden gezien. Hij sjorde het slagersschort om zich heen en daaroverheen trok hij het regenjack aan. Hij kreeg het meteen hartstikke warm, maar daar was niets aan te doen. De varkens waren belangrijker dan zijn eigen welzijn. Met een vaste greep om de rollator wist hij naar de deur te strompelen en binnen te komen.

'Jullie zullen je wel hebben afgevraagd waar ik bleef! Maar ik was zo'n sukkel dat ik bijna mijn been eraf hakte!'

Hij lachte zo luid dat het tussen de stenen muren weerkaatste, en hij had bijna het gevoel dat de varkens teruglachten. Ze verdrongen zich met veel rumoer in de hokken langs de middengang en hij boog over zijn rollator en gaf klopjes waar hij kon, op weg naar Siri.

Siri liep al overdadig te stampen en te knorren toen hij eraan kwam, en hij juichte inwendig van opluchting toen hij haar eindelijk de lekkere hapjes kon geven. Hij verbeeldde zich dat het kloddertje leverpastei een uitdrukking van puur genot in haar blik opriep.

'Mijn flinke meid ... Mijn lieve, flinke meid, ja. Is niet hetzelfde met vreemden in de stal, denk ik, hè? Gaat het goed met de kinderen in je buik? Je draagt twee goede fokzeugen, weet je. Dolly en Diana.'

Ook de rest van de zeugen werd achter de oren gekrauwd en ze hieven allemaal hun vochtige, begerige snuiten op naar zijn handen. Zijn gezonde been trilde van de inspanning die het hem kostte om zijn lichaam overeind te houden, en het zweet liep over zijn rug.

'Jullie krijgen voorlopig nog geen eten', zei hij. 'En dat beseffen jullie heel goed, want jullie weten hoe laat het is. Als er iemand is die weet hoe laat het is, zijn jullie het wel! En om dat slagersschort hoeven jullie je geen zorgen te maken, hier wordt vanavond niemand geslacht!'

Na een laatste aai voor Siri strompelde hij terug naar het washok en hij wist op de oude melkkruk die daar stond te gaan zitten om zich uit al dat goed te pellen. Het hok tolde om hem heen, hij leunde achterover tegen de stenen muur en genoot van de kou in zijn rug en tegen zijn achterhoofd. Hij had nog een paar flesjes bier in de kast staan, herinnerde hij zich opeens, maar dat zou wel niet zo verstandig zijn samen met die pijnstillers. Hij moest ze maar bewaren, misschien zijn vader er ook eentje geven, als dank dat hij ze had verstopt zonder dat Margido of een van de anderen er lucht van had gekregen.

Op de rollator steunend lukte het hem overeind te komen. Hij kon hier niet zitten als de invaller kwam, dat zou een gekke indruk maken, alsof hij hem niet vertrouwde. Bovendien moest hij naar de wc. Hij kon natuurlijk ook de latrine gebruiken en daar bleef hij even over staan nadenken. Maar hij kwam tot de conclusie dat hij dan eerst een bezem moest zien te vinden om de lege flessen onderin mee in een hoek te schuiven, en alleen al bij de gedachte daaraan brak het zweet hem nog meer uit. Nee, hij moest het chemisch toilet maar weer nemen.

Toen hij zijn achterwerk eindelijk op de plastic bril in de gangkast had laten zakken, was hij zo moe dat hij zich gewoonweg misselijk voelde. Margido had de oude kleren die in de kast hingen, weggehaald. Hij moest de deur openlaten, zodat de rollator in de deuropening kon staan.

Hij deed zijn ogen dicht en ontspande zich. Hij was bij Siri in de stal geweest, vannacht zou hij lekker slapen. En het was prettig om je darmen te legen, Marit Bonseth kon goed koken, hij kwam vast aan van dit rustige leventje en al dat eten. Vandaag had ze het erover gehad dat ze de volgende keer als ze kwam een taart wilde bakken.

Toen hoorde hij het geluid van een auto. Hij spitste zijn oren. Het was niet die van Marit Bonseth. En de auto van de invaller was het ook niet, want dat was een luid gebrom op enorme wielen. Røstad? Nee, die zou eerst hebben gebeld. Ook die van Margido was het niet. Een vreemde auto. Stel dat iemand zomaar binnen zou stappen, dan zat hij hier voor iedereen open en bloot op de wc.

Hij haastte zich wat toiletpapier af te scheuren, daarbij viel de rol op de grond en rolde onder zijn stijve been door, dat als een lange paal naar de muur voor hem was gestrekt. Hij wrong zich in allerlei bochten om de rol te pakken te krijgen, en viel om. Viel om met het chemisch toilet onder zich, zijwaarts. Alles rolde ondersteboven en om hem heen en onder hem door stroomde iets kouds en glibberigs. Hij greep naar de rollator, maar zijn zere been zat in de weg. Hij richtte zich op op zijn elleboog, uit die stinkende rotzooi, en zo lag hij erbij toen de deur openging. Hij had wel door de grond willen gaan van schaamte. Hij deed zijn ogen dicht, hoorde iemand naar adem snakken, deed zijn ogen weer open.

'Jij hier?'

'O, grote goden', zei Torunn. 'Wat doe jij nu toch?'

Hij kwam tot bezinning, zag zichzelf daar liggen zoals zij hem zag, en riep: 'GA WEG!'

Hij begon rond te krabbelen, wilde de deur dichttrekken, maar daar stond de rollator voor en elke keer als hij zijn handen en zijn gezonde knie uitstrekte, glibberde hij weg.

'GA WEG, zei ik!'

'Maar ik moet je toch helpen ...'

Ze deed een paar passen de gang in, maar net niet genoeg om erin te trappen.

'GA WEG EN BEL MARIT BONSETH! ZIJ moet komen. Niet jij!'

Ze verdween, maar de buitendeur stond nog steeds open; ze riep: 'Ik heb haar nummer niet!'

Hij hoorde aan haar stem dat ze bijna in huilen uitbarstte, maar daar kon hij nu geen rekening mee houden. Hij had hulp nodig om hieruit te komen.

'Bel inlichtingen dan, kind!'

'Maar waarom ... wat is er aan de hand?' vroeg zijn vader. Hij stond boven aan de trap te kijken, met grote ogen, zijn tandeloze, ingevallen mond open, zijn haar plukkerig alle kanten op.

'Ga naar bed! Dit gaat jou niets aan!'

'Maar, overal poep ... Ben je gevallen?'

'Ja, dat zie je verdomme toch wel, dat ik gevallen ben! Ga naar bed, zeg ik.'

Zijn vader verdween, hij hoorde Torunn in het halletje praten, hoorde haar zeggen: 'Nee, ik hoef het nummer niet op te schrijven, verbind me maar meteen door.'

'Tja, wat je voor geld niet allemaal doet', zei Erlend. Hij zat met het hoofd van een etalagepop op schoot in het licht van een werklamp met een spitse viltstift allemaal zwarte stipjes op de wangen te tekenen. Terwijl hij daarmee bezig was, had hij Torunn handsfree aan zijn linkeroor.

Hij voelde zich belachelijk dat hij daar baardstoppels op plastic zat te tekenen. Hij had Torunn verteld waar het voor was, haar tot in detail het idee van de etalage met de inbrekers verteld en dat de juwelier hysterisch was van verwachting aangezien er een grote kans bestond dat de *BT* er een reportage over zou brengen. Dat zou waanzinnig veel gratis reclame opleveren. Maar zijn idee leek Torunn nauwelijks te interesseren en ze antwoordde slechts met 'ja' en 'aha'.

Ze was twee dagen geleden op Neshov aangekomen, volkomen onverwachts. Toen hij vroeg hoe het ging, antwoordde ze ontwijkend, zei dat het toen ze kwam een beetje chaotisch was, maar dat ze geen zin had om in details te treden.

'En hij stommelt rond?'

O ja, met een rollator. Vandaag was ze met hem naar het ziekenhuis geweest om het verband te wisselen. Het was een heel gedoe, aangezien het been in het gips zat en hij overdwars op de achterbank moest zitten. Nu lag hij te rusten. Ze hoopte dat hij een beetje in een beter humeur was als hij wakker werd.

'Kan hij dan naar zijn slaapkamer op de eerste verdieping?'

Nee, hij sliep op een veldbed in de kamer en er stond een chemisch toilet in de klerenkast in de gang. Toen wilde ze het niet meer over haar vader hebben, maar over de ratten. De ongediertebestrijding had een heleboel rattennesten gelokaliseerd en was bezig de muren met plastic en isolatieschuim te dichten, zodat ze ze konden vergassen.

'Dus de zoon der wildernis is uit beeld?'

Christer? Ja, hij was uit beeld. Hij belde onafgebroken, maar ze nam zijn telefoontjes niet aan. En ze las ook de stroom sms'jes niet waarmee hij haar bestookte, ze wiste ze ongelezen.

'Ben je dan niet onder de indruk, Torunn? Zo belaagd te worden? Klinkt toch naar echte liefde, al wordt hij honderd keer vader.'

O, wat zou hij Torunn graag vertellen wat er misschien met hem en Krumme en de dames stond te gebeuren. Maar hij had Krumme gezworen – gezworen! – dat dit alleen tussen hen vieren werd besproken, ook al zou hij er graag met Jan en alleman over praten alleen om zo veel mogelijk standpunten boven tafel te krijgen. Anderzijds begreep hij Krummes argument, namelijk dat het puur en alleen hun keus was en dat de beslissing dus uitsluitend moest worden genomen op basis van wat ze zelf voelden. Na het eerste etentje met Jytte en Lizzi zaten ze nu alle vier in de denktank.

Krumme had een bovenaards heerlijk maal gemaakt van varkenslende uit de oven met boerenkool, dat ze onder het genot van grote hoeveelheden rode wijn verorberden, terwijl ze verschillende scenario's doornamen: verschillende gezinsvormen, hoe en wat met elkaar, en het delen van de verantwoordelijkheid. Erlend was ongelooflijk opgelucht toen hij merkte dat ook de drie anderen bedenkingen koesterden, hij had gedacht dat hij het enige probleemgerichte remblok zou zijn. Maar zowel Krumme als de dames hadden gewikt en gewogen: wat gebeurde er als ze uit elkaar gingen, wat als een van hen stierf, wie zou de vader worden, wie van de dames zou het kind krijgen? Jytte beweerde dat Krumme een mooie man was, afgezien van zijn kogelronde vorm die uitsluitend uit lichaamsvet bestond, en Krumme had enthousiast een verkreukelde foto uit zijn jeugd opgeduikeld. Daarop was hij inderdaad mooi, vond Erlend. Voor Krumme speelde het echter ook een rol dat Erlend Noors staatsburger was, zodat het kind later de mogelijkheid zou hebben een staatsburgerschap te kiezen. Daarop had Erlend voorgesteld dat hij en Krumme hun elixer in een kopje konden mengen, zodat niemand wist wie de vader was, maar dat wilde geen van de drie anderen serieus nemen. Zelf vond hij het een schitterend idee, hij kon zich levendig voorstellen hoe zijn eigen zaadcellen en die van Krumme in een unieke koortsachtige wedloop verwikkeld waren waarbij de sterkste won. Op die manier lieten ze het als het ware aan de biologie over. Maar de drie anderen lachten alleen maar.

O, kon hij Torunn dit toch allemaal vertellen! Vanavond zouden hij en Krumme bij de dames eten en zouden ze het er verder over hebben. Daar verheugde hij zich op. Zijn aanvankelijke paniek schreef hij toe aan een verkeerd beeld dat hij had gehad: namelijk dat hij er alleen voor stond. En dat was immers niet zo, ze waren met zijn vieren! Twee keer zo veel als normale ouders! Ze zouden ondanks alles op reis kunnen en een heleboel vrije tijd hebben! Het was gewoon geniaal. De verantwoordelijkheid voor een kind was niet alleen zijn taak. En hij kreeg korting bij Benetton en wat niet al! In gedachte kocht hij al de mooiste kleertjes plus de inrichting van de kinderkamer, zowel bij hen thuis als bij de dames. Hij nam tenminste aan dat hij ook de kinderkamer bij de dames mocht inrichten, aangezien hij misschien de vader zou worden, als het allemaal doorging.

'Maar je kunt toch wel één keer met Christer praten? Alleen om te horen wat hij heeft te vertellen? Misschien is die aanstaande moeder uit beeld', zei hij.

Daar ging het niet om, het ging om zijn reactie die avond dat ze kwam, en die had ze Erlend al geschilderd. Bovendien werd het haar langzamerhand duidelijk dat hij toch haar type niet was. Hij had zulke rare opvattingen.

'Waarover dan?'

'Onder andere over homofilie', antwoordde ze.

Hij zweeg, deed alsof hij moest opstaan om iets te pakken. Torunn hoefde voor hem niet ten strijde te trekken, zeker niet ten opzichte van een gozer die tussen rendiervachten onder de blote hemel moest liggen om te voelen dat hij een man was; die strijd was al bij voorbaat verloren.

'Er zijn zo veel mensen die rare opvattingen hebben, Torunn', zei hij met een stem die relaxed en bijna onverschillig klonk, vond hij zelf. 'Daar moet je gewoon aan wennen. Maar natuurlijk wil je niet met ze omgaan. Nee, vergeet dat ik dat heb gezegd! Zo bedoelde ik het niet, dat dat de reden moet zijn … Je hebt je eigen leven, nichtje.'

Hij hoefde niet bang te zijn, ze begreep wat hij bedoelde en ze had in wezen precies hetzelfde gedacht, dat het niet gemakkelijk was een intieme relatie met iemand te hebben die dergelijke vooroordelen had.

'En wat als hij plotseling op Neshov voor de deur staat, net als Krumme?'

Nooit van zijn leven, hij kon zijn honden niet in de steek laten.

'Jij hebt toch ook alles in de steek gelaten …'

Dat was iets anders, beweerde ze. Het ergste was het gezeur van haar moeder, die was helemaal over haar toeren. Torunn had een speciale ringtoon voor haar gedownload. Abba met 'Mamma mia, here I go again …'

Hij lachte luid en het gevolg was een streep in plaats van een stip. 'Maar je werk? Had je niet een heleboel cursussen en zo?'

Ze was ziek gemeld, had de dokter ervan weten te overtuigen

dat ze overwerkt was en in een dip zat.

'In een dip? Heb je zitten huilen en zielig zitten doen voor een dokter?' vroeg hij terwijl hij maatvast richting oorlel van de pop stipte. Stel dat er nu iemand de rekwisietenwerkplaats binnenkwam en hem met de kop van een man op schoot ontdekte ... Ook al was het dan een kunstkop.

Ja, ze had echt gehuild. En het was volkomen vanzelf gegaan, zei ze.

'Dus je was echt verliefd op hem ...'

Ja, dat was ze. En dan haar moeder nog, die volledig was ingestort, het was gewoon allemaal te veel geworden.

'Ach, Torunn, nichtje van me, arme stakker ...'

Ze begon te huilen, hij voelde dat hij zelf bijna moest huilen, het was zo zinloos dat zij zo ongelukkig was, terwijl hij bijna barstte van geluk en van de geheimen. Hij moest even een pauze in de baarddecoratie inlassen.

'Niet huilen. Je had beter hiernaartoe kunnen komen, weet je. Krumme en ik hadden wel weg geweten met dat liefdesverdriet. Maar nee hoor, jij gaat uitgerekend naar Neshov waar je tot je knieën rondwaadt in verval en ratten en ellende. Dat is niet goed voor je!'

Daar hadden ze haar nodig, zei ze, daar was ze op een heel andere manier belangrijk dan op haar werk en voor haar moeder en Christer. En bezig zijn met de varkens was pure therapie.

'Daar begrijp ik niets van! Die stinkende varkens! Weet je dan niet dat ze levensgevaarlijk zijn? Het zijn roofdieren!'

Geen verkeerd woord over de varkens, zei ze, ze waren fantastisch, en aangezien ze opgehouden was met huilen, verkoos hij het haar niet tegen te spreken. Bovendien had ze nieuws. Misschien mocht ze het eigenlijk niet vertellen, maar Margido was in Denemarken.

'WAT?!' riep hij en zijn viltstift rolde op de grond.

Hij was naar een kistenbeurs of iets dergelijks. Misschien waren het wel grafstenen, ze herinnerde het zich niet precies. De viltstift rolde onder de badkuip met de schildpadpoten.

'Een kistenbeurs? Wat is dat in vredesnaam? Mijn hemel, ik zie ze al voor me hoe ze in zwarte gewaden gehuld rond open kisten dansen, terwijl ze kalfsbloed met rietjes drinken!' zei hij en hij begon te lachen. Torunn lachte ook, uiteraard had ze beter naar Kopenhagen kunnen komen. Maar het kon dus gebeuren dat Margido belde, zei ze, dan was Erlend in elk geval voorbereid.

'Dat is het toppunt. Ik kan me niet voorstellen dat Margido ooit verder van huis is geweest dan Røros. Maar natuurlijk, als hij belt nodigen we hem uit voor een lekker maal.'

Dat zou hij vast leuk vinden, zei ze. Erlend kroop op handen en voeten rond en wist uiteindelijk de viltstift tevoorschijn te toveren. Zijn knieën waren stoffig geworden en driftig borstelde hij de zwarte stof schoon.

'Nou ja, leuk. Uitbundige tekenen van vreugde zijn nu niet bepaald iets voor Margido, met uitzondering van dat telefoontje met Oudjaar dan ...'

Dat moest hij zich hebben verbeeld, zei ze.

'Dat zeg je elke keer! Maar dat heb ik niet! Ik geloof eigenlijk dat zelfs mijn fantasie niet in staat is zich zoiets voor te stellen! Een dronken Margido die mij zijn broertje noemt en gilt dat hij een date heeft?! Nooit ofte nimmer!'

Hoe dan ook, ze weigerde het te geloven en nu moest ze ophangen, de invaller kwam net het erf op.

'Dus je staat er niet helemaal alleen voor met alles?'

Nee, dat was tegen de wet. Je moest erkend en opgeleid zijn om de verantwoording voor vee alleen te mogen dragen. Bovendien werd de invaller door de staat betaald, zonder noodzakelijke erkenning zou zij niets krijgen.

'Oef, wat een gedoe, ik haak af. Maar is het een leuke vent? Hoe ziet hij er in overall uit?'

Best leuk, zei ze. Maar vijf jaar jonger dan zij, hij heette Kai Roger.

'Jezusmina, wat een naam! Een typisch Noorse naam voor een invaller. Maar van die vijf jaar moet je je geen donder aantrekken. Als het een leuke vent is, aarzel dan geen seconde. Bied hem midden in de stal de erotische ervaring van zijn leven, met de varkens als lamgeslagen publiek! En dan vertel je mij later alle details, vergeet niet tussendoor aantekeningen te maken.'

Ze wist niet eens of hij vrij was, zei ze. Bovendien was ze nog niet zover.

'Dan zorg je maar dat je zover komt. En een beetje snel.'

Het was te vroeg, zei ze, en ze had op het moment zo veel andere dingen aan het hoofd. Maar ze was blij te horen dat hij zichzelf weer was en geen ruzie meer had met Krumme.

'We hadden toch geen ruzie, liefje! Alleen wat gerammel met de pannen. Nu is alles weer *hunky dory*, dus maak je geen zorgen. We zijn o zo verliefd!'

Stel dat het ook nog fout liep met hem en Krumme, naast al dat andere. Nee, daar moest ze niet aan denken.

'Kalm nu maar. Je ooms in Kopenhagen zijn de standvastigheid zelve en houden van elkaar. Veel plezier met Kai Roger. Vertel hem dat hij volgens de wet zijn naam kan veranderen, in Piglet als hij wil!'

Hij schroefde het hoofd op de torso van de pop. Perfect. Pas als ze op hun plaats in de etalage stonden, zou hij het haar *stylen* en ze aankleden. Maar het decor moest hij hier op kantoor regelen, in de winkel was daar geen plaats voor. Hij pakte een arm op en sloeg de ringmap met voorbeelden open die hij van de tattooshop in de Istedgate had geleend. Een klauterende tijger op de bovenarm en een hartje met een vrouwennaam erin op de onderarm, dat zou passend misdadig zijn. Een tattoo was een van de lelijkste dingen die hij kende, en zo volkomen out! Hij tekende de voorbeelden na met donkerblauwe viltstift en streek er daarna voorzichtig met een wattenstaafje overheen dat hij in wasbenzine had gedoopt, op die manier kreeg hij die wat lelijke, uitlopende streep zoals op echte huid.

Agnete en Oscar waren bezig met de boevenpakken en de asbak stond te drogen. Natuurlijk wilde de winkelier geen stinkende asbakken in zijn etalage. Echte peuken waren gelakt om de geur op te sluiten en schuim dat werd gebruikt als isolatiemateriaal rondom vensters, was tot hoopjes as gevormd en grijs geschilderd. Daarna was de hele asbak met een spuitbus mat gelakt. De whisky was gewoon simpele bruine lak die in de glazen en de whiskyfles was gegoten; die lak was al droog. Het zou absoluut perfect worden. Het groezelige, versleten rolgordijn dat aan de achterwand zou hangen, van achteren verlicht als door een akelig stekende zon, had Oscar in een slooppand ontdekt.

Hij tilde de tweede boevenkop op en begon weer met het moeizame geprik op de haarloze wangen, die de vorige keer dat ze waren gebruikt misschien wel glad en pasgeschoren boven de revers van een Armani-pak hadden geprijkt. Plotseling moest hij aan zijn idee met de twee kussende mannen denken: dat wilde hij niet opgeven! Misschien was het iets voor een hippe boetiek met een jonge, moedige eigenaar … Nu alles tussen hem en Krumme weer in orde was, zou er geen eind komen aan zijn ideeën en energie: zo nu en dan was hij waarachtig van zichzelf onder de indruk. Waar haalde hij het vandaan?

Jytte en Lizzi woonden in Amager, in de buurt van Kastrup Fort. Hij en Krumme wisten in de Niels Hemmingsens gade een taxi te bemachtigen. Krumme had een grote pot zelfgemaakte tzatziki bij zich en Erlend nam twee flessen rode wijn op schoot.

'Ik ben benieuwd', zei Krumme. 'Dit is zenuwslopend, dat moet ik echt zeggen.'

'Misschien moesten we die ene fles maar openmaken. De chauffeur heeft vast wel een kurkentrekker, die hoort toch zeker tot de standaarduitrusting in een Kopenhaagse taxi?'

'Kalm nu maar. Tot nu toe praten we er alleen nog maar over.'

'Een goed teken. Dat we er nog steeds over kunnen praten.'

De Amagerbrogade bruiste van leven en licht. Overdag zag hij er stoffig en smerig uit, maar de duisternis legde zijn barmhartige sluier over het verval dat je niet wilde zien. Ik hou van deze stad, dacht Erlend, ik hou van het ritme en het weerbarstige protest tegen de verveling, hier hoor ik thuis en hier word ik misschien vader. Hij greep Krummes hand, kneep erin en hield hem in de zijne.

'Waar denk je aan?' vroeg Krumme zacht.

'Dat de aquariumman morgen komt. Het zal fijn zijn Tristan en Isolde niet langer door een sluier van algen te moeten bekijken als je gewoon even een champagnebad in de jacuzzi neemt.'

'Mafkees.'

'Ja, is dat niet de reden dat je een kind met me wilt?'

Ze kwamen bij de villawijken en met behulp van een kaart vond de taxichauffeur de Koreavej.

Jytte kwam naar buiten en omhelsde hen allebei. Lizzi stond in de keuken: het rook naar knoflook en koriander en de ramen waren beslagen. Het was altijd fijn om hier te komen. Overal waren boeken en planten, het begrip 'minimalisme' bestond niet in dit huis. Erlend moest onmiddellijk aan de kinderkamer denken: hoe mooi hij die ook zou inrichten, zodra hij de deur uit was, zou het er propvol staan met allerlei zachte en kleurrijke tierelantijntjes.

'Twee punten', zei Lizzi toen ze aan tafel zaten en verdiept waren in een ietwat ondefinieerbaar pastagerecht. Lizzi was mooi op een soort koele Liz Hurley-manier, terwijl Jytte het absolute tegendeel was. Absoluut niet masculien, maar met een stevig lijf. Zo zag hij haar: stevig en compact, sterk. Brede polsen, een beetje dikke vingers. Jytte was ook mooi, met wie kon hij haar vergelijken? Met Janet Jackson misschien, maar dan niet bruin.

'Twee maar?' vroeg Krumme.

'Proost!' zei Jytte.

'Proost! Het eerste betreft het huis', zei Lizzi.

'Wat bedoel je?' vroeg Erlend en hij nam een extra slok wijn, ze waren begonnen.

'Misschien zouden we een groot huis moeten zoeken. Met twee aparte woningen natuurlijk, maar met een gezamenlijke tuin. Dat zou alles veel eenvoudiger maken.'

'Hè, nee', zei Erlend.

'Nee, mij beviel dat idee ook niet', zei Jytte. 'Ik hou van dit huis.'

'En ik hou van onze flat', zei Erlend.

'Ik ook', zei Krumme.

'Maar het terras', zei Lizzi. 'Dat is wel erg hoog.'

'Wees maar niet bang', zei Erlend. 'Als ik toch een gracht rond mijn glasvitrine laat graven, laat ik die werklui meteen een geëlektrificeerde omheining met glasscherven erop rond het terras aanleggen. *You see?* Probleem opgelost.'

'Laten we wel zijn,' zei Krumme. 'het kind zal in ieder geval een heel tijdje ... klein blijven. Tijd genoeg om erachter te komen wat we willen.'

'Dat is waar', zei Lizzi.

'Als we tot de ontdekking komen dat het onpraktisch is zoals we wonen, dan moeten we ook daar samen een oplossing voor vinden', zei Krumme.

'We hebben een voorstel', zei Jytte.

'Jytte ... We zouden toch wachten tot bij de koffie', zei Lizzi glimlachend. Opeens hadden ze allebei rode vlekken van opwinding in hun gezicht.

'Een voorstel wat het huis betreft?' vroeg Erlend.

'Nee', zei Jytte. 'Iets veel groters dan een huis.'

'Wat dan? Toe, zeg op! Is een van jullie al zwanger?' vroeg Erlend. 'Van zaadcellen die jullie achter onze rug om hebben gestolen van een toevallig langskomende zeeman op de grote vaart?'

'Nee!' zei Lizzi lachend.

'We hebben het er toch zo vaak over gehad wie van ons het kind zal krijgen en wie van jullie de vader zal worden?' vroeg Jytte en ze pakte Lizzi bij de hand.

'Erlend', zei Krumme.

'Mix in een koffiekopje', zei Erlend.

'We hebben een voorstel', zei Jytte.

'Dat heb je al gezegd!' zei Erlend. 'Laat horen!'

Plotseling stonden Jyttes ogen vol tranen, maar ze glimlachte: 'Allebei. Wij alle vier.'

Het werd doodstil, alleen uit de radio in de keuken klonk zachte muziek. Erlend wist dat hij later nooit meer Elton Johns 'Rocket Man' kon horen zonder aan dit moment te denken.

'Wij alle vier?' Krumme was de eerste die iets kon uitbrengen.

Nu huilde zowel Jytte als Lizzi en Jytte ging bij Lizzi op schoot zitten en trok in alle onstuimigheid bijna een fles wijn omver.

'Wat bedoel je?' fluisterde Krumme, die Erlends hand had vastgepakt.

'Precies wat ze zei', zei Lizzi. 'Jytte en ik willen allebei een kind, dus dan kunnen jullie allebei vader worden. Jullie hoeven niet te kiezen en wij ook niet. Dat werd ons plotseling duidelijk toen we het erover hadden wie van ons ... Waarom kiezen? We zijn allebei vrouw. Het is niet zeker dat we tegelijk zwanger worden, dat is waarschijnlijk te veel gevraagd, maar we kunnen het toch proberen? En dan hebben we jullie natuurlijk allebei als vader nodig!'

'Mijn god!' zei Krumme.

Nu is het een feit, dacht Erlend, nu wordt het allemaal waar, vanaf dit moment is het een feit.

'Goeie god', zei Krumme.

'Hou op, Krumme, hij kan je niet helpen. Menen jullie dit echt?' vroeg Erlend.

'Ja', zei Jytte.

'Al zullen we elkaar waarschijnlijk naar de keel vliegen', zei Lizzi. 'Twee vrouwen vol hormonen onder één dak, als we tenminste ongeveer tegelijkertijd zwanger worden. Als jullie willen, natuurlijk. Als we dit echt gaan doen.'

'Wij willen', zei Erlend en voordat hij adem kon halen, voelde hij Krummes armen om zich heen. Krumme drukte zijn gezicht in zijn nek, snikkend en lachend tegelijk. Zijn glas was omgevallen, de rode wijn kroop in het tafelkleed, de vlek leek net een rode roos.

'Champagne', zei Lizzi nog nasnotterend. 'Ik haal het wel.'

'Wanneer doen we het?' vroeg Krumme en hij snoot zijn neus luidruchtig in het servet, hoewel hij wist dat Erlend daar een gruwelijke hekel aan had.

'Over een week zijn we midden in de eisprong', zei Lizzi. Ze stond op, haar mascara zat tot ver op haar wangen. 'En Jytte en ik zijn volledig op elkaar ingespeeld.'

Ze holde naar de keuken en kwam terug met een fles die beslagen was.

'Noem je dát champagne, Lizzi?' riep Erlend uit. 'Dat is mousserende wijn! Ik wíst wel dat ik een paar flessen Bollinger mee had moeten nemen!'

'Het zal je heus wel lukken een glas of twee door je keel te gieten. Moet je zien! Moet je zien hoe mijn handen trillen!' zei ze.

'Dat hebben we allemaal', zei Krumme. 'Dit is bloedserieus.'

'In ieder geval bloedig', zei Erlend.

Ze keken hem aan.

'Ik bedoel ... op het laatst, als de kinderen eruit komen. Daar wil ik niet bij zijn', zei hij.

'Ik wel!' zei Krumme.

'Dan ik ook', zei Erlend. 'Anders krijg ik nog honderd jaar te horen wat ik allemaal heb gemist. Met twee valium zal het wel lukken. Maar Krumme en ik moeten er allebei bij zijn, ik durf niet alleen. Dat betekent dus dat jullie op dat moment niet helemaal op elkaar ingespeeld mogen zijn.'

'Maar hoe brengen we het in praktijk?' vroeg Krumme.

'Wacht even. Nu proosten we eerst', zei Jytte en ze ging staan. Daar stond ze, blozend en fier, het glas in haar hand, met geheven arm als een godin van de vrijheid: 'Lieve Erlend en Krumme, we houden zo veel van jullie. En van elkaar. En dat doen jullie ook. Elk kind droomt ervan in zo veel liefde geboren te worden als wij vieren hun kunnen geven.'

Ze gingen staan en proostten stil met elkaar. Erlend voelde zijn knieën knikken. Ik word vader, dacht hij, wij worden vader.

Jytte stelde voor met een dokter te praten om te zien hoe de bloedgroepen bij elkaar pasten, gezien de vraag wie wie zou bezwangeren. De rest kwam vanzelf.

'Moeten jullie dan niet naar zo'n kliniek?' vroeg Erlend.

'Nee,' zei Jytte, 'dat hoeft niet. Het gaat er immers alleen maar om de kostbare dosis zo ver mogelijk naar binnen te krijgen. Dat kunnen we heel goed zelf af.'

'Maar hóé dan?' vroeg Erlend.

'Mijn hemel,' zei Lizzi, 'wat kun jij een vragen stellen. We gebruiken plastic slangetjes en een trechter, dat is alles.'

'Waarom hebben die klinieken dan zo veel te doen? Als ik vragen mag?'

'Omdat zij anonieme donors aanbieden en ze het zaad eerst bewerken en helemaal in de baarmoeder inbrengen', zei Lizzi.

'Maar bij ons moeten de zaadcellen het laatste stukje om het hardst zwemmen. Volkomen natuurlijk, de sterkste wint. We willen niet naar een kliniek, we willen er voor onszelf iets moois en bijzonders van maken. En we willen dat jullie hier ook zijn.'

'Niet om ...'

'Nee, Erlend, niet om toe te kijken of de trechter vast te houden. Gewoon hier zijn. Daarna kunnen we samen iets eten, er een fijne avond van maken.'

'Maar voor jullie geen alcohol meer', zei Krumme en hij schudde met zijn wijsvinger.

'Nee', zei Jytte. 'Vanaf morgen al niet meer zelfs. Mijn lichaam moet totaal clean zijn als het een kind gaat maken.'

'Ik neem echte champagne mee, ik drink voor jullie allebei', zei Erlend.

'Voor die tijd niet', zei Lizzi.

'Wat?'

'Het is het beste als jullie deze laatste week noch koffie, noch alcohol drinken', zei Lizzi.

'Grote goden', zei Erlend. 'Als er dergelijke opofferingen voor nodig zijn ... dan begrijp ik dat ik een tijdje heb geaarzeld.'

'Een week vol ongemakken voor jullie', zei Jytte, 'en daarna negen maanden totale onthouding voor ons. Dat is toch geen slechte deal.'

'Als je het zo stelt', zei Erlend. 'Maar nadat Krumme en ik ieder onze plicht in een koffiekopje hebben gedaan ...'

'We hebben speciale bekers op de kop getikt', zei Lizzi. 'Steriel.'

'Jeetje,' zei Krumme, 'jullie waren er al van overtuigd dat we ja zouden zeggen ...'

'Ja, eigenlijk wel,' zei Lizzi, 'aangezien we nu alle vier ouders kunnen worden.'

'Toch is het raar,' zei Erlend, 'bij de gedachte aan één piesmachine kreeg ik het doodsbenauwd en nu, nu het er twee worden, is het helemaal niet zo beangstigend meer. Maar hoe zit het als jullie niet zwanger worden? Of maar een van jullie? Sommige mensen zijn immers jarenlang bezig ...'

'Ik denk dat het wel zal lukken,' zei Jytte, 'bij allebei. Jullie weten toch dat Lizzi en ik alle twee een abortus hebben gehad na een relatie met een man, voordat we doorhadden dat ... Nou ja, enfin ... Lizzi raakte zwanger na een coïtus interruptus en ik hoewel ik een pessarium had gebruikt én had geïrrigeerd! Wij zijn ultravruchtbaar.'

'Dan vind ik dat we nu alles moeten opdrinken wat er aan alcohol in huis is, aangezien jullie misschien meer dan negen maanden zonder zitten en wij een hele week', zei Erlend.

Eenmaal thuis, zo rond een uur of drie 's nachts toen hij en Krumme hun bed in tolden, fluisterde Erlend: 'Dat van die gracht, dat meen ik, Krumme.'

'Lieverd, kom hier ...'

'En krokodillen. Drie stuks zijn misschien wel voldoende, maar ik overweeg er vier te nemen.'

'Ik hou van je, Erlend. Je maakt me tot de gelukkigste man van de wereld, weet je dat wel?'

'Mmm. Je ruikt zo lekker ... Ja, dat weet ik. Dat is wederzijds. Toen ik dacht dat je niet tevreden was met mij en ons leven ... Niets was nog de moeite waard, Krumme. Ik legde niet eens mijn ziel en zaligheid in de etalages. Het was vreselijk.'

'Ik was zo trots op je vandaag, toen jij ja zei. Zo vol overtuiging. Dat gaf me zo'n ... gevoel van ... zekerheid. Snap je?'

'Het floepte er gewoon uit. Ik wílde het. Ik wíl het. Ik krijg korting op kinderkleren bij Benetton, heb ik dat al verteld? Ik herinner me dat ik vreselijk moest lachen toen Poulsen dat zei, en dat ik vroeg wat ik daarmee moest. Misschien was dat een teken. Het was op dezelfde dag dat jij werd aangereden.'

'Luister eens,' zei Krumme, 'als we nu eens een glasvitrine

aan de muur monteerden in de lengte van de kamer? Met licht en alles erop en eraan. Lekker hoog. Dat zou mooi zijn.'

Erlend deed zijn ogen dicht en zag het voor zich. Een rivier van licht die horizontaal langs de muur stroomde. Hij kon de thema's van de Swarovski-figuren naast elkaar uitwerken, ze zouden veel meer in het zicht staan als ze zich op ooghoogte bevonden, het zou fantastisch zijn. Ook met de nieuwe figuurtjes die met de post waren gekomen, onbeschadigd en perfect.

'Ik hou van je, Krumme.'

'Heb je die nieuwe figuurtjes al gekregen, die je had besteld?'

'Ja. En weet je ... ik heb een eenhoorn gekocht.'

'Dat weet ik, ik heb hem gezien.'

'Echt waar?' vroeg Erlend en hij richtte zich op op zijn elleboog, keek op Krummes overbekende gezicht neer. Hij zocht naar sporen van een aanklacht in Krummes ogen en fluisterde: 'Ik heb hem helemaal achteraan gezet. Sorry. Ik wilde alleen ...'

'Ik beschouw het als een liefdesverklaring', zei Krumme. 'Dat je niet zonder kon.'

'Nee, dat kan ik ook niet. Want die eenhoorn, dat ben jij.'

'Kom hier, poepie. Heel dicht bij me.'

'Veel dichterbij kan ik eigenlijk niet komen.'

'Doe dan tenminste het licht uit.'

Erlend zou al op het perron op hem staan wachten en dat betekende een ongelooflijke opluchting voor hem. Toen hij hier in Kopenhagen op het centraal station de trein naar Frederiksværk had genomen, was het een wirwar van mensen, geluiden en bewegingen geweest. Het was moeilijk om je te oriënteren als je werd rondgeduwd in een dergelijke drukte die je zintuigen tot barstens toe vulde.

'Daar ben je', zei Erlend en plotseling stond hij glimlachend voor hem. Ze gaven elkaar een hand.

Het was raar om Erlend te midden van al dat vreemde te zien en te weten dat hij in deze stad woonde en hier in vele opzichten thuishoorde. Bovendien was hij anders. Zijn haar was korter dan met Kerst en zwarter dan ooit, het was zelfs zo zwart dat er een blauwe gloed over lag. Zijn ogen leken donkerder dan op Neshov, hij moest ze hebben opgemaakt en zijn wimpers hebben gekleurd. Dergelijke dingen vielen Margido op, hij schminkte immers zelf gezichten en die moesten eerst grondig worden bestudeerd, in volle belichting op een witzijden kussen liggend. Maar Erlend was goed gekleed, verzorgd, zoals altijd, nooit in die schreeuwerig jeugdige kleding die mannen van rond de veertig zo vaak droegen. Dat viel Margido allemaal op, hoe moe hij ook was.

Hij was uitgeput op een manier die hij nooit eerder had gekend, en het verbaasde hem hoe anders en vreemd alles was hoewel hij niet verder van huis was dan Denemarken. Het eten smaakte al anders: de melk bij het ontbijt, het beleg, het brood, van die eenvoudige, kleine dingen waarvan je thuis als gegeven aannam dat ze altijd hetzelfde waren. Er werd bij alle maaltijden alcohol geserveerd, zelfs bij het ontbijt dronken ze een borrel. En dan al die bordjes in het Deens. Die had hij immers nog nooit eerder in het echt gezien, het viel hem op dat wat erop stond zo ouderwets aandeed, een beetje zoals het conservatieve Noors van vroeger en dat was het in zekere zin natuurlijk ook. De meeste indruk maakte echter de gesproken taal, van 's ochtends tot 's avonds overal om je heen Deens te horen. Ook al leek het veel op het Noors, het had een heel andere klank en daarmee een heel andere werkelijkheid. Hij had zich afgevraagd hoe een totaal andere cultuur op hem zou inwerken als de Deense al zo'n indruk maakte. Als hij naar ... Tunesië was gegaan, of China of Australië. Ondraaglijk overweldigend, nam hij aan.

'Het zou toch te gek zijn als ik in Kopenhagen was en niet bij jullie langsging', zei hij.

'En of. Wanneer gaat je vliegtuig?'

'Vijf voor negen vanavond. Direct naar Værnes.'

'Ja, van Trondheim ben je eigenlijk in een vloek en een zucht in Kopenhagen. Dus dan heb je nog een paar uur de tijd. Zullen we je bagage maar in een kluis doen en een kleine sightseeingtour maken voordat we naar ons toe gaan? De Kleine Zeemeermin en Amalienborg en zo? Tivoli is in deze tijd van het jaar gesloten.'

'Dat is heel aardig van je, Erlend, maar ik ben doodmoe, ik moet zo ongelooflijk veel indrukken verwerken. Ik voel er eigenlijk het meest voor in een lekkere luie stoel te zitten.'

'Dan doen we dat. Die zeemeermin wordt sowieso tamelijk overschat, ze is hartstikke klein en zit vol meeuwenpoep.'

'Dan moesten we maar een taxi nemen. Jij weet wel waar die staan, zeker?'

'Hier heet dat *taxa*, Margido. En we wonen op de Gråbrødretorv, dat is vlakbij. We nemen de benenwagen, het zou een beetje belachelijk zijn paardenkracht in te zetten voor dat kleine stukje. Zal ik je bagage nemen? Gek je hier te zien. Je bent wel de laatste die ik op bezoek had verwacht. Je stelt me steeds weer voor verrassingen, Margido.'

Hij wist niet wat hij daar op moest antwoorden, dus liet hij het er maar bij. Hij begreep waar Erlend op doelde met zijn 'steeds weer'. Als hij er maar niet over begon.

Het was guur en grijs buiten, een ijzige wind veegde laag over het asfalt. Zo was het die twee dagen in Frederiksværk ook geweest. Hij had zich ingebeeld dat het warmer zou zijn in Denemarken en toen bleek het tegendeel het geval: het was zelfs kouder dan in Trondheim. Ook in de trein had hij het koud gehad en hij was intussen verkleumd tot op zijn botten, maar hij wilde niet klagen. Hopelijk was het warm in de flat.

Erlend liep met grote stappen voorop, onaangedaan door het tumult om hem heen. Vlak bij de hoofduitgang stond een straatmuzikant met een gitaar en een mondharmonica, het was onbegrijpelijk dat hij in deze kou stil kon staan en muziek kon maken.

Ze liepen door Strøget, die Erlend dé winkelstraat van Kopenhagen noemde en hij wees hem de Rundetårn en de spits van de Trinitatis Kirke.

'De Drie-eenheid', zei Margido.

'Dat betekent het, hè? En wat hoor ik, jij bent naar een kistenbeurs geweest?'

'Er waren zowel stenen als kisten.'

'En, heb je aardig ingeslagen?' vroeg Erlend.

'Nee. Ze hadden wat computerspul, kant-en-klare drukwerkjes met foto's en tekst en in kleur. Maar ik heb geen verstand van computers. Voor kisten heb ik een vaste leverancier en alle stenen kopen we in Eide in Nord-Møre. Zoiets kun je niet zomaar veranderen.'

'Ze hadden zeker de laatste modesnufjes op het gebied van kisten, kan ik me zo voorstellen? Ingebouwde radio en tv en internetverbinding?'

'Niet bepaald, nee', antwoordde Margido.

Vanuit een open wagen rook het naar versgebakken waar, de grijze dampwolken van het frituurvet walmden op. Een jong meisje demonstreerde een wonderlijk stuk speelgoed aan een touwtje, dat ze te koop aanbood, ze zag blauw van de kou en had geen handschoenen of wanten aan; hij moest aan het meisje met de zwavelstokjes denken. Kopenhagen was een miljoenenstad, hij zou weleens willen weten hoeveel mensen daar een treurig lot beschoren was.

'Hoe is het eigenlijk om met de dood te werken, Margido? Dag in, dag uit?'

'Dat is ... fijn werk. Bevredigend. Mensen stellen op prijs wat je doet. En jij? Gaan de zaken goed? Heb jij een paar van deze etalages gedaan?'

Hij moest wel zo beleefd zijn ernaar te vragen. Maar alles wat hij zag, waren reeksen etalagepoppen in verschillende outfits en etalages volgestouwd met producten en prijskaartjes. Het zei hem niets en trok hem niet aan.

'Nee, hier niet. Saai gedoe. Zie jij iets waar je zin in krijgt?'

'Nee.'

'Precies. Omdat ze niet van mij zijn. Smakeloos en veel te vol.'

Er was een lift naar de flat, het leek wel zo'n lift in een hotel met aan drie kanten spiegels boven een leuning van brons. Erlend moest een code in een paneeltje intoetsen om hem in beweging te zetten.

'Mijn hemel, dat noem ik nog eens beveiliging', zei Margido.

'De hele bovenste etage is van ons en dan heb je liever niet dat er plotseling ongenode gasten voor je deur staan.'

'Jullie hebben een eigen lift?'

'Nou ja. Op weg naar boven komt hij ook langs de buren.'

Maar zelfs de lift en de beveiliging hadden hem niet kunnen voorbereiden op de flat zelf. Hij trok zijn schoenen uit, hoewel Erlend zei dat dat niet nodig was, en stapte op kousenvoeten door kamers zoals hij die alleen in films had gezien. Nog nooit was hij voor de verzorging van pasgestorvenen thuis in een dergelijk huis geweest. Het dichtstbij in Trondheim kwam Nedre Elvehavn waarschijnlijk, maar hij dacht niet dat daar iets vergelijkbaars te vinden was. Twee enorme hoekkamers, eentje met een glazen schuifpui naar een reusachtig dakterras, een open haard, luxueuze meubels van goudkleurig hout, glas en staal, grote vazen met lelies op de grond, moderne kunst aan de muren, een brede glasvitrine, verlicht en vol glazen figuurtjes, vloeren met tegels en terracotta en leisteen en parket. Hij wist dat Erlend en Krumme er warmpjes bij zaten, maar dit overtrof al zijn verwachtingen.

'Dit is nu niet bepaald Neshov', zei Margido.

'Nee, dat kun je wel stellen. Wil je koffie?'

'Ja, graag.'

Ook de keuken was enorm. In een van de kamers stond een lange eettafel met minstens tien stoelen en hier in de keuken stond een kleinere tafel met twee stoelen. Meterslange aanrechten van glanzend zwart gepolijst steen.

'Larvikit', zei Margido, opgelucht iets bekends tegen te komen en hij streek even over het koude oppervlak. 'Wordt veel voor grafstenen gebruikt.'

'Ja, zo heet het, geloof ik', zei Erlend terwijl hij op een knopje drukte en een klein zwart kopje onder een tuit zette. 'Ik maak een espresso, je ziet eruit alsof je dat kunt gebruiken. En ik heb wat Deense koffiebroodjes gekocht. Krumme komt zo thuis en zal voor ons koken.'

'Twee koelkasten?' vroeg Margido en hij staarde naar de dubbele kast van geborsteld staal met één deur van matglas.

'Ja, dat heb je wel nodig. Eén voor vast en één voor vloeibaar.'

'Maar jullie zijn toch maar met zijn tweeën?'

'We geven feestjes. En we hebben graag de keus. Kijk!' zei Erlend en hij deed de koelkast met de matglazen deur open. 'Champagne, witte wijn, sodawater, sapjes, spa, melk, slagroom, verschillende soorten azijn, slasauzen zonder olie, bier en Danskvand. Daar vul je een hele koelkast mee, toch?'

Margido ging behoedzaam op een van de stoelen zitten en keek toe hoe Erlend met zijn rug naar hem toe een kop thee voor zichzelf zette en een schaaltje met bruine suiker pakte. Hij haalde de koffiebroodjes uit een witpapieren zak en legde ze op een glazen schaal. Toen ontdekte Margido dat er onder het aanrecht twee afwasmachines naast elkaar stonden. En ze hadden ook twee ovens, boven elkaar, op ooghoogte.

'Jullie hebben alles dubbel', zei hij.

'Ja, dat zou kunnen!' zei Erlend lachend, zijn schouders schokten in de zwarte coltrui. Zijn schouderbladen staken duidelijk en spits door de stof heen. Zijn broer. Volkomen op zijn gemak te midden van al deze luxe. Daar raakte Margido bijna nog uitgeputter van dan hij al was, zonder dat hij precies begreep waarom. Het droeg er in elk geval toe bij dat hij er nu nog meer tegen opzag te zeggen wat hij had besloten te zeggen. Hij keek naar zijn sokken, plotseling opgelucht dat er geen gat in zat na al dat geloop. Hij verborg ze onder tafel, Erlend had een paar wollige sloffen aangetrokken. Hij probeerde zich te concentreren op de geur van de koffie, op het idee dat Erlend Deense koffiebroodjes voor hem had gekocht en waarschijnlijk vrij had genomen vanwege hem, dat hij welkom was.

'Twee afwasmachines is perfect', zei Erlend. 'Voor het dagelijks gebruik halen we de schone vaat uit de ene en zetten de vuile in de andere, en als we een feestje hebben is het ideaal met twee machines. De ene oven is voor aardappelen en groenten en dergelijke, de andere voor het hoofdgerecht: vlees, vis of gevogelte. Op die manier is alles tegelijk klaar.'

'Dit moet allemaal een vermogen kosten.'

'Krumme komt uit zo'n akelige rijkeluisfamilie in Klampenborg. Ik zie ze nooit, maar hij ontmoet ze zo nu en dan. Hij heeft een zooi geld geërfd toen zijn moeder overleed en als die vreselijke vader van hem het loodje legt, volgt er nog meer. Plus dat we goed verdienen natuurlijk.'

'Hm, hm.'

'We hebben deze flat acht jaar geleden voor twaalf miljoen kronen gekocht en er zes miljoen in gestoken om hem zo te krijgen als we hem wilden hebben. Alsjeblieft, tast toe', zei Erlend en hij zette de koffie voor hem neer.

Dankbaar nam hij een slok. De vloer was warm, hij drukte zijn voetzolen ertegen en sloot even zijn ogen.

'Moe?' vroeg Erlend.

'Ja. En op een heel andere manier dan wanneer ik thuis tot over mijn oren in het werk zit.'

'We nemen een taxi naar het vliegveld, ik kom met je mee, dus de rest van de reis loopt op rolletjes.'

'Dat hoeft niet. Maar het zou wel ... fijn zijn.'

'Je bent nog nooit eerder in het buitenland geweest, hè?'

Margido slaakte een zucht: 'Nee, dus het is een beetje veel. De reis en de taal en ...'

'Stenen en kisten.'

'Nou ja, daar ben ik aan gewend.'

Er viel een stilte. Hij dronk zijn kopje leeg, het was piepklein. Zonder dat hij erom vroeg, stond Erlend op en zette er nog een. Hij haalde adem, voelde op hetzelfde moment dat zijn hart begon te bonzen nu hij het besluit had genomen, en zei: 'Ik wil graag mijn excuses aanbieden, Erlend.'

'Waarvoor?'

Een duizelingwekkende seconde was Margido bang dat Erlend dacht dat hij excuses zou vragen voor het telefoongesprek op oudejaarsavond, hij had zich anders moeten uitdrukken. Hij haastte zich te zeggen: 'Voor de manier waarop je in onze familie bent behandeld. Ik heb er alle begrip voor als je verbitterd en boos bent op ... nu ja, op mij en Tor en ... moeder.'

Op dit punt had hij het gesprek graag achter de rug gehad, was het liefst ergens gaan liggen en had zijn ogen dichtgedaan in het besef dat het erop zat.

'Ik ben niet verbitterd', zei Erlend en hij zette weer een kopje koffie voor hem neer, keek hem aan. 'Dat ben ik niet. Ik was verdrietig en ik vond jullie zielig. Maar toen ik Neshov die keer verliet, was ik razend. Ik accepteerde niet dat er zo op me werd afgegeven. Razend en teleurgesteld en opstandig, maar niet verbitterd. En het ging niet alleen om jullie thuis op de boerderij, het ging om alles en iedereen. Heel ... heel Byneset, heel Trondheim. In twintig jaar is er waarschijnlijk heel wat veranderd, maar toen ...'

'Ja. Er is heel wat veranderd.'

'Toen jij met Oudjaar belde ...'

'Moeten we het daarover hebben?' vroeg Margido.

'Was je dronken?'

'Het zal niet meer voorkomen.'

Erlend begon luid te lachen met zijn mond open en zijn hoofd achterover. 'Ik wist het! Dat je dronken moest zijn om me "broertje" te noemen!'

Margido wilde zijn kopje naar zijn mond brengen om een

slok te nemen, maar hij voelde dat zijn handen trilden en liet het staan.

'Sorry, Margido, ik mag niet om je lachen, dat is niet netjes van me', zei Erlend.

'Krumme is een ... fijne vent', zei Margido. 'Dat zei dominee Fosse ook toen ik hem een paar weken geleden ontmoette. Dat jullie zo'n fijn stel waren ... leken.'

'Zei hij dat? En jij biedt je excuses aan? Terwijl jullie allebei gelovig zijn?'

'Ja, zo is dat.'

'En jij hebt ze gezien? Samen?' vroeg Erlend.

Nu dwong Margido zich het kopje met beide handen naar zijn mond te brengen. Hij had de smaak van koffie nodig, maar het zou hem eigenlijk niet moeten verbazen dat Erlend erover wilde praten. Hij zat hier niet op Neshov met Tor tegenover zich, die het gordijn optilde om op de thermometer te kijken als het gesprek te netelig werd.

'Wie? Je bedoelt ... moeder en ...'

'Ja', zei Erlend.

Hij bestudeerde de koelkasten weer, in de ene deur zat een gat met een knopje waarboven ICE CUBE AUTOMAT stond. 'Ja,' zei hij, 'ik heb ze gezien.'

'Dus jij hebt gezien dat moeder en grootvader Tallak ...'

'Ik kwam een keer wat vroeger uit school', zei Margido. 'Voelde me niet lekker.'

'Je kunt het je nauwelijks voorstellen. Dat het zo gemakkelijk is zo ... veel verborgen te houden.'

'Eigenlijk is het heel simpel', zei Margido en hij keek hem recht aan. 'Een familieboerderij moest in de familie blijven. En als de erfzoon enig kind is en niet van meisjes houdt ...'

'Dan regelt zijn vader het.'

'Ja.'

'Maar dan zou één keer genoeg zijn geweest, Margido. We zijn met zijn drieën.'

'Misschien zat er meer achter dan alleen wat nodig was voor de boerderij.'

'Dat ze van elkaar hielden, bedoel je?'

'Ik weet het niet', zei Margido. 'En nu zijn ze allebei dood. We zullen het nooit weten.'

'Ik probeer het me voor te stellen ... moeder en hij, jarenlang achter grootmoeders rug om, terwijl zij ziek boven op haar kamertje lag. Denk je dat ze iets heeft gemerkt?'

'Laten we hopen van niet.'

'Maar moeder en ... grootvader Tallak, hebben ze jou niet gezien? Hadden ze niet door dat jij het wist?'

'Nee. Maar ik heb het moeder verteld. Zeven jaar geleden. De laatste keer dat ik thuis was, tot nu ... met Kerst. Dat er toch grenzen waren aan hoe ze de oude man kon behandelen. Dat je medelijden met hem moest hebben zoals zij zich tegenover hem gedroeg. Het einde van het liedje was dat we verschrikkelijk ruzie kregen, ze was ziedend, zei dat ik het over dingen had waar ik absoluut geen verstand van had. Ik ben gewoon weggegaan, aangezien ze het er niet op een verstandige, rustige manier over wilde hebben.'

'Noemt Tor hem nog steeds "vader"?'

'Ik geloof het wel. Tor geeft er de voorkeur aan dat er zo veel mogelijk bij het oude blijft.'

'Ik hield zo veel van hem. Van grootvader Tallak.'

'Dat weet ik, Erlend', zei Margido en hij streek met een hand over zijn gezicht, drukte met zijn middelvinger en zijn duim tegen zijn ogen; het korte moment dat het donker werd lokte verleidelijk met rust.

'Het is allemaal zo lang geleden ... Heb je een toilet hier?' vroeg hij en hij stond op.

'Twee, natuurlijk!' zei Erlend. 'Eentje apart en één in de badkamer. Maar je hebt de badkamer nog niet gezien!'

Het eerste waar zijn oog op viel was het aquarium. Stom van verbazing liet hij Erlend de verschillende vissen aanwijzen. Een driehoekige badkuip ongeveer zo groot als zijn badkamer thuis, besloeg een hele hoek en in het staalgrijze porselein waren dicht op elkaar allemaal glanzende sproeiers gemonteerd. In de andere hoek was een douchecabine. Twee wasbakken verzonken in een glasplaat die ribbelig was aan de onderkant, groene planten en palmen waar spotjes op waren gericht, een witte leunstoel met wat kleren achteloos over de armleuning geslingerd. Een leunstoel! In de badkamer! Toen ontdekte hij hem, in de hoek: schuifdeuren van glas waarachter onmiskenbaar houten banken te zien waren.

'Hebben jullie een sauna?' vroeg hij.

'Ach, ja, de sauna. Die gebruiken we nooit. Daar komt alleen de hulp om de kachel en de banken af te stoffen.'

'Ik krijg binnenkort ook een sauna. Als ik thuiskom moet hij eigenlijk klaar zijn. Niet met een echte kachel, maar ...'

'Wij gaan liever in bad. Bijna elke dag, geloof ik. Ik wilde per se een sauna toen we het huis opknapten. Volkomen idioot aangezien we hem nooit gebruiken. Maar jij kunt toch best een rondje saunaën? Lekker ontspannen?'

'Nu ...?'

'Waarom niet? Ik zet de kachel aan, dan is het over een kwartiertje warm genoeg. En dan vul ik het emmertje met water. Een schone gastenochtendjas hebben we ook, dan kun je uitzweten na de douche voordat je je aankleedt. We eten toch pas over een uur of twee, dat is toch lekker? Wat ons betreft kun je in ochtendjas eten, dat doen we zelf vaak. En daar is de koelkast.'

Naast de leunstoel stond een piepkleine koelkast.

'Danskvand. Als je genoeg hebt van champagne. Pak wat je wilt.'

Hij vouwde zijn kleren netjes op en legde ze op de leunstoel met zijn horloge erbovenop. Het was zijn schone goed voor die dag, dat hij die ochtend had aangetrokken, verder had hij geen schone kleren bij zich. Hij rook aan zijn sokken, waste ze met zeep en legde ze vervolgens vlak op de verwarmde vloer. Er werd aan de deur geklopt, had hij hem wel op slot gedaan? Hij stond hier helemaal naakt.

'Ja?'

'Heb je zin in muziek?' klonk Erlends stem. 'Ik bedacht opeens dat we luidsprekers in de sauna hebben. Wat voor muziek past bij zweet volgens jou? Diana Ross?'

'Nee, dank je, Erlend, ik zit graag in de stilte. Maar hartelijk bedankt.'

Hij stapte de warmte binnen en deed de deur achter zich dicht. Hij schepte water op de kachel, klom naar de bovenste bank, ging zitten en sloot zijn ogen. Hij voelde onmiddellijk hoe het zweet hem uitbrak en uit zijn poriën liep. Hij deed zijn ogen open en staarde sloom door het glas, zijn blik viel op de witte ochtendjas die hij kon lenen, en op een grote zwart-grijs gestreepte badhanddoek. Hij deed zijn ogen weer dicht.

Toen hij de douchecabine binnenstapte, was hij duizelig. Hij had al een flesje Danskvand gedronken, dat eigenlijk gewoon spa was, maar misschien moest hij er nog wel een nemen. Hij liet een hele tijd ijskoud water over zijn lichaam stromen, daarna droogde hij zich grondig af en dweilde de voetafdrukken en de plasjes water op de vloer op. Als hij thuiskwam, kon hij dit elke dag doen. Alsof er een nieuw leven ging beginnen.

Er waren hier overal spiegels. Thuis had hij alleen die ene kleine boven het glasplaatje met zijn tandenborstel. Hij bleef staan kijken. Een corpulente man. Hoe kwam dat eigenlijk? Zo veel at hij niet. Maar hij had ook niet veel beweging. Hij streek met zijn hand over zijn buik, over zijn haar, draaide zich om, maar daar was nog een spiegel. Toen keek hij maar naar de vissen, die traag en doelloos om elkaar heen zwommen, bekeek het kolossale bad waar Erlend en Krumme altijd in gingen, en luisterde. Het was stil. De ochtendjas was zacht en dik, maar zou hij op zijn blote voeten door het huis wandelen? Gelukkig waren zijn sokken droog, hij trok ze aan, pakte nog een flesje Deense spa. En met het lege en het volle flesje in zijn handen deed hij de deur open. Hij was niet op slot. Nu hoorde hij ergens ver weg het geluid van klassieke muziek.

Zodra hij de keuken binnenkwam, draaide Krumme zich om. Terwijl hij zijn rechterhand aan een keukenhanddoek afdroogde kwam hij hem glimlachend tegemoet.

'Welkom, Margido. Was het lekker warm? Jammer dat je maar een paar uur kunt blijven.'

Hij gaf Krumme een hand en zei: 'Tja, ik moet naar huis. De plicht roept. Waar zal ik het lege flesje neerzetten?'

'Maakt niet uit. Ik maak lamsvlees in couscous, hou je daarvan?'

'Ik denk het wel. Hartelijk bedankt.'

'Wacht maar met bedanken tot je het hebt geproefd!' zei Krumme glimlachend.

'Waar is Erlend?'

'Hij zit te telefoneren in het kantoor, geloof ik.'

'Hier in huis?'

'Jazeker. Heb je trek in een glas rode wijn voor het eten?'

'Nee, dank je. Ik drink niet.'

'Wij ook niet', zei Krumme en hij wendde zich lachend weer tot de pannen op de kookplaat. Daar hadden ze er in elk geval maar één van, zij het dat het een gaskookplaat was met opzij iets wat op een barbecue leek. Toen hoorde hij opeens wat Krumme had gezegd.

'Jullie drinken toch alcohol?' vroeg hij.

'Op het moment niet', zei Krumme. 'Dit is water. Proost!'

Margido hield het flesje met Deense spa omhoog, ze dronken. Hij wilde niet verder vragen. Krumme wilde het over Byneset hebben en vertelde dat Tor hem had uitgenodigd van de zomer terug te komen, had gezegd dat het daar dan zo mooi was.

'Dat is het op Byneslandet altijd,' zei Margido, 'maar 's zomers extra. Dan ziet het er overal zo netjes uit. De gebouwen op Neshov zijn nu niet bepaald representatief, maar de boerderij is ontzettend mooi gelegen. Qua uitzicht en zo.'

'Het enige wat nodig is, is een fikse opknapbeurt', zei Krumme. 'Hoe zit het eigenlijk met de velden eromheen? Wat verbouwt je broer daar?'

'Die heeft Trøndergraan, het graanbedrijf, in beheer. Dus daar wordt graan op verbouwd. Trøndergraan zaait en dorst, Tor bemest het land alleen en verzamelt het stro, voor de varkens. En hij krijgt het hele jaar door korting op het voer. Niet zo veel als de boeren die alles zelf doen en kant-en-klaar gedorst graan leveren, maar het is toch een aardig bedrag.'

'Klinkt niet slecht.'

'Enige oplossing, voor Tor in ieder geval', zei Margido. 'Nadat hij met melkkoeien is gestopt.'

'Je hebt er verstand van, Margido.'

'Dat krijg je als je van een boerderij komt. De laatste jaren ben ik er niet veel geweest, maar Tor heeft me van het meeste op de hoogte gebracht.'

'Erlend weet niet zo veel over graan en melkkoeien!' zei Krumme en hij moest zo lachen dat zijn buik ervan schudde. 'Maar hij heeft me alles verteld over vissen met een stelnet. Daar was hij expert in, geloof ik!'

'Ja, daar was hij gek van. Dat herinner ik me nog goed.'

'Neshov te midden van gele korenvelden dus. Zo ziet het er

’s zomers uit. Dat klinkt bijna als op een Deense boerderij’, zei Krumme en hij strooide iets wat op gele sagokorreltjes leek over de gebakken lamskoteletten en zette de schaal in een van de ovens.

‘Maar het is niet zo vlak als hier. Ik heb op weg van en naar Frederiksværk wat Deens boerenland gezien.’

‘Ja, vertel eens over de laatste mode op het gebied van doodskisten’, zei Krumme.

Margido hoorde dat hij niet spotte, maar echt geïnteresseerd leek, dus vertelde hij iets over het laatste nieuws, hoe je mooie decoraties kreeg met materiaal dat recyclebaar moest zijn en hoe de metalen onderdelen uit de kisten werden verwijderd voordat die de aarde in gingen. Het laatste snufje waren foto’s van gestorvenen op grafmonumenten in materiaal geëtst dat niet verbleekte in zon of regen.

‘Misschien interessant om er eens een artikel over te plaatsen’, zei Krumme. ‘Hier krijgt immers iedereen mee te maken, vroeg of laat.’

‘Ik geloof zeker dat de mensen zoiets lezen’, zei Margido. ‘Wij mogen niet veel informatie verstrekken, niet voor daarom wordt gevraagd.’

Toen ze later, nadat hij zich had aangekleed, aan het uiteinde van de eettafel in de kamer zaten, kon hij zijn vraag niet verbijten: ‘Ben je gestopt met drinken, Erlend?’

Erlend wierp hem een snelle blik toe, bijna geschrokken, toen zei hij: ‘Gestopt? Nee, dat is overdreven.’

‘We doen een … kuurtje’, zei Krumme. ‘Dat is de reden.’

‘Waarom moest je daar nu over beginnen?’ vroeg Erlend en hij keek Krumme aan.

‘Zijn jullie ziek?’ vroeg Margido en hij moest onmiddellijk aan hiv en aids denken.

‘Nee, absoluut niet’, zei Krumme. ‘We hebben een griepprik

gehad, de griep gaat rond hier. En de eerste drie dagen na de prik mag je geen alcohol drinken.'

'Zo zit dat', zei Erlend.

In het vliegtuig op weg naar huis moest hij aan de maaltijd denken en aan de woorden die tijdens het eten waren gevallen. Een kuurtje. En het volgende moment was het een prik. Er was iets niet in de haak, iets wat niet helemaal ... klopte.

Stel dat Erlend doodziek werd, net nu ze elkaar hadden teruggevonden ... Nou ja, dat klopte natuurlijk niet helemaal, maar er waren een paar minuscule stapjes in de juiste richting gezet. En eigenlijk wekte het niet de indruk alsof ze met één voet in het graf stonden, ze leken opgewekt, bijna euforisch, gedroegen zich niet als mensen met het zwaard van Damocles boven hun hoofd.

Als toetje hadden ze Erlends zelfgebakken kwarktaart gehad, hij met een espresso en Erlend en Krumme met een kopje thee, terwijl de open haard brandde en Erlend muziek opzette en heen en weer vloog. Krumme beweerde dat hij onthoudingsverschijnselen had, dat hij daarom zo rusteloos was. Onthoudingsverschijnselen waarvan? Zo afhankelijk was Erlend toch niet van alcohol? Hij kon zich er niet toe zetten het te vragen toen ze samen in de taxi, of taxa, naar Kastrup zaten. Plotseling was hij bang geweest voor het antwoord.

Het rook nog steeds naar ontlasting in de gang, hoewel het intussen al meer dan twee weken geleden was dat ze was gekomen. Waarschijnlijk zat er nog een restje onder de plinten. Ze had er al verschillende keren water tegenaan geplensd, maar dat had niet geholpen. Ze droeg de plastic tassen vol boodschappen uit de supermarkt de keuken in en legde de krant voor haar vader neer, die aan de keukentafel zat te wachten.

'Wat een weer', zei hij.

'Ja, gadsie, ik moest de ruitenwissers op zijn snelst zetten toen ik naar huis reed, en ik reed hartstikke langzaam.'

Door de striemende regen was het hele erf in een modderpoel veranderd, de velden lagen er zwart bij en stonden haast blank, de bomen waren net zwarte strepen tegen de grauwe hemel. Het was bijna midden maart en de regen had een paar dagen met stralende zon verdreven, die heel eventjes het idee hadden gegeven dat het voorjaar was.

'Nog vorst in de grond. 't Water kan niet weg. Daardoor is het zo'n modderzooi.'

Zijn stem klonk hard. Hij praatte eigenlijk alleen als er iets negatiefs was waar hij op kon focussen.

Dat ze er niet gewoon vandoor ging. Haar spullen in de auto pakte en wegreed. Marit belde om te vragen of ze zich weer ziek wilde melden en weer om de dag wilde komen. Maar het was alsof ze vastzat. Ze was bijna dagelijks van plan haar vader met zijn gedrag te confronteren en te zeggen dat ze vertrok, maar ze liet de ene dag na de andere voorbijgaan. Dat had ook iets met sleur te maken, dat ze daarin gevangen zat, daarin kon vluchten, geen gedachte aan haar eigen situatie hoefde te besteden. Ze begon te begrijpen hoe de mensen op deze boerderij al die jaren hadden geleefd, hoe de dagelijkse monotonie de rest van de wereld onbelangrijk had gemaakt. De dag werd bepaald door de beesten in de stal, door de tijd, welk programma er op radio of tv was, of de post te laat was, of het regende of niet. Gelukkig had het niet gesneeuwd sinds zij er was, ze kon niet met de trekker overweg en Kai Roger weigerde hem te gebruiken aangezien hij niet veilig was. In dat geval was het verboden om ermee te rijden, zei hij, als er iets gebeurde, kreeg je niets terug van de verzekering. Dat betekende natuurlijk dat haar vader extra moest betalen om het voer te laten bezorgen, iets waarover hij zich hevig beklaagde. En niet alleen daarover. Hij wond zich over alles op: de boekhouding waarop hij elke avond zat te ploeteren, zijn belastingaangifte die voor 31 maart moest worden ingeleverd, Eidsmo die lichtere en jongere varkens verlangden omdat er een landelijke overproductie was, de rekeningen van de ongediertebestrijding naast alle gebruikelijke rekeningen die in deze tijd van het jaar kwamen, nieuwe IKB-voorschriften, wie nu de velden moest bemesten. Er was niets waar hij niet over klaagde, behalve het eten dat ze hem voorzette. Dat was altijd goed, wat het ook was. Daar moest ze het dus maar mee doen.

Over een dag of veertien mocht het verband eraf. Hij had gedacht dat hij dan meteen weer de oude zou zijn. Tot de dokter die de laatste keer het verband had gewisseld, had gezegd dat hij naar de fysiotherapeut moest om zijn been weer te trainen, de spieren waren sterk verzwakt. Haar vader had gevloekt waar de dokter bij was en gezegd dat alles in orde was als hij zijn knie maar weer kon buigen, maar de dokter had hem verteld dat dat helaas een hele tijd moeilijk zou zijn, dat was juist wat hij moest oefenen.

Ze had geleerd zich af te sluiten voor zijn gepraat, het als een woordenstroom te beschouwen die haar niets aanging. Als dat haar bleef lukken, zou ze blijven tot hij weer kon lopen en dan vertrekken, met het zuiverste geweten ter wereld omdat ze het had volgehouden.

Maar ze verheugde zich er niet op weer thuis te komen. Haar moeder was zwaar beledigd en belde voortdurend om haar met beschuldigingen en aanklachten te overladen. Ze zou het huis verkopen en een 'klereflat' kopen, zoals ze het zelf uitdrukte, dan kon iedereen het dak op. Ze begreep niet dat de straf die ze haar ex-man en haar dochter had toebedacht, haarzelf het hardst zou treffen. Ze was verbitterd.

Net als haar vader. Torunn probeerde goedgehumeurd en gezellig te zijn. Het hielp niets. Ze probeerde het met zwijgen en afstandelijkheid. Ook dat hielp niet. Ze probeerde het met ja-knikken. Dat hielp een beetje, maar het lag haar niet, ze kon het er niet mee eens zijn dat niets deugde, dat die stadsmensen op het belastingkantoor idioten waren, niet op de hoogte van het boerenleven van alledag, dat er alleen maar bureaufascisten bij het ministerie van Landbouw werkten en dat Kai Roger een verdomde schijtluis was die niet met zijn goede trekker wilde rijden alleen omdat het chassis vanwege de roest niet helemaal meer volgens voorschrift vastzat.

Ze mocht Kai Roger wel. Hij had haar geholpen en emmers warm water gehaald uit het washok in de stal, die dag dat ze aankwam en het zo'n verschrikkelijke chaos was. Toen ze Oslo ontvlucht was en de hele weg tot Hamar had gehuild, had ze zich voorgesteld hoe dolgelukkig en opgelucht haar vader zou zijn als ze kwam. Maar daar lag hij ... Waarschijnlijk zou hij haar nooit vergeven dat ze hem zo had gezien. Ze had Marit overgehaald alles uit handen te laten vallen en te komen. Het had iets minder dan een half uur geduurd en in de tussentijd had zij buiten op het erf staan roken, terwijl het binnen doodstil was. Hij lag daar maar in die smurrie te wachten. Marit reageerde onbewogen, deed gewoon de buitendeur dicht en hielp haar vader met veel moeite naar de keuken. Toen kwam ze terug, begroette Torunn en vroeg of ze in staat was de vloer schoon te maken. Ze zou het proberen, had Torunn geantwoord.

Op dat moment reed de terreinwagen het erf op. Toen ze hem zag, verloor ze even haar evenwicht en greep ze Marit hardhandig bij haar arm, tot ze ontdekte dat hij donkerder van kleur was dan die van Christer: het was de invaller. Ze was gedwongen hem te vertellen dat het chemisch toilet was omgevallen, de stank dreef al over het erf, maar ze vertelde niet dat haar vader ermiddenin had gelegen. Later liet haar vader haar zweren dat noch Margido, noch Erlend dit ooit te weten zou komen, en daar was ze het mee eens. Waarschijnlijk had hij Marit een vergelijkbare belofte afgedwongen.

Ze had met een bezem het ergste bij elkaar weten te vegen, rubberhandschoenen gevonden en eerst een groot pak wc-papier gebruikt, voordat ze met een dweil aan de gang ging. Ze moest twee keer naar de hoek van het huis om over te geven. Kai Roger bracht water. Ze waagde het niet door het keukenraam naar binnen te kijken, maar toen Marit naar boven ging om schone kleren te halen, kon Torunn even een paar woorden met haar wisselen. Ook het verband van haar vader was vies geworden, vertelde Marit. Gelukkig alleen de buitenste lagen, maar het moest wel gewisseld worden. Dus toen de vloer er schoon uitzag en het chemisch toilet in de stal was uitgespoeld en weer op zijn plaats was gezet, moest Torunn naar Trondheim om een apotheek te zoeken, terwijl Kai Roger in de stal begon.

Toen haar vader met een pijnstiller op het veldbed in de kamer was geïnstalleerd, was ze zo moe dat ze trilde. Ze liep met

Marit mee naar de auto, waar ze een hele tijd bleven staan praten. Torunn vertelde dat ze een poosje zou blijven, dat ze kon schoonmaken en koken en boodschappen kon doen, hen kon verzorgen. Misschien had ze te veel beloofd, maar uit dankbaarheid omdat die vrouw op stel en sprong was gekomen en de situatie had gered, was ze overdreven genereus geweest.

'Ik heb Deense koffiebroodjes gekocht', zei ze nu en ze pakte een schaal en zette die voor hem neer.

'Aha.'

'De koffie is vast nog warm. Gereedschap en zo, vind ik dat in de houtschuur?'

'Hoezo?'

'Ik moet iets aan de plinten in de gang doen.'

'Al het gereedschap ligt in de houtschuur, ja', zei hij en hij pakte de krant en hield hem met uitgestrekte armen voor zich. Hij had een bril nodig, maar hij wilde niets van de opticien weten, dat was te duur vond hij. Ze moest maar een goedkope bril kopen en proberen of die voldeed.

Ze hoefde niet bang te zijn ratten in de schuur tegen te komen. De ongediertebestrijding was grondig te werk gegaan, ze waren verscheidene dagen bezig geweest en stuurden een rekening van meer dan elfduizend kronen. Zelfs de opluchting over het feit zo'n gigantisch probleem kwijt te zijn, had haar vaders woede over de rekening niet kunnen temperen. Na een hele poos zijn gal te hebben gespuwd, was hij met zijn rollator over het erf naar de stal gestrompeld. Toen hij terugkwam, was hij wat gekalmeerd en naar bed gegaan.

Ze wilde het graag met hem over de varkens hebben, vertellen wat ze deden en wat er zoal in de stal gebeurde, maar hij luisterde zonder te antwoorden. Ze vroeg of hij ze miste, maar ook daar gaf hij geen antwoord op. En hij was boos op Margido omdat hij haar over de ratten had verteld. Dat had hij begrepen uit het feit dat ze niet verrast was toen de ongediertebestrijding het erf op reed, de dag nadat ze was gekomen. Hij vroeg of Margido misschien meteen maar een algemene aankondiging bij de supermarkt had opgehangen, zodat ook werkelijk niemand in Spongdal eraan hoefde te twijfelen wat er binnen de stalmuren op Neshov huisde.

Ze vond een breekijzer en een hamer, maar ze moest lang zoeken voor ze spijkers voor de plinten vond, spijkers met een kopje. Toen ze terugkwam in de gang en alles wat op de grond stond begon weg te halen, hield ze haar modderige laarzen aan. Ze herinnerde zich waar de smurrie heen was gestroomd en ze was blij dat ze de grote kist niet hoefde weg te slepen, zo ver was het niet gekomen. Het lukte haar de eerste plint los te halen en jawel, langs de muur kwam een vochtig bruine rand tevoorschijn. Ze pakte een emmer en schoonmaakmiddel en trok haar laarzen uit voordat ze naar de keuken ging om water te halen.

'Wat doe je?'

'De gang schoonmaken.'

'Die moet nu toch weleens schoon zijn.'

Misschien was hij gehard door de geuren uit de varkensstal. Toen kwam haar grootvader de trap af. Die bleef de laatste tijd ook overdag grotendeels boven op zijn kamer.

'Prima,' zei hij, 'het stonk zo.'

'Nu wordt het schoon', zei ze. 'Er zijn Deense koffiebroodjes in de keuken. En warme koffie.'

'Dank je wel', zei hij en hij stapte voorzichtig over de losse plinten, die met de spijkers naar boven lagen.

Met zijn hand op de klink vroeg hij: 'Kun jij mijn haar knippen?'

Ze richtte zich op: 'Je haar knippen?'

'Dat deed Anna altijd. Dat van Tor ook. In de keuken. We

hebben er een speciale schaar voor en zo.'

'Ik moet maar eens zien of ik ...'

Hij wachtte haar antwoord verder niet af, maar stapte de keuken binnen en deed de deur achter zich dicht. Ze had er niet aan gedacht, maar het was waar: hun haar hing een heel stuk over hun kraag. Ze trok de rubberhandschoenen uit, haalde haar pakje sigaretten uit de zak van haar regenjas en ging het halletje in. De regen striemde in de modder, elke druppel vormde een klein putje, waarna de modder glad trok tot er weer een nieuwe druppel op viel. Het geraas op de daken en in de bomen leek net een motor die op volle toeren liep. Aan de andere kant had het iets rustgevends, ze hield van regen. Maar regen in een stad, op asfalt en op de daken van auto's, was iets heel anders dan dit. Zodra de vorst uit de grond was, moesten de velden worden bemest. En als haar vader dat zelf niet kon, moest Kai Roger een trekker lenen en het voor hem doen. Zij fungeerde als buffer tussen haar vader en Kai Roger, als ze direct met elkaar te maken zouden krijgen, zou het niet van lange duur zijn, dat zou niet gaan. En wie moest er dan voor de varkens zorgen? Had hij daar maar niet zo gelegen toen ze kwam, zo van al zijn waardigheid beroofd.

Plotseling begon ze te huilen. Ze huilde en inhaleerde en hoestte tegelijk, de snottebellen dropen op het filter van haar sigaret, maar in het lawaai van de regen kon niemand haar binnen horen. Met wie zou ze eens kunnen praten? Met Margido? Nee, hij kon sowieso niets doen aangezien Tor boos op hem was omdat hij dat van die ratten had verteld. Haar vader had eens moeten weten dat ze ook op de hoogte waren van alle lege flessen. Met Erlend misschien, maar wat kon hij uitrichten? Hij zou haar alleen maar voorstellen naar Kopenhagen te komen. Te vluchten. Hij had mooi praten.

In de stal maakte zij de hokken schoon, terwijl Kai Roger de beesten voerde. Ze hadden samen hun routine gevonden en de varkens waren aan hen gewend geraakt. Kai Roger was invaller op nog twee andere boerderijen waar ze ook varkens hielden, maar op veel grotere schaal.

'Als mijn vader de velden niet zelf kan bemesten, zou jij dan een trekker kunnen lenen?'

'Dat moet wel lukken. En zo niet, dan kan Trøndergraan misschien iets regelen. Jij zou een invallerscursus moeten volgen en je zou zelf kunnen leren met een trekker te rijden. Je bent verdorie een waar natuurtalent als boer!'

Ze glimlachte: 'Bedankt voor het compliment, maar ik denk het niet.'

'Weet je al hoelang je blijft? Of heb je nog geen besluit genomen?'

'Nee.'

Eigenlijk had ze met Kai Roger niet over het onderwerp willen beginnen, maar in haar neerslachtigheid vroeg ze: 'Levert deze boerderij eigenlijk voldoende op?'

'Niet zoals je vader bezig is. Niet als je een normaal leven wilt leiden. Financieel, bedoel ik. Dit is het stenen tijdperk. Gebeurt niet vaak dat je dynamietkisten ziet die tot biggenkist zijn omgebouwd …'

'Arme stakker. Hij doet zo zijn best om geld te sparen. Nu hebben ze ook de AOW van mijn grootmoeder niet meer, alleen die van mijn grootvader. En ik betaal al het eten.'

Ze leunde met haar handen op de bezemsteel en liet haar kin erop rusten, bekeek een groepje biggen dat knorrend en snuivend in het stro en het turfstrooisel rommelde, terwijl hun staartjes als kleine gardes roteerden.

Kai Roger duwde de kruiwagen met voer een hok verder.

'Jij bent de volgende', zei hij.

'Zeg dat niet. Ik moet er niet aan denken.'

'Maar je bent de enige. Je hebt toch verteld dat de broers van je vader geen kinderen hebben en dat jij enig kind bent.'

'Het zit een beetje gecompliceerder in elkaar.'

'Het is zo simpel als wat. Je bent de enige.'

'Ik heb mijn eigen leven. In Oslo.'

'Daar ziet het niet echt naar uit.'

'Mijn vader kan nog jaren doorgaan.'

'En daarna?'

'Nu hebben we het over iets anders', zei ze.

'Kom een keer mee pizza eten in Heimdal na het werk in de stal.'

'Vraag je me mee uit?' vroeg ze en ze lachte even, begon energiek de middengang weer te vegen.

'Ja.'

'Terwijl ik hier in een gore overall rondloop en het gevoel heb alsof ik ben uitgekauwd en weer uitgekwat?'

'Precies.'

'Ik ben geen prettig gezelschap op dit moment. Voor niemand.'

'Je moet er eens uit, weg van de boerderij', zei hij.

'Ik doe boodschappen. Haal af en toe wat in de stad.'

'Je weet best wat ik bedoel, Torunn.'

'Ik heb een fles cognac op mijn kamer, en een melkglas. Ik drink af en toe een glas cognac en zit wat te roken, terwijl ik over de Korsfjord uitkijk. En ik lees veel. Op dit moment lees ik een boek over die Engelse dierenarts, James Herriot, ken je dat?'

'Ik geloof 't wel. Maar dat kun je allemaal blijven doen ook al ga je een pizza met me eten.'

'We zullen zien.'

Toen ze binnenkwam om te douchen, zat haar vader in zijn kantoortje. Hij moest scheef op zijn stoel zitten zodat hij zijn been gestrekt kon houden. Ze ging in de deuropening staan en keek naar hem, bedacht dat ze graag meer medelijden met hem zou hebben. Hij keek op, hun blikken kruisten elkaar even, toen sloeg hij zijn ogen weer neer. Ze miste hem, miste wie hij was geweest, die superieure varkensboer die elke gedachte in elke varkenskop kende en die hard moest lachen om cavia's die geopereerd werden en mensen die fretjes als huisdier hielden.

'Lukt het met de belastingopgave?' vroeg ze.

'Nee.'

'Wil je weten hoe het in de stal was?'

'Nee. Niet als alles in orde is.'

'Nou, dat is het', zei ze. 'In orde. Ik ga boven liggen lezen nadat ik heb gedoucht. Is er iets waar ik je eerst mee kan helpen?'

'Nee.'

'Heb je niets nodig uit je kamer boven?'

'Wat zou dat moeten zijn?' vroeg hij.

Ze kreeg zin om te vragen of hij niet iets te lezen miste, iets uit het laatje van zijn nachtkastje bijvoorbeeld, maar ze keek hem aan en liet het erbij.

'Nee, geen idee. Welterusten.'

Ze zat op haar bed naar het witte vierkant in het behang te staren waar David Bowie had gehangen. De regen sloeg tegen de ruiten. Ze goot een beetje cognac in het Duralex-glas, nam een slok. Ze moest eraan denken een radio te kopen voor hierboven, om het een beetje gezelliger te maken. En morgen zou ze beginnen met het opruimen van de houtschuur, het gereedschap netjes op orde brengen. Dit ging lukken. Als zijn been maar beter werd, dan werd alles beter.

'Deze misschien', zei hij terwijl hij de krant voor zich hield.

'Dat is plus anderhalf. Zo zie je veel beter, toch?'

'Had er nu maar iets interessants in de krant gestaan. Maar waarom heb je er zo veel gehaald? Geld over de balk smijten voor dingen die we niet kunnen gebruiken.'

Ze had een zak vol brillen gekocht, wel vijf stuks. Zei dat ze nog geen honderd kronen kostten. Maar hoe dan ook, het was toch bijna vijfhonderd kronen.

'Die jullie niet kunnen gebruiken breng ik natuurlijk terug.'

Ze liep naar de kamer met een paar brillen voor zijn vader. Hij probeerde de ene na de andere en liet er eentje op de grond vallen voor hij tevreden was.

Ze had ook weer Deense koffiebroodjes gekocht, dag in dag uit kocht ze Deense koffiebroodjes; hij kreeg er een beetje genoeg van, ook al was het luxe. Hij miste de haverkoekjes van zijn moeder, maar alle trommels waren leeg.

Hij keek in de krant, kon eigenlijk best goed lezen met die bril.

'Dank je', zei hij toen ze terugkwam en drie brillen terug in de zak stopte.

'Dan zal ik nu voor kapper spelen', zei ze glimlachend.

'Voor kapper? Waarom dat?'

'Jullie zien er allebei uit als langharige hippies!'

Ze knipte een lege plastic tas tot een passende omslagdoek en legde die om zijn schouders. Toen begon ze te knippen dat het een lieve lust was, met de schaar die zijn moeder daarvoor had gereserveerd, die extra scherp was.

'Lang geleden dat je het hebt gewassen', zei ze. 'Vast niet meer sinds dat met je been is gebeurd. Dit is echt overjarig!'

'Ik gebruik een washandje', zei hij. Waarom klonk haar stem zo opgewekt, wat voor reden had ze om zo opgewekt te zijn? De regen viel in stromen neer, de boerderij lag daar maar, en hier zat hij.

'Je haar met een washandje? We zullen het zo meteen wassen. Ik doe het wel.'

Vorige week had ze de houtschuur opgeruimd zonder het hem eerst te vragen, kwam gewoon de keuken binnen en zei dat het was gebeurd. Hij zou er wel niets meer kunnen vinden. En plotseling op een dag keek hij door het keukenraam en viel zijn oog op haar: ze stond op een ladder en was bezig met een bezemsteel verrot loof uit de dakgoten te schuiven. Dat had ze hem toch eerst kunnen zeggen, dat de regenpijpen verstopt zaten, dan had hij kunnen zeggen dat de dakgoten waarschijnlijk vol oud loof zaten en kunnen vragen of zij de moeite wilde nemen ze schoon te maken, dat ging uitstekend met een bezemsteel. En nu hing hij met zijn nek achterover in de gootsteen terwijl zij met zijn hoofd in de weer was. Hij voelde zich net een idioot. Ze spoelde zijn haar uit en begon het met een handdoek droog te wrijven.

'Dat doe ik zelf', zei hij en hij trok haar de handdoek uit handen.

'Vergeet je oren niet', zei ze.

'Ik ben zesenvijftig jaar, ik denk heus wel aan mijn oren.'

Daarna onderging zijn vader dezelfde behandeling. Zelf pakte hij de rollator en duwde die voor zich uit het kantoortje binnen om niet te hoeven toekijken. Zijn vader verheugde zich erop, zag hij, hij glimlachte toen hij op de stoel midden in de keuken ging zitten en de bewuste plastic tas om zijn schouders kreeg.

Tor deed allebei de deuren achter zich dicht en belde Arne van Trøndergraan. Arne vroeg dadelijk hoe het met zijn been ging.

'Het schiet niet op. Dacht dat ik 1 april weer in orde zou zijn, dan krijg ik nieuwe tomen. Maar ze zeggen dat het nog een hele tijd stijf blijft. Heeft geen zin zonder hulp. Verdomde zooi.'

Nee, boeren konden niet lang ziek blijven, dat wist iedereen, zei Arne. Maar hij bofte dat hij Kai Roger als invaller had, hij was een goeie en je kon op hem vertrouwen, en wat een geluk dat zijn dochter was komen helpen. Op dat laatste gaf hij geen antwoord, maar hij bestelde de hoeveelheid voer die volgens Torunn en Kai Roger nodig was.

'Moet bezorgd worden. Die Kai Roger wil verdomme mijn trekker niet gebruiken. Zo'n flauwekul.'

Dat vond Arne niet zo vreemd, hij had het ding gezien, zei hij grinnikend.

'Trouwens, nu ik eraan denk ... Ga jij binnenkort nog de stad in?'

Hij zou later die dag naar City Syd gaan en daar kon hij wel even een slijterij binnenwippen, wat wilde hij hebben?

'Twee halve aquavit. Maar de rest hier ... Ik wil niet dat die het zien. Kun je ze niet naar mijn kantoortje brengen? Je kunt meteen de rekening voor het voer van vorig jaar wel meenemen, dan spaar je de porto.'

Die was allang verstuurd.

'Ja, ja, dan zal hij hier wel ergens op deze stapel liggen.'

Maar Arne kon best even naar het kantoortje komen, dat was geen probleem, dat zou hij wel klaarspelen, niet iedereen op deze wereld hoefde alles te weten.

'Nee, dat is een ding dat zeker is!'

Diezelfde avond ging de tv kapot. Torunn was in de stal. Zijn vader drukte en drukte, maar er gebeurde niets.

'Wel SODEJU!'

'Het is niet mijn schuld', zei zijn vader.

'Jij zit verdorie aan één stuk door tv te kijken! Je hebt hem helemaal versleten. Ik wilde alleen het nieuws zien en dat programma daarna!'

'Dat natuurprogramma', zei zijn vader en hij bleef drukken, maar het scherm bleef donkergroen en dood.

'Verdomme ...'

Tor trok zichzelf aan zijn rollator overeind en hompelde naar het toestel. Er stond een dode kamerplant op met een wit gehaakt kleedje eronder. Hij had zowel Marit Bonseth als Torunn verboden die plant weg te gooien, maar nu rukte hij hem met kleedje en al weg, slingerde alles gewoon op de grond zodat de droge klompen aarde alle kanten op rolden, en gaf met zijn vuist een harde klap op het apparaat, terwijl hij zich met zijn andere hand goed aan de rollator vasthield.

'Probeer nog eens!' zei hij.

Zijn vader stond helemaal voorovergebogen en drukte steeds weer aan en uit. Zijn pasgeknipte en gewassen haar lag als luchtig dons op zijn kale kruin.

'Nee', zei hij. 'Niets.'

Tor gaf nog een klap, zo hard dat het in het toestel galmde. Zijn vader drukte, ze wachtten af, er gebeurde niets.

'Veertien jaar oud', zei zijn vader.

'Dan is het voorbij met tv hier in huis', zei Tor.

'Nee!'

'Nee? Heb jij geld voor een nieuwe?'

'Ik heb toch mijn AOW.'

'Nee, die heb je niet, die heeft de boerderij en dat weet je best. Dat geld is al besteed voordat het er is.'

'Misschien kan Torunn ...'

'Neem verdomme vooral nergens zelf de verantwoording voor, hoor.'

Toen Torunn over het erf kwam aanlopen en de invaller die belachelijk grote auto van hem startte en de oprijlaan af reed, zaten ze met de radio op volle sterkte, hijzelf in de keuken en zijn vader in de kamer. Torunn kwam niet meteen de keuken binnen, maar ging eerst naar boven om te douchen. Waar was ze bang voor? Elke keer als ze in de stal was geweest weer douchen, ze had toch een overall aan en laarzen? Alsof er iets mis was met de geur van goede, gezonde varkens.

De varkens. Als zij hem niet eens meer nodig hadden, wat bleef er dan nog over? Hij kon er niet tegen haar over ze te horen praten, voelde hoe het pijnlijk in hem knaagde als ze over ze sprak alsof zij ze beter kende dan hij, alsof ze van haar waren. Als het zo zat, moest ze het maar overnemen. Alles overnemen. Dat zou hij haar verdorie zeggen. Hij trok de krant van die dag naar zich toe en ontdekte op hetzelfde moment dat de Coöp-kalender nog steeds op februari stond: het was een zootje. En zo godvergeten als die wond jeukte onder al die lagen verband. Niet zo dik als in het begin, maar je kon er onmogelijk bij. Dat jeuk erger kon zijn dan pijn, dat had hij van zijn levensdagen nog niet meegemaakt. Hij zette zijn bril op en begon te lezen zonder dat er een woord tot hem doordrong. Op de radio was een nieuw programma begonnen met hopeloze muziek.

'Zoek eens een ander station!' riep hij naar de kamerdeur, maar zijn vader luisterde niet. Tor zag in de deuropening nog net zijn knieën en zijn ellebogen, hoog opgetrokken zodat hij wist dat zijn vader een boek in zijn handen hield. Hij moest toch snappen dat het voor hem gemakkelijker was naar de keuken te komen om een ander station te zoeken, dan dat Tor zich aan de rollator moest ophijsen om bij de radio te kunnen.

'Rot op met die oorlog en zoek een ander station!'

Noch de knieën noch de ellebogen bewogen. Hijgend trok hij zich aan de rollator omhoog en wist bij de radio te komen, hij draaide als een bezetene aan de zoekknop met het geluid nog steeds op z'n hardst toen Torunn binnenkwam, hij rook de geur van shampoo.

'Mijn god, wat een lawaai!' zei ze.

'Zoek een ander station!'

'Kijken jullie geen tv?' vroeg ze en ze boog zich om hem heen en draaide de volumeknop een heel stuk naar links.

'Kapot.'

Ze ging naar de kamer, eindelijk vond hij een station met normale muziek, de Zweedse toptien. Ze kwam met beide handen in haar zij de keuken weer in, hij wierp een snelle blik op haar gezicht, dat beloofde niet veel goeds.

'Vertel eens, heb jij die plant zomaar op de grond geslingerd?'

'Die is dood.'

'Dat weet ik. Ik wilde hem weggooien. Maar niet op de grond!'

'Hij is gevallen.'

'Geloof ik niets van! Ik zie heel goed dat je hem gewoon op de grond hebt gegooid!'

Hij strompelde naar de keukentafel. Nu moest hij zich inhouden, niets zeggen waar hij spijt van zou krijgen. Als zij nou verder haar mond maar hield.

'En wie moet al die droge aarde opruimen? Hè?'

Hij gaf geen antwoord.

'Ik heb er schoon genoeg van', zei ze. 'Schoon genoeg om hier tegen die chagrijnige harses van jou aan te kijken en nooit eens een bemoedigend woord te horen! Ik kan gewoon mijn koffers pakken, weet je!'

'Doe dat dan.'

'Dat meen je niet.'

'Als jij denkt dat je gewoon weg kunt gaan, dan snap je er niets van. En dan kun je gewoon gaan.'

'Wat bedoel je? Wat bedoel je daarmee?' vroeg ze, met een nieuwe klank in haar stem die niet veel goeds beloofde. Ze ging recht tegenover hem aan de keukentafel zitten en zette de radio uit. Tor staarde op zijn krant, maar hij was vergeten zijn bril op te zetten, hij kon geen woord lezen als hij hem zo dichtbij hield.

'Wat bedoelde je daarmee?' vroeg ze en ze trok de krant weg, rukte hem gewoon uit zijn handen.

'Het is ook jouw boerderij', zei hij.

'Mijn?'

'Ja, wat dacht jij dan. Als ik niet langer ... door kan gaan. Of vind je dat we hem moeten verkopen? Hè? De familieboerderij? Neshov verkopen? Is dat wat je wilt?'

'Ik wil helemaal niets', zei ze, plotseling met toegeeflijke stem, nu had hij de overhand. 'Ik wil alleen dat het hier gezellig is.'

Goed, als ze er niet over wilde praten.

'De tv is kapot', zei hij.

'Je kunt toch wat van het geld nemen dat je van Erlend en Krumme hebt gekregen', zei ze en ze schoof hem de krant weer toe. Ze klonk volkomen onverschillig, begreep ze niet hoeveel een tv betekende voor twee mensen die de hele dag op elkaars lip zaten?

'Dat is op', zei hij.

'Geld van Erlend?' klonk de stem van zijn vader vanuit de kamer.

'Dat gaat jou niets aan!' riep hij.

'Hij heeft twintigduizend gekregen voor de boerderij', zei Torunn.

'Dat is op. Dat hebben de ratten ... opgeknaagd', zei Tor.

'De ratten kostten iets meer dan elf', zei ze. 'En de rest?'

'Allemaal weg. Naar Røstad voor castratie en hechting en

inentingen en voor de rekening voor de inseminatie en naar Trøndergraan. Ik verwacht een afrekening van Eidsmo, maar een tv is duur.'

'Je krijgt een prima tv voor drieduizend kronen.'

'We hebben geen drieduizend kronen.'

'Misschien ik wel. We zullen eens zien. Ik weet het niet. We zullen eens zien.'

Tor ging naar het kantoortje, ongelooflijk opgelucht over het feit dat hij had geleerd per giro te betalen. Hij en zijn moeder hadden er een hele avond over gedaan om erachter te komen hoe je dat deed. Als hij dat niet had gekund, had Torunn voor hem naar de Fokus-bank in Heimdal gemoeten en dan had ze al zijn uitgaven en inkomsten kunnen inzien, kunnen zien hoe slecht het er eigenlijk voor stond. Zonder de AOW van zijn moeder kwamen ze niet meer rond, zo stond de zaak ervoor. En hoe die rattenrekening betaald had moeten worden zonder het geld van Erlend, God mocht het weten. Hij dacht met gruwel terug aan de dag dat hij zich achterwaarts de trap op had gesleept en zich aan zijn armen naar zijn slaapkamer had getrokken om het te halen. Niemand mocht in het laatje van zijn nachtkastje rommelen, hij moest het zelf doen, terwijl zijn vader een middagslaapje hield en Torunn boodschappen deed. De ongediertebestrijding betaalde hij contant en toen had hij nog net een duizendje over, maar dat hoefde verder niemand te weten.

Hij hoorde haar de stofzuiger de kamer in trekken en aanzetten. Morgen zou Arne komen met aquavit. Godzijdank dat hij geld had klaarliggen om hem mee te betalen. Hij staarde naar de stapel enveloppen die lagen te wachten om geopend te worden, vol getallen die op de juiste plaats in kolommen en rubrieken moesten worden gezet. Die aquavit zou goeddoen. Ze begreep er niets van.

Dacht ze nu echt dat je een boerderij kon runnen met behulp van gezelligheid?

'DAT WAS TORUNN', zei Erlend.

'Dat snapte ik al', zei Krumme. 'Is er iets?'

'Ze had drieduizend kronen nodig. De tv op Neshov is vanavond kapotgegaan.'

'Dan hebben ze verdorie niet veel achter de hand.'

'Ik maak het morgen over. Naar het buitenland gaat dat immers nog niet per internet, anders had ik het meteen kunnen doen.'

'Hoe ging het verder met haar?'

'Klote. Tor is een harde noot op het moment als ik het zo hoor. Vandaag zei hij zelfs dat het haar plicht was daar te blijven, zei ongeveer openlijk dat ze moest blijven anders werd de boerderij verkocht. Ze maakte een totaal gefrustreerde indruk. Ik zei dat ze gewoon haar boeltje moest pakken en hierheen moest komen, maar toen werd ze bijna een beetje boos ...'

'Vind je dat zo raar?'

'Hij heeft toch een invaller! En hád thuishulp!'

'Zo simpel is dat niet, Erlend. Ze voelt zich verantwoordelijk.'

'Ja, dat zal wel', zei hij en hij liet zich naast Krumme op de bank zakken, staarde naar het lege espressokopje dat naast het cognacglas stond, en naar de vlammen in de open haard, die als gele wurmen met blauwe punten aan de uiteinden om elkaar heen kronkelden. Krumme sloeg zijn arm om hem heen.

'Stuur haar maar tien.'
'Dat dacht ik ook al', zei Erlend.

Over twee dagen zouden ze te horen krijgen of Jytte en Lizzi zwanger waren, of een van beiden of geen van beiden. Ze waren allebei over tijd, maar dat zei niets beweerden ze, dat kon ook gewoon door de spanning komen. Over twee dagen zou het veertien dagen geleden zijn dat hij en Krumme 's avonds met hun gezicht dicht bij elkaar in de badkamer in de Koreavej stonden, elk met een beker en een bonzend hart. Als hij aan die zeker duizenden keren daarvoor dacht dat hij was klaargekomen, volledig geconcentreerd op Krummes en zijn eigen genot, dan was dit toch wel iets anders geweest. De handeling had iets plechtigs, toen hij kwam had hij de tranen in zijn ogen gekregen. Een kind. Zijn kind. Jytte had met blauwe viltstift een streep op zijn beker gekrast, Lizzi zou die van Krumme krijgen. De bloedgroepen pasten in beide combinaties, dus ze konden zelf kiezen, had de dokter gezegd. En aangezien Lizzi groot was en Jytte klein, kwamen ze overeen dat Erlend en Jytte het best bij elkaar pasten. Nadat ze hun bekers hadden overhandigd, trokken ze zich terug in de kamer. In de slaapkamer, waar de grote gebeurtenis zou plaatsvinden, brandden kaarsen en wierook. Hanne Boel zong met zachte stem. Jytte en Lizzi wachtten hen op in ochtendjas, fris gedoucht. Niemand zei iets toen ze de deur achter zich dichtdeden, het was allemaal zo merkwaardig, onwerkelijk bijna. Hij en Krumme zaten een heel uur lang zonder een woord te zeggen hand in hand in de kamer. Toen kwamen Jytte en Lizzi weer naar buiten. Hij had er een hele tijd aan gedacht de slaapkamer binnen te hollen, te zeggen dat hij zich had bedacht, maar hij was eindeloos opgelucht toen ze allebei glimlachend de kamer binnenkwamen, hand in hand. Krumme sprong op en zei: 'Ga nu heel rustig zitten, dan ga ik het eten klaarmaken. Niet bewegen! Doe je benen maar omhoog!'

Hij en Krumme hadden alles meegebracht, heerlijke linzensoep met reepjes gerookt varkensvlees en een heleboel groenten, naanbrood en zalmcarpaccio als voorgerecht. De tafel was al gedekt, met een groot boeket rode rozen in het midden. Erlend kreunde van genot toen hij zijn eerste glas rode wijn inschonk.

'Eindelijk! Wat een ontberingen ... Proost, lieve Krumme en lieve moeders!'

Na die avond was alles anders. Hij droomde ontzettend veel en het ging bijna altijd over zijn jeugd. Gezichten, stemmen, langs de oprijlaan met de esdoorns naar de boerderij lopen, steentjes onder de versleten zolen van zijn sandalen, vingerhoedskruid, de intense geuren van gras en grond, zonnevlekken in de kronen van de esdoorns, de geuren van eten en stof in de keuken – het was altijd zomer als hij van Neshov droomde – de gekrulde vliegenvanger die aan het plafond hing, vol dode vliegen, de witte emmer met groenteafval onder de extra gootsteen, hij herinnerde zich zelfs wat een lekker gevoel het was in de rubberrand van die gootsteen te bijten toen hij groot genoeg was om erbij te kunnen. En hij droomde van grootvader Tallak, in de roeiboot met zijn ellebogen op zijn knieën steunend, de roeispanen over de rand terwijl het water eraf druppelde en zich in glinsterende schitteringen weer met de rest van de fjord verenigde, bezwete plukjes haar die aan zijn voorhoofd kleefden, dat brede lichaam, bruine onderarmen die een enorme zalm over de rand van de boot zwaaiden. Zijn vader. En als ze naar de Gaulosen gingen om zand en kiezel voor beton te halen, of door het water wadden in Øysand omdat Erlend daarom zeurde. De dakloze kreeften die ze vingen en in een emmer deden. Hij droomde overal van, hij was doodmoe als hij wakker werd, doodmoe en onrustig. Gelukkig kon hij er met Krumme over praten en begreep Krumme het, hij zei dat het erom ging dat Erlend nu volwassen moest zijn ten opzichte van een kind, dat het daarom helemaal niet gek was dat hij over zijn eigen jeugd droomde. Niet eens het grandioze succes met zijn boevenetalage, die bijna een hele pagina in de *BT* kreeg met een interview met hem en de winkelier, kon de gedachten verdringen die door zijn hoofd maalden, aan alles wat er misschien ging gebeuren.

'Arme Torunn', zei hij en hij stond op. 'Kon ze de tiende maar op mijn verjaardag komen, dat zou even een onderbreking zijn in alle ellende. Ik heb trouwens een aardige kerel uitgenodigd die jij niet kent. Hetero. Om op te vreten. Hij heet Jorges.'

'Werkt hij met etalages?'

'Nee, in een cafeetje. Wil je nog koffie?'

'Ja, graag. En ik heb ergens over nagedacht', zei Krumme.

'We doen toch niet anders dan nadenken. En Lizzi en Jytte bellen natuurlijk, om te horen of een van hen het ontbijt eruit heeft gekotst of onbedwingbare trek heeft in vanille-ijs met zure bommen.'

'Dat soort reacties treden niet zo vroeg op. Het is al fantastisch dat je het dankzij een test na veertien dagen kunt aantonen.'

'De hormonen veranderen. Wat vrouwen betreft draait alles om hormonen, Krumme, daarom hebben wij tweeën het zo ongelooflijk veel beter samen.'

Erlend nam de kopjes mee naar de keuken en zette eerst het een onder de tuit van de automaat en toen het ander, drukte op het knopje en deed in een van de kopjes zo veel suiker als Krumme lekker vond.

'Wat bedoelde je, trouwens?' riep hij naar de kamer. 'Toen je zei dat je had nagedacht?'

'We wachten tot jij zit. Cognac?'

'Wat dacht je.'

Zodra Krumme het voorstel naar voren bracht, zei hij: 'Dat wil ik niet, dat is gekkenwerk.'

'Reageer nu niet puur instinctief, Erlend. Laten we het er rustig over hebben.'

'Waarom?'

'Omdat het geniaal is. Jytte en Lizzi zullen weg zijn van het idee en het betekent hulp voor iedereen, niet in het minst voor Torunn, die zich in de steek gelaten en onder druk gezet voelt.'

'Dat kost miljoenen', zei Erlend.

'Hooguit twee. Misschien drie. Maximaal vier. Ik krijg een voorschot op de erfenis, ik heb met mijn vader gepraat, dat is absoluut geen probleem', zei Krumme.

'Heb jij met je vader gepraat? Hierover? Maar, Krumme ...'

'Niet hierover! Over geld. Het maakt hem geen donder uit wat ik ermee doe en er is meer waar het vandaan komt. Het had toch geen zin er tegen jou over te beginnen voordat ik wist dat dat met het geld in orde was? Daar ben je het toch wel mee eens, poepie.'

'Tja ...'

'We zouden erheen kunnen wanneer we maar wilden, Erlend. In de zomer bijvoorbeeld. Denk aan de kinderen: een Noorse boerderij, fjorden en bergen. En het zou een solide investering zijn', zei Krumme, hij had Erlends hand gepakt en kneep er hard in. 'Een basis.'

'Een basis?' vroeg Erlend.

'Een basis in Noorwegen.'

'Maar ik haat Noorwegen!' zei Erlend, hij trok zijn hand terug, stond op en liep naar de terrasdeuren, keek over de daken van de stad uit: een tapijt van licht in het nachtelijk donker.

'Dat doe je niet. Je droomt elke nacht van Noorwegen en van Neshov', zei Krumme zachtjes.

'Maar de boerderij restaureren? Wat heeft dat voor zin? Neshov restaureren?'

'Als Torunn wil. Jij zegt immers zelf dat ze er ambivalent tegenover staat. Zoals de boerderij er nu voor staat, kan ik dat heel goed begrijpen. Maar als we dit voorstel doen, kan ze kiezen. Zegt ze nee, wordt hij waarschijnlijk verkocht als Tor het niet meer aankan. Zelfs als wij hem kopen, je kunt geen boerderij bezitten en in Denemarken wonen. Dat heb ik onderzocht. Je bent verplicht een boerderij te runnen in Noorwegen. Daar kun je onderuit komen als je de grond verpacht en erfgenaam bent, maar onder de plicht er te wonen kom je niet uit. Niet midden in een landbouwgebied.'

'En dat heb je allemaal onderzocht? Achter mijn rug om?'

'Research vormt een belangrijk onderdeel van mijn werk, Erlend. Het heeft me nog geen uur gekost. Ik wilde de feiten op tafel hebben voordat ik er met jou over begon.'

'Research hier en research daar', zei Erlend en hij liet zich weer op de bank zakken en dronk zijn glas cognac in één grote teug leeg. Hij begon te hoesten, kreeg cognac in zijn neus en tranen in zijn ogen.

'Maar kunnen we niet gewoon een beetje hardop nadenken?' vroeg Krumme en hij ging naar de keuken en haalde een servet voor hem. 'Het is een enorm huis en de ene kamer na de andere wordt niet gebruikt.'

'Dat huis heet een Trønder-hoeve', zei Erlend en hij snoot zijn neus.

'In ieder geval. Als we een deel van het huis voor ons inrichten, blijft er genoeg plaats over voor Torunn en Tor en de oude man.'

'Torunn zou iets van haarzelf moeten hebben', zei Erlend.

'De grote schuur is er ook nog. Die varkens huizen alleen op de begane grond.'

'Dat heet "de stal"', zei Erlend.

'Hou nu op, muggenzifter. Je hebt iets zwarts op je wang. Kom hier, dan veeg ik het even weg.'

Erlend liet toe dat Krumme spuug op een wijsvinger deed en zijn rechterwang afveegde.

'Zo', zei Krumme. 'Natuurlijk zou Torunn iets van haarzelf moeten hebben.'

'Hoelang zouden we daar moeten blijven. Per keer?'

'Zo lang als we zin hebben. Een week. Een maand. Een dag. Jytte en Lizzi zouden mee kunnen komen als ze willen, je weet dat ze gek zijn van Noorwegen, ze zijn er in de winter een keer op vakantie geweest, hebben gelanglauft. Ze zijn gek van Noorwegen.'

'Je herhaalt jezelf. Ja, ik weet dat ze gek zijn van Noorwegen. Ik ben kennelijk de enige die dat niet is.'

'Jawel, dat ben je wel. Je moet alleen alles van vroeger achter je laten.'

'Dat is nu juist wat ik heb gedaan! Daarom woon ik immers hier!'

'Je begrijpt best wat ik bedoel. Byneset is fantastisch, Neshov is fantastisch, afgezien van de vervallen toestand.'

'Was je van plan ook de stal te restaureren? Voor de varkens?'

'Dat zouden we allemaal met Torunn moeten bespreken. En met Tor. Ik denk dat het een pak van zijn hart zou zijn. Dan is het niet vergeefs, al zijn geploeter. Dan heeft het toekomst. En als Jytte zwanger wordt, is dat kind de volgende na Torunn.'

'Je denkt toch niet dat ik in een beker met blauwe viltstift heb staan spuiten om een BOER te verwekken?!'

'Erlend, Erlend ... Ik hou van je, maar af en toe ... Je kunt het leven van anderen niet bepalen. Jouw kind zal naderhand een zelfstandig persoon worden en je hebt geen idee wat die persoon met zijn leven wil doen. Een mens verlangt keuzemogelijkheden en de kans ze te benutten. Je weet het immers niet. Als de boerderij wordt verkocht, is het afgelopen. Dan is die deur dicht, voor altijd.'

'Mijn god', zei Erlend en hij sloeg zijn handen voor zijn gezicht.

'Welkom in de werkelijkheid', zei Krumme en hij trok Erlends hoofd op zijn schoot, aaide hem door zijn haar. Erlend deed zijn ogen dicht, probeerde het voor zich te zien: Neshov hersteld in oude glorie, zijn eigen woning hebben als hij daar kwam, de kasten vullen met eten en drinken, door het raam naar buiten kijken waar twee kinderen met veldbloemen in hun handen rondholden, de was heen en weer zien zwaaien aan de lijn, aardbeien met slagroom op het erf. Er stond vroeger een tafel, met banken, waar was die gebleven? Misschien stond hij wel op de hooizolder. Met een wit kanten tafelkleed erop. Jytte en Lizzi op een stretcher en Krumme in korte broek voor het fornuis – een korte broek stond hem helemaal niet. Tochtjes maken naar de waterkant, zwemmen in Øysand, heremietkreeften vangen en kleine krabben en gladgeslepen marmeren stenen zoeken, en misschien een keer in de herfst, duindoornbessen plukken in de Gaulosen, brandewijn en suiker erop en er thuis met Kerst likeur van drinken. Twee kinderen met veldbloemen in hun handen ...

'Heb jij liever een jongen of een meisje, Krumme?' vroeg hij en hij sloeg zijn ogen open.

'Ik weet het niet. Daar hebben we het nog niet over gehad. Ik durf niet zo goed, niet voor we ... niet voor Jytte en Lizzi ...'

'En jij bent altijd degene die absoluut overal over wil praten.'

'Een jongen misschien ...'

'En als ze allebei een tweeling krijgen?'

'Erlend! O, goeie genade! Zeg dat niet! Daar heb ik helemaal niet aan gedacht!'

Erlend begon te lachen, kon niet meer ophouden, moest gaan zitten om niet te stikken, moest nog harder lachen toen hij de uitdrukking op Krummes gezicht zag.

'Twee tweelingen, goeie hemel', mompelde Krumme en hij greep naar zijn glas cognac.

'Oké', zei Erlend en hij werd weer serieus. 'We lanceren het idee.'

'Wat?'

'We lanceren het idee. In de eerste plaats voor Torunn.'

'Meen je dat?'

'Ja. De reis erheen duurt in feite maar een uur of drie, vier. Net of je een huisje op Jutland hebt. En als het Torunn helpt bij haar beslissing', zei Erlend.

'Niet per telefoon, het moet persoonlijk gebeuren. Maar nu wachten we eerst de resultaten uit de Koreavej af. Dat van die tweelingen had je niet moeten zeggen', zei Krumme. 'Nu kan ik vannacht vast niet slapen.'

Midden in een droom over het aardbeienveld werd hij wakker, hij liep tussen de bedden met planten door, doodsbang om zich heen kijkend of hij een wesp zag, er was niemand om hem te beschermen, de planten zaten vol zware, rijpe vruchten en wat verder tussen de bladeren hingen groengekleurde. Hij werd wakker en bleef doodstil liggen, naast hem snurkte Krumme, hij dacht aan een celklompje dat misschien al in Jytte groeide zonder dat iemand het wist. Een meisje. Als het maar een meisje was. Hij zou haar alles laten zien, haar meenemen in de boot, een kleine hengel voor haar kopen, haar haar vlechten als ze op het erf in de schaduw van de grote boom aan de tafel zat, hij zou haar van de boerderijkabouter vertellen terwijl hij vlechtjes maakte, en zij zou elk woord geloven dat hij zei.

Hij was op Neshov. In zijn droom was hij samen met haar op Neshov. Niet in Tivoli, niet naar Dyrehavsbakken en niet in Illums Bolighus om haar zijn laatste, fantastische etalagedecoratie te laten zien.

Hij ging rechtop in bed zitten, staarde in het donker. Ze was op Neshov en hij was daar ook en hij was haar vader, en die gedachte joeg hem helemaal geen heidense angst aan. Hij zou haar alle gebouwen laten zien, haar vertellen van die keer dat hij in de silo viel en mierenzuur op zijn been kreeg zodat hij naar de noodarts moest.

De silo ... De silo!

'Krumme! Word wakker!'

'Wat ...'

'Je kunt toch niet slapen! Was je dat vergeten? Je kunt niet slapen omdat we vier kinderen krijgen. Misschien wel drielingen zelfs. Allebei! Dat zijn in totaal zes kinderen! En met jou en mij en Jytte en Lizzi erbij is dat een heel voetbalelftal, alleen de keeper ontbreekt.'

'Rustig maar, ik ben al wakker.'

'De silo, Krumme.'

'Op Neshov? Wat is daarmee?'

'Daar kunnen we in wonen. Hij staat leeg. Hij wordt niet meer gebruikt. Niet als je varkens houdt. We kunnen er een huis in bouwen, Krumme. Of in allebei, het zijn er eigenlijk twee aan elkaar.'

Krumme deed het licht aan en ging rechtop zitten. Als hij pas wakker was leek hij net een borstelige hommel.

'Kan dat?' vroeg hij.

'Ze zijn van beton, dus hier en daar moet een opening komen voor ramen en deuren, en ze moeten geïsoleerd worden, je moet ze gewoon als omhulsels zien zoals ze daar nu staan, maar stel je voor wat fantastisch! Kogelronde huizen. We krijgen er gegarandeerd ruim drie verdiepingen uit. En jij kent Kim Neufeldt toch, die hotte architect, hij maakt te gekke ontwerpen! Maar het kost natuurlijk wel iets ...'

'Dat komt wel goed. Hoe groot zijn ze eigenlijk? In doorsnee?'

'Even denken', zei Erlend terwijl hij het dekbed helemaal tot aan zijn kin trok, het was ijskoud in de kamer. 'Ik denk zes à zeven meter elk, en de brug ertussen is denk ik nog eens zo lang.

Wat is de formule voor de oppervlakte van een cirkel, Krumme, mijn wandelende encyclopedie?'

'Pi maal de diameter tot de tweede.'

'Reken jij dat maar even uit.'

'Dan moet ik naar het kantoor om mijn rekenmachine te halen.'

'Schiet op dan!'

Erlend bleef in bed zitten en zag het voor zich. Ronde muren, een wenteltrap die de etages met elkaar verbond, wit geverfde wanden, zomermeubelen in lichte pasteltinten, veldbloemen in alle vazen, schuifbedden vol kussens in de kamer, antiquiteiten en hightech smaakvol verenigd, een prismakroonluchter boven een eettafel die van een van de oude deuren was gemaakt, met een dikke glasplaat erop.

'Bijna veertig vierkante meter per silo', zei Krumme en hij kroop snel weer onder het dekbed. 'En dan die ... brug nog waar jij het over had.'

'Die kunnen we op elke etage verbouwen tot een glazen verbinding tussen de kamers! En die kunnen we ook meubileren. Een bank voor het uitzicht, een serre, een bar.'

'Geen bar in een huis met kinderen, poepie.'

'Oké, een milkshakebar, dan. Dan heeft elke verdieping ongeveer ... laten we zeggen, zeventig à tachtig vierkante meter. Drie verdiepingen is in totaal tweehonderd vierkante meter. Het is net alsof je in een Hollandse molen woont, Krumme! Herinner je je dat piepkleine hotel dat vroeger een molen was, met maar zeven kamers, waar we overnachtten toen jij die reportage over hasj als pijnstillers in Hollandse bejaardentehuizen zou maken?'

'Hoe kan ik dat vergeten. Jij hebt ze nog geholpen hun pijpen aan te steken, de fotograaf wist je met moeite uit beeld te houden toen hij de foto's nam. Maar het is een geniaal idee, Erlend. Echt geniaal. En nu ben ik klaarwakker. Hartelijk bedankt.'

Na tien minuten snurkte Krumme echter alweer als een os. Zelf bleef hij erover liggen piekeren hoe zo'n klein meisje met vlechtjes en een hengel zou kunnen heten.

Na de bijzetting reed hij naar Neshov. Hij kon er geen rekening mee houden dat Tor aan de telefoon niet met hem wilde praten, dat hij niet welkom was. Hij had een slecht geweten omdat hij er zo lang niet was geweest. Maar toen Torunn was gekomen, had hij opgelucht ademgehaald en het erbij laten zitten. Ze waren niet langer alleen, die twee. Hij herinnerde zich de eerste keer dat hij Torunn ontmoette, in het St. Olavs aan het ziekbed van zijn moeder. Hij was niet blij geweest dat ze was gekomen, had haar het liefst weer in de bus terug naar het vliegveld gezien. Maar ze had pit. Ze liet zich niet zo gemakkelijk verjagen. En dat ze had ingezien dat Neshov belangrijker was dan haar werk in Oslo, dat verdiende werkelijk respect.

Het was droog. Maar het zou niet lang duren, boven Skaun hingen wolken waaruit de stromende regen elk moment kon losbarsten. Hij schakelde in een lagere versnelling en boog de oprijlaan in. Op de bijrijdersstoel lag een zakje met Deense koffiebroodjes. Een aflaat voor zijn lange wegblijven. Maar hij had ook veel te doen gehad sinds hij terug was uit Denemarken, en mevrouw Marstad was ziek, ze had een tennisarm. Een volkomen absurde medische diagnose, dacht hij, dat je een tennisarm kreeg van het verzorgen en optillen van dode mensen.

Tor zat alleen in de keuken, het houtformuis brandde, hij zat de krant te lezen.

'Heb je een bril? Nou ja, eigenlijk raar dat je het zo lang zonder hebt kunnen stellen.'

'Ben jij daar?' zei Tor.

'Je hebt mijn auto toch wel gezien. Maar waar is ...'

'Hij slaapt. En Torunn is op pad om een nieuwe tv te kopen. Waarom moest je half Noorwegen over die ratten vertellen?'

'Ik heb het niet aan half Noorwegen verteld. Ik heb het je dochter verteld. Is de tv kapot?'

'Hij was veertien jaar oud.'

'Dan is het geen wonder, hij is ijverig gebruikt, zou ik zeggen. Hoe gaat het met je been?'

'Klote. Het blijft stijf daarna.'

'Toch zeker niet voor altijd?'

'Nee. Maar veel te lang. Krijg over tien dagen nieuwe tomen, dat haal ik niet.'

'Je hebt toch een invaller?'

'Ja, dat heb ik', zei Tor en hij maakte een heftig gebaar met de krant, deed alsof hij extra geïnteresseerd aan het lezen was.

'Ik heb Deense koffiebroodjes bij me, ik zet koffie.'

'Kan geen Deense koffiebroodjes meer zien.'

'Aha. Rotbui?'

Tor gaf geen antwoord, hij snoof, maakte een nog heftiger gebaar met de krant.

Margido spoelde de ketel om en verwachtte een uitbrander omdat hij goede prut weggooide, maar Tor zweeg achter zijn bril.

'Ik heb een sauna gekregen', zei Margido en hij liet vers water in de ketel lopen.

'Een wat?'

'Een sauna.'

'Waarom dat?'

'Dat is lekker.'

'Ben je gek geworden?' vroeg Tor.

Margido zette de koffieketel op de kookplaat en draaide die op de hoogste stand.

'Ik ga naar boven om ... vader wakker te maken.'

'Neem aan dat hij ook geen Deense koffiebroodjes meer kan zien. Wat moet een mens goddomme met een sauna?'

Hij sliep. Het stonk in zijn kamer, het raam was dicht. Op zijn nachtkastje en op de grond ervoor lagen overal boeken en oude kranten uitgespreid. Margido trok de gordijnen opzij en deed het raam open, het oude gezicht vertrok in een grimas en draaide zich snuivend weg van het licht.

'Lig je op klaarlichte dag te slapen?' vroeg Margido. 'Er is zo koffie.'

'O.'

'Kom beneden, dan.'

'Is Torunn al terug?'

'Nee.'

'Ik wacht tot Torunn terug is.'

'Waarom dat?'

'Nee ... ik ... Tor is zo boos. De hele tijd boos. Ik kan er niet meer tegen. Als Torunn er is gaat het wel.'

'Ze is een nieuwe tv kopen, hoorde ik?'

'De oude is kapotgegaan.'

'Ze komt vast gauw. Kom mee naar beneden. Doe je gebit in. Ik heb Deense koffiebroodjes meegebracht. Tor zei dat hij geen Deense koffiebroodjes meer kon zien, dus dan kun jij dat van hem ook krijgen.'

Ze kwam er net aan toen de koffie klaar was. Margido liep het erf op en wachtte tot ze had geparkeerd. Achter in de auto stond een grote, bruine doos.

'Ik kan hem wel naar binnen brengen', zei hij glimlachend.

'Fijn', zei ze zonder hem aan te kijken.

Ze was heel anders dan de laatste keer dat hij haar had gezien. Bleek, met blauwe kringen onder haar ogen.

'Ik weet dat het een hele tijd geleden is dat ik hier was', zei hij.

'Dat had het er ook niet beter op gemaakt. Hij is woedend op je vanwege dat met de ratten.'

'Dat heb ik gemerkt', zei hij en hij tilde de doos uit de auto.

'Het is bijna dezelfde als de vorige, maar met afstandsbediening. Erlend heeft geld gestuurd.'

'Erlend?'

'Ja, ik heb alleen mijn ziektegeld en ook al ben ik er niet, ik moet mijn lopende rekeningen in Oslo toch doorbetalen.'

'Je kunt hetzelfde krijgen als wat ik Marit heb betaald.'

'Nee, het lukt wel. Nu hebben we in ieder geval tv. Maar ik heb geen idee hoe Tor ervoor staat. Financieel en zo.'

De oude man bleef naast hen staan terwijl ze de tv uitpakten. Hij nam de afstandsbediening op, Torunn gaf hem het pakje met de batterijen.

'Doe ze er maar in. Twee stuks. Onderaan aan de achterkant.'

Tor zat in de keuken met dezelfde pagina van de krant voor zich, de Deense koffiebroodjes waren onaangeroerd. De nieuwe tv paste niet op het onderstel van de oude, die Torunn had meegenomen en in de winkel had afgegeven. Ze bracht het onderstel naar de houtschuur, terwijl Margido het kleinste van de drie teakhouten bijzettafeltjes pakte en het toestel daarop zette. Hij deed de stekker en de antenne erin en drukte op de knop. Het scherm kwam onmiddellijk tot leven.

'Zo ja!' zei de oude man glimlachend, zijn ogen zaten al aan de buis gekleefd. Je kon goed zien dat hij zichzelf schoor, de stoppels waren ongelijk, onder het puntje van zijn kin groeide het begin van een baard en het baardhaar op zijn ene wang was langer dan dat op de andere. Maar zijn haar was pasgeknipt.

'Heeft Torunn jullie haar geknipt?' vroeg Margido.

'Ja. Ze heeft ook een bril gekocht. Ze is lief. Maar ze heeft er genoeg van.'

De oude man bleef naar de buis kijken terwijl hij dat zei.

'Wat zei je?' riep Tor.

'Nu moeten we kijken of de afstandsbediening het doet', zei Margido.

'Wat zei je?' riep Tor.

'Niets! We zijn met de tv bezig', antwoordde Margido.

Margido bracht de lege doos en het schuimplastic naar de oude verbrandingsplek achter de hooischuur. Hij had geen laarzen aangetrokken en daar had hij nu spijt van: de modderige sneeuw kroop in zijn schoenen. Het rook naar chemisch toilet in de gang, het rook naar die turkooizen vloeistof die hij met water had gemengd en erin had gegooid de avond dat hij het daar had neergezet. Het ding moest waarschijnlijk regelmatig worden geleegd, dat zou Torunns werk wel zijn, wie moest het anders doen? Daar had hij niet aan gedacht, hij had haar alleen voor zich gezien met potten en pannen, de koffieketel en de varkens. Maar er kwam natuurlijk veel meer bij kijken. Knippen. Chemisch toilet. Tors humeur. Nee, hij moest vaker komen, anders hield ze het niet vol. Dat was hij haar schuldig.

Terug in de keuken, met kletsnatte schoenen, zei hij dat hij weg moest.

'Naar huis, naar die sauna van je?' vroeg Tor.

'Wie weet.'

'Heb je een sauna?' vroeg Torunn, terwijl ze de schaal met de overgebleven Deense koffiebroodjes in plastic verpakte. 'Dat zou lekker zijn na de stal. Ik loop even mee. Kai Roger kan sowieso elk moment komen.'

Waarom had hij het toch over die sauna gehad, waarom het over iets hebben wat puur genot betekende, waarom het er hier over hebben? Zoals het er nu voor stond? Het was immers veel erger dan hij had gedacht. Toen hij bij zijn auto kwam, haalde hij zijn autosleutels tevoorschijn. Torunn liep een paar meter achter hem.

'Het is hopeloos, hij is absoluut hopeloos', zei ze.

'Ik heb het gemerkt. Hij is altijd een pantoffelheld geweest onder moeder, waarschijnlijk komt het omdat hij de controle kwijt is.'

'Omdat hij niet naar zijn varkens kan.'

'Denk je?'

Hij draaide zich naar haar om, maar pas toen hij het portier had geopend en de kruk in zijn hand had, misschien om het gevoel te hebben dat hij op weg was, weg van dit alles.

'Ik doe wat ik kan', zei ze en ze hief haar vuisten naar haar ogen, wreef er hard in, in haar ogen, met die vuisten. Het was een akelig gezicht, waarom deed ze dat niet gewoon met haar vlakke hand? En met een schok van herkenning herinnerde hij zich dat zijn moeder dat ook had gedaan, haar vuisten in haar ogen had geduwd als ze moe was en 'geen tegenspraak duldde', zoals ze het noemde.

'Ik weet niet goed wat ik kan doen. Ik zal in ieder geval vaker komen en volgende keer wat meer tijd meebrengen, proberen wat met hem te praten. En als jullie geld nodig hebben, Torunn ...'

'Geld? Ja, dat ook. Ga jij nu maar! Ga naar huis, naar die sauna van je!'

Ze marcheerde naar de stal, rukte de deur open en deed hem achter zich dicht. Margido bleef met het portier in zijn hand staan, keek naar het keukenraam. Tor staarde hem aan, over de rand van zijn bril en het gordijn heen, kortgeknipt en uitdrukkingsloos. Hij liet het gordijn los, het sprong verend terug. Boven zijn nek, die weer naar het tafelblad was gebogen, was alleen de achterkant van zijn hoofd nog te zien. Wat kon Margido doen? Er was niets waar hij mee kon helpen behalve een kartonnen doos en schuimplastic achter de hooischuur gooien. Hij had zelfs geen idee waar de petroleum stond om het spul mee te verbranden.

De dag daarna kocht ze in City Syd een kleine draagbare radio, meer drank, een slof sigaretten en een paar boeken. Eigenlijk maar goed ook dat haar vader de trap niet op kon. Als ze boven kwam, gaf dat op een bepaalde manier het gevoel alsof ze daar in veiligheid was.

Ze ging naar de dokter, werd weer ziek gemeld en toen ze daarna naar huis reed, belde ze Sigurd op haar mobiel om de situatie uit te leggen.

'Eigenlijk mag je niet weg als je ziek bent, maar de dokter zou het regelen, hij is zelf van boerenafkomst en weet wat het betekent. Het is volkomen absurd, Sigurd: ik zit hier vast.'

Sigurd herinnerde haar eraan dat ze tot voor kort had vastgezeten aan Christer, dus dan zou dit ook wel goed aflopen.

'Ik kan er niet vandoor gaan. Ik kan het gewoon niet. En mijn grootvader ... of ... nu ja, hij is niet ... maar hij is tachtig. En ik heb zo'n medelijden met hem. Het zijn twee arme stakkers.'

Sigurd begreep heel goed dat het niet gemakkelijk was. Trouwens, Christer was laatst in de kliniek geweest, had naar haar gevraagd.

'Echt waar? Wat hebben jullie gezegd?'

Gelukkig had hij Sigurd gesproken en niet een van de anderen, die de waarheid zouden hebben verteld. Sigurd had gezegd dat ze in het buitenland was, op een cursus, en dat haar mobieltje daar geen bereik had. Maar hij had niet verteld waar. Daaruit had Christer begrepen dat Sigurd op de hoogte was en hij had hem gevraagd haar te vertellen dat er geen kind kwam, de jonge vrouw had in de vierde maand een spontane abortus gekregen.

'Dat verandert niets aan de zaak. Hij wilde niets van me weten toen hij te horen kreeg dat ze zwanger was. Dat zei me genoeg.'

Dat begreep Sigurd, maar hij moest het haar toch vertellen.

'Bovendien zie ik intussen in dat hij misschien toch niet het juiste type voor me was, Sigurd. Hij had wat merkwaardige opvattingen over een paar dingen. Nu rij ik hier het erf op, de plicht roept. Eigenlijk moet ik mijn winterbanden eraf halen, maar mijn zomerbanden zijn in Oslo. Verdomme. Die winterbanden zijn zo afgesleten dat ze voor zomerbanden kunnen doorgaan, ik vrees alleen dat de politie die opvatting niet deelt.'

Had ze spijkerbanden? Dan kon ze de banden eraf halen en de spijkers eruit halen met een priem. Het rubber van spijkerbanden was wel harder dan dat van zomerbanden, maar als noodoplossing ging het.

'Bedankt voor de tip. Daarmee heb je een hele last van mijn schouders genomen. Dat kan ik natuurlijk doen. Dacht al dat ik mijn auto binnenkort moest laten staan en die oeroude Volvo van mijn vader zonder stuurbekrachtiging moest nemen.'

Toen Torunn weer beneden kwam nadat ze de radio, de boeken en haar genotmiddelen had uitgepakt, was ze in een goede bui. Ze had gedacht dat ze nieuwe zomerbanden met velgen zou moeten kopen, en nu bleek dat ze alleen de spijkers er met een priem hoefde uit te halen. En ver weg in Oslo liep Christer rond zonder haar en zonder aanstaande moeder: net goed, die idioot – als ze erover nadacht, voelde ze meer leedvermaak dan liefdesverdriet. Ze gunde het hem dat hij daar in zijn eentje zat met zijn computers en zijn klokken aan de muur en zijn homofobie en ze voelde tot haar grote verbazing dat haar leedvermaak haar een extra lading energie gaf.

Ze droeg de boodschappentassen met eten, die ze zolang in de gang had laten staan, naar binnen. Haar vader zat er nog net zo bij als toen ze wegging, maar dat deerde haar niet. Avond na avond zat hij op zijn kantoortje te zwoegen, die arme kerel, en verder kon hij nergens heen behalve naar het chemisch toilet. Dan riep hij aan één stuk door dat hij daar zat, zodat niemand een deur open zou doen en hem zou zien, achter zijn rollator, voor iedereen zichtbaar.

Haar grootvader zat in de kamer.

'Waar kijk je naar?' vroeg Torunn hem.

'*Rondom in Noorwegen*, herhaling', zei hij.

'We eten viskoekjes, lekker, hè?'

'Met kerrie in de saus, dat deed moeder altijd', zei haar vader.

'Natuurlijk. Kerrie en garnalen, en aardappelen en worteltjes erbij', zei ze.

'Garnalen?' vroeg hij.

'Ja, garnalen.'

Ze verwachtte dat hij verder commentaar zou leveren: wat dat wel niet kostte, maar dat deed hij niet. Hij dacht er waarschijnlijk aan dat zij betaalde, terwijl hij de procenten van de Coöpkaart zou opstrijken aangezien ze zijn kaart gebruikte. Zelf had ze er geen een. Het lukte haar niet zich in te houden en ze zei: 'Hoe meer garnalen, hoe meer procenten op je kortingkaart.'

'Wat bedoel je daarmee?'

'Niets. Moet je kijken hoe lekker de zon schijnt. Het is zeven graden boven nul! Net lente. Je zou even buiten kunnen gaan zitten, ik kan een stoel met een plaid neerzetten. Voor de zuidelijke muur van de houtschuur.'

'Nee. Wil niet als een vijfenzestigplusser met mijn handen in mijn schoot zitten zodat iedereen het ziet.'

'Daar ziet toch niemand je?'

'Ik wil niet.'

'Oké.'

Ze stond bij de extra gootsteen en liet water op de aardappelen lopen toen ze het rook.

'Wat ruikt het hier raar', zei ze.

Geen antwoord.

Ze dook met haar neus in de gootsteen, snoof diep.

'Het ruikt hier naar urine!' zei ze en ze keek naar haar vader, hij hield zijn blik op de krant gericht.

'Zeg eens, pies jij in de gootsteen?'

'Ja', zei haar grootvader vanuit de kamer.

'HOU JE BEK!' zei haar vader.

'Maar mijn god, dit is de kéúken!' zei ze. 'Je staat toch niet ...'

'Elke dag', zei haar grootvader.

'Niet te geloven!' zei ze en ze zette de pan met een klap op het aanrecht. Haar vader likte een paar maal zijn lippen af, keek haar aan. 'Dat je stinkt en je niet goed wast, is tot daaraantoe, maar dat je midden in de keuken in de gootsteen staat te piesen! Ik woon hier ook, weet je, een tijdje tenminste. En dit accepteer ik niet! Smeerlap!'

'Hoef je minder te legen. Dat chemisch toilet.'

'Kun je dan niet naar buiten gaan? Je kunt best om de hoek van het huis komen met die rollator, er ligt geen ijs of sneeuw meer!'

'Het is mijn huis. Mijn gootsteen.'

'O, nu weer wel, hè? Ik dacht dat je nog maar een paar dagen geleden beweerde dat het ook mijn boerderij was! En ik wil hem niet eens.'

'Wil je hem niet?' vroeg hij.

Snel zei ze: 'Vandaag niet. Ik maak het eten klaar en jij piest niet meer in de gootsteen. Punt uit.'

'Dus je wilt hem niet. Maar dan ... dan is het nergens voor. Dan heeft het geen zin. Dan stuur ik het hele zootje naar het slachthuis, de hele reut, hou ermee op. Ik bel meteen Eidsmo.'

Hij wilde opstaan, zocht houvast bij de rollator.

'Hou op met die onzin! Ga zitten!' zei ze.

Ze begon aardappelen te schillen zodat ze met haar rug naar hem toe stond, maar vanuit haar ooghoeken zag ze haar grootvader in de kamer. Hij zat met zijn gezicht naar de deur gekeerd, de glazen van zijn nieuwe bril fonkelden.

'Het moet ergens voor zijn. En als jij het niet wilt overnemen, dan ...'

'Zoiets kan ik toch niet zomaar op stel en sprong beslissen?' zei ze.

'Je bent zevenendertig. Er zijn kinderen van vijf in dit land die al begrijpen dat ze een boerderij zullen overnemen.'

'Lieve hemel. En vroeger dan? Toen je moeder nog leefde en je hier druk bezig was? Toen zat ik ver weg in Oslo en had geen idee van dit alles. Waar was het toen voor? Voor wie? Zeg niet dat het voor mij was.'

'Toen leefde moeder nog. Ze was er gewoon. Toen was het ergens voor.'

'Ze was je moeder! En oud!'

'Dat vond ik niet.'

Ze sneed zich aan het aardappelschilmesje, maar dat kon haar niet schelen, het water waste het bloed weg, ze ging verder met schillen.

'Als dat met dat been niet was gebeurd ... Dan had je nooit van zijn leven van mij verlangd dat ik ...'

'Ik dacht dat je het wilde. Sinds Kerst, toen moeder stierf.'

'Ik weet het niet, zeg ik toch. Nu niet in ieder geval. Misschien later.'

'Ik moet het weten, of je wilt, dat het ergens voor is. Anders heeft het geen zin. Het levert niet genoeg op. Denk erom. Jij bent de erfdochter.'

'De erfdochter, ha! En wat moet ik daaraan doen? Mijn flat in Oslo verkopen en hier investeren of zo? Hè?'

'Ja.'

'Ben je helemaal gek geworden!' zei ze en ze draaide zich naar hem om. 'Hier zit jij dag in, dag uit met een chagrijnige kop, je piest in de gootsteen en dan moet ik zeker ... Vergeet het.'
'Vergeet het?'
'Ja. Vergeet het.'
'Goed. Dan vergeet ik het.'

Torunn deed een pleister om haar vinger, bracht de aardappelen aan de kook, maakte een witte saus en deed er de viskoekjes, de garnalen en de kruiden in. Geen van hen zei meer iets. Het liefst had ze op haar kamer een potje zitten janken. Ze was de erfdochter, plotseling was ze de erfdochter. Niet over tien jaar als haar vader met pensioen ging, maar nu al. Van een boerderij die bezig was te gronde te gaan omdat hij zo oneconomisch werd gerund en niet was onderhouden.

Ze aten zwijgend. Haar vader at weinig en zei er niets van of hij het lekker vond. Haar grootvader at met smaak. Het was onbehaaglijk zo dicht bij hen te zitten zonder te praten, zonder te weten waar ze moest kijken behalve op haar mes en vork en boven het gordijn uit naar de vogels, die hun gloriedagen beleefden. Afgezien van de varkens waren zij waarschijnlijk de enigen op de boerderij die zich elke dag weer verheugden en dachten dat de wereld net als anders was.

Haar vader stak het laatste stukje aardappel in zijn mond, legde zijn bestek op zijn bord en trok zich op aan de rollator. Ze hoopte niet dat hij naar de wc in de gang moest, dan zou ze misselijk worden. Maar hij ging naar de kamer en trok de deur hard achter zich dicht. Zij en haar grootvader keken elkaar aan.

'Ja, ja', zei hij.

Na de afwas ging ze naar haar kamer. Haar grootvader was al naar boven gegaan. Ze zette de radio zachtjes aan, deed het raam open en stak een sigaret op. Zat met haar kin in haar hand en bekeek het mooie uitzicht. Nog even dan zouden de bomen groen worden, het was al gauw april, de gewassen op de velden zouden ontspruiten en groeien, langs de vloedlijn zou het een drukte van jewelste worden. Was het maar niet zo onverwachts gekomen, dan zou ze misschien ... of ze breidde uit of ze begon met iets anders. Ze moest tijd hebben om een landbouwcursus te volgen, maar ze kon ook iets met honden beginnen. Een hondenschool. Of een hondenpension in de stal, die was daar perfect voor. Een grote buitenruimte op het veld naast de hooischuur dat ze met stenen en kiezel kon opvullen. Het was maar twintig minuten met de auto naar het centrum van Trondheim, nog korter dan naar Heimdal. En ze was frank en vrij.

Misschien zou dat gaan.

Maar eerst moest haar vader weer gezond worden. Weer zichzelf worden. Als dat ooit zou gebeuren. Zoals het nu was, hielp niets leek het wel.

Voordat ze naar de stal zou gaan, ging ze naar de keuken om koffie voor hen te zetten. De deur naar de kamer was nog steeds dicht, haar grootvader zat aan de keukentafel en zag er verloren uit.

'Er is vast wel iets leuks op de radio ook', zei ze. 'Nu zet ik koffie.'

'Hij zit op slot', zei hij.

'Heeft hij hem op slot gedaan?' Ze liep naar de deur en probeerde de klink. 'Doe open! Er is hier iemand die het nieuws wil zien. En er is koffie!'

Na een hele poos draaide hij de sleutel om, deed open, hompelde terug naar zijn veldbed en liet zich erop vallen. Haar grootvader haastte zich naar zijn leunstoel en pakte snel de afstandsbediening.

'Wil jij je koffie ook hier hebben, vader?' vroeg ze.

Hij gaf geen antwoord. Hij was op zijn zij gaan liggen met zijn gezicht naar de muur. Ze zette twee kopjes koffie op een dienblad, het schaaltje met suikerklontjes en een reep melkchocola die ze in stukjes had gebroken. Daarna droeg ze alles naar binnen en zette het op het salontafeltje.

'Dan ga ik nu naar de stal', zei ze.

Ze nam haar kopje koffie en een hele reep chocola mee en toen Kai Roger kwam, zat ze op het krukje in het washok.

'Aha? Troepenverplaatsing?'

'Hij wil dat ik het overneem. Hij wil het vandaag weten.'

'Dat zei ik toch al. Dat jij de volgende bent.'

'Maar waarom per se nu?'

'Waarschijnlijk heeft hij geen fut meer. Is hij doodsbang hier alleen achter te blijven. En misschien heeft hij er genoeg van. Of de papieren rompslomp is hem boven het hoofd gegroeid', zei Kai Roger.

'En hij houdt zo van zijn varkens ...'

'Van je varkens houden is niet genoeg om een boerderij draaiende te houden. En het is al een aardig tijdje geleden dat hij ze heeft gezien. Wat heb je gezegd?'

'Dat hij het kan vergeten.'

'Dus je wilt niet?'

'Ik weet het niet! Ik weet niet ...'

Ze begon te huilen, vervloekte zichzelf erom. Kai Roger kwam meteen op zijn hurken bij haar zitten en sloeg zijn armen om haar heen.

'Gun jezelf een paar dagen de tijd', zei hij.

'Een paar dagen? Wat helpt dat?' vroeg ze en ze leunde met haar hoofd tegen zijn schouder. Het deed zo goed dicht tegen iemand aan te leunen, een arm om je heen te voelen. Ze begon nog harder te huilen. Hij zei niets meer, hield haar alleen vast. Al huilend hoorde ze de geluiden van de varkens in de stal, hun ongeduldige gesnuif, ze voelde hoe ze zich er ondanks alles op verheugde ze te zien. Zou ze het kunnen, varkens houden, alles leren over inseminatie en voerberekening, werpen en biggenziektes, de hoektandjes trekken, en als de zeugen doordraaiden en hun biggetjes doodden en ...? Was ze boerin? Zat het haar in het bloed? Haar moeder kwam ook van een boerderij. Was haar belangstelling voor kleine huisdieren en honden in de grote stad een gevolg van een diep zittend verlangen om met beesten te werken, ervan te leven?

'Het gaat er niet om', zei ze en ze hief haar hoofd op, 'dat ik geen boerderij wil runnen. Maar als mijn vader zich zo gedraagt en alles zo snel besloten moet worden ...'

'Heb je eraan gedacht dat hij misschien daarom zo boos en chagrijnig is? Omdat hij bang is? Omdat hij duidelijkheid wil? Dat als je tegen hem zou zeggen dat je het over tien jaar overneemt ...'

'Ik geloof niet dat hij het nog tien jaar volhoudt. Ik geloof dat hij financieel al veel eerder op zijn gat ligt. Misschien is dat nu al het geval.'

Ze stond op, pakte een rol wc-papier, snoot haar neus en veegde haar tranen weg. 'Sorry', zei ze.

'Je bent niet de enige. Een heleboel mensen op boerderijen hier in de omgeving twijfelen net zoals jij, of het wel de moeite loont ervoor te gaan. Maar die zijn voor het merendeel jonger.'

'Dat zei mijn vader ook al. Hij beweerde dat ze vijf jaar oud waren.'

'Sommigen wel, ja. Mijn grote broer heeft onze familieboerderij overgenomen, maar hij aarzelt, weet niet of hij moet uitbreiden of het bijltje erbij neer moet gooien. Als hij ermee ophoudt, ben ik aan de beurt. Dan zou ik uitbreiden.'

'Waarom werken jullie niet samen?'

'Dat wil zijn vrouw niet. Zij wil ermee ophouden', zei hij. 'Maar nu geloof ik dat de dames binnen langzaam uit hun dak gaan. Trek je overall aan. En daarna kom je mee pizza eten in Heimdal. Het is vrijdagavond, dan kun je niet alleen op je kamer cognac zitten drinken. Ik trakteer. Op een dauwfrisse halve liter, en ik breng je ook weer thuis.'

Toen ze even voor negenen klaar waren en ze had gedoucht, stak ze haar hoofd om de deur en zei 'tot straks'. Haar vader lag er nog net zo bij, zijn kopje koffie stond onaangeroerd op het blad, maar haar grootvader had alle chocola opgegeten en zijn ondergebit eruit gehaald. Ze probeerde er niet aan te denken waarom.

'Ik ga op stap met Kai Roger', zei ze. 'Het zal wel laat worden, maar ik zal zachtjes doen zodat ik niemand wakker maak. Slaap lekker.'

Haar grootvader knikte. 'Slaap lekker.'

Ze had mascara en oogschaduw op, droeg een spijkerbroek die ze al een hele tijd niet had aangehad en voelde zich net een normaal mens. Ook Kai Roger zag er heel anders uit. Ook hij was in spijkerbroek, met een zwartleren jasje en zijn haar achterovergekamd. Ze sloeg hem gade terwijl hij aan de bar stond te bestellen, het was echt een leuke vent.

'Met knoflook?' riep hij.

'Ja, graag. Een heleboel!'

Voor zichzelf bestelde hij alcoholvrij bier en voor haar een halve liter pils. De pizzakok zwaaide het deeg de lucht in, steeds maar in de rondte, waarschijnlijk dat voor hen, met peperoni en ananas.

'Ik ben blij dat ik mee ben gegaan', zei ze. 'Dank je wel.'

'Werd verdorie eens tijd.'

'Maar ... ik heb geen zin om over erven en boerderijen en geld en zo te praten, goed?'

'Dat is prima. Daar heb ik eigenlijk ook geen zin in. Vertel liever iets grappigs over die Herriot uit dat boek. Was dat geen babyface van een dierenarts die in het diepe werd gegooid in een dorp vol chagrijnige boeren?'

'Zie je, nu hebben we het er al weer over.'

Hij moest lachen, zij nam een slok, het bier was ijskoud, tussen hen in stond een brandende kaars in een koperen kandelaar.

'Vertel liever iets over Oslo', zei hij. 'En vertel eens hoe je een labradorpup opvoedt, ik heb net een reu besteld van vrienden van me, de pups zijn drie dagen oud.'

'Ja, dat kan ik je vertellen', zei ze glimlachend.

DAT HIJ DAAR nog kon zitten eten. Dat hij dat kon! Zijn mond volproppen, terwijl alles voorbij was en zij dat niet eens doorhad. Garnalen. Garnalen in de saus. Misschien maar goed dat ze het niet over wilde nemen, met zo'n verspilzucht in haar bloed. Dat had ze natuurlijk van Cissi. Die keer had hij het niet door, dat zijn moeder niets van Cissi wilde weten omdat ze een dikke plak leverpastei nam en op haar brood legde. Het was meer leverpastei dan brood, maar hij had er niet bij nagedacht aangezien zijn moeder het zelf had gemaakt. Hij dacht dat het haar plezier zou doen dat het Cissi smaakte, maar toen zei ze dat de boerderij te gronde zou gaan met een dergelijke gulzige manier van leven. Zelf staken ze de punt van hun mes in de leverpastei en smeerden een dun laagje op de margarine. Je proefde het toch net zo goed. Maar zo was Torunn niet, zij was de dochter van haar moeder, met Deense koffiebroodjes en garnalen in de saus op een doodnormale doordeweekse dag, hij moest het gewoon onder ogen zien.

Hij lag naar de tv te luisteren, terwijl zijn vader hoorbaar tevreden chocola smakte en koffie slurpte en vervolgens zijn gebit eruit haalde om de chocola er aan de onderkant af te likken.

Zijn vader. Die dat helemaal niet was. Maar daar wilde hij niet over nadenken, dat zijn moeder dat allemaal voor hem verborgen had gehouden, met de erfzoon was getrouwd terwijl ze drie kinderen kreeg met haar schoonvader. Leugens. Maar ze was zijn moeder, dezelfde moeder, toch? Al die herinneringen die hij aan haar had ... Meer dan vijftig jaar geschiedenis kon je niet zomaar van de ene op de andere dag herschrijven. En nu was het voorbij. Zijn woede was bekoeld. Hij luisterde naar het gepraat op de tv zonder te horen wat er werd gezegd, doezelde weg. Hij werd wakker toen Torunn kwam om te zeggen dat ze op stap ging met de invaller. Dat had ze nog nooit eerder gedaan. Waarschijnlijk was ze opgelucht omdat ze eindelijk had gezegd dat ze het niet over wilde nemen. Opgelucht en manziek, wilde naar de stad om te dansen en te drinken, alle gedachten aan boerderij en veeteelt van zich afzetten.

Hij kreeg pijn in zijn linkerzij door zo lang in dezelfde houding te liggen, het deed pijn tot ver in zijn lies. Maar als hij zich omdraaide, was hij genoodzaakt zijn vader de huid vol te schelden omdat hij had gelabbekakt dat hij in de gootsteen had gepiest, en dat kon hij niet opbrengen, hij wilde hem alleen de kamer uit hebben, het was gemakkelijker te doen alsof hij sliep. Toen zijn vader de tv uitzette, werd het eindelijk stil. In de stilte hoorde hij de keukenklok tikken. Zijn vader ademde zwaar en kwam moeizaam uit de leunstoel overeind, hij slofte met zijn pantoffels over de vloer. Hij zei geen woord toen hij wegging, deed alleen de keukendeur achter zich dicht en liep langzaam de trap op. Vlak daarna hoorde Tor dat de wc werd doorgetrokken, deuren die werden open- en dichtgedaan.

Hij kwam overeind. Hij was duizelig en misselijk. Hij trok zich op aan de rollator en deed zijn best stil te zijn toen hij de kamer uit ging. Hij haalde de sleutel eruit, deed de deur aan de keukenkant op slot en stopte de sleutel in de zak van zijn gebreide vest; laat ze maar denken dat hij daarbinnen lag. Hij haalde een ongeopend pakje schapenworst uit de koelkast. In zijn kantoortje pakte hij het flesje aquavit dat nog vol was, het andere was al half leeg. De pijnstillers had hij in zijn broekzak, het doosje was nog zo goed als vol. Stil strompelde hij naar het halletje, begon het brede erf over te steken, laste een pauze in bij de boom en veegde het brood van de voederplank, veegde de plank helemaal schoon.

Het washok was anders. Het rook er naar zeep. De muren waren schoner en lichter. Ook het beton bij het putje in de vloer was lichter en het putje zelf was plotseling van bijna glanzend staal. Dingen stonden anders. Ook hier had ze veranderd en schoongemaakt. Ze veranderde alles, zonder aan de andere kant de verantwoordelijkheid te willen nemen, de toekomst te accepteren die erbij hoorde.

Het was stil in de stal, de beesten lagen al te slapen. Hij liet zich op een krukje zakken.

Voor niets. Alles was voor niets geweest. Dag in dag uit was voor niets geweest. Dat was het dan. Hier zat hij nu, hier op dit krukje, met zijn zakken vol. Siri had weer jongen in haar buik, Røstad en Kai Roger hadden alles geregeld, Mari en Mira zouden al gauw werpen, alles liep op rolletjes zonder hem. Garnalen en pizza, tv met afstandsbediening, sauna. Hij wist weer overeind te komen. Het slagersschort of het regenjack had hij niet nodig. En als ze Siri hadden verhuisd? Hij kon geen lamp aandoen. Het rode schijnsel van de warmtelampen was de enige lichtbron daarbinnen. Hij keek in de la naar de flesopener en vond hem meteen waar hij altijd lag, achter een oude handboor. Ook de flesjes stonden onder in de kast waar hij zijn vader had gezegd ze neer te zetten. Het lukte hem niet de rollator voort te duwen en tegelijkertijd de aquavit en het bier vast te houden. Hij stopte twee flesjes bier in zijn zakken en wist de aquavit in zijn hand te houden.

Siri was gelukkig daar waar ze hoorde te zijn. Ze lag te slapen, maar werd onmiddellijk wakker toen hij bleef staan.

'Blijf maar liggen, mijn meiske.'

Ze kwam toch overeind, wierp een enorme schaduw in het rode nachtlicht en kwam hem ijverig tegemoet gestrompeld, snuivend en proestend en knorrend. Ze zou de rest wakker maken. Hij leunde met zijn elleboog op de rollator en viste het pakje schapenworst uit zijn zak, scheurde het met zijn tanden open en gaf haar de helft. Ze was zo verbaasd dat ze pardoes op haar hammen ging zitten en ze kauwde langdurig. In de tussentijd wist hij zich over de metalen buizen haar hok in te trekken, de rollator liet hij in de middengang staan. Hij hield de buizen krampachtig vast, terwijl hij zijn lichaam op de grond liet zakken. Hij werd niet nat toen hij op zijn achterste terechtkwam, het was schoon en droog in het hok, genoeg stro ook, bijna te veel; ze bezorgden zichzelf alleen maar extra werk, Torunn en de invaller, als ze overdreven met het stro. Hij ging er gemakkelijk bij zitten. Als hij zo zat, was Siri veel groter dan hij.

'Ga nu maar liggen, ik heb nog meer lekkers. Mijn flinke meid, mijn meiske, ja ...'

Ze knabbelde en snuffelde aan zijn haar, aan zijn gezicht, zijn schouders. Hij nam haar kop in zijn handen, achter haar oren, en krauwde en aaide haar daar stevig.

'Zo ja, zo ja, hier ben ik, weet je ... Hier ben ik.'

Hij aaide haar en babbelde met haar tot ze ging liggen, haar reusachtige kop naar hem toe gekeerd. Rondom in de hokken was het stil, waarschijnlijk geloofden ze niet dat hij het was, waarom zouden ze ook, na al die tijd. Hij aaide haar snuit, voelde de vochtige gladheid ervan, ze hief haar bek op naar zijn vingers.

'Een voor een nu, geen half pakje meer, want dan is het leeg ook.'

Hij maakte het eerste flesje bier open en haalde het doosje

pillen tevoorschijn, nam een handvol en slikte ze door met grote slokken pils, daarna nam hij een fikse teug aquavit. Siri wilde overal aan snuffelen. Hij bedacht dat hij misschien even moest wachten voordat hij nog meer nam, zodat hij niet zou overgeven, maar hij was bang dat hij dan misschien in slaap zou vallen. In slaap zou vallen en weer wakker zou worden. Hij bleef stil zitten tot hij voelde dat hij niet moest overgeven, toen herhaalde hij de procedure: tabletten innemen met bier, daarna aquavit. Toen het doosje pijnstillers leeg was, wierp hij het in de middengang. Hij had maar één flesje bier gedronken. Hij maakte het tweede open en voelde dat hij beefde. Maar nu was hij klaar, meer hoefde hij niet te doen, het derde flesje zou hij niet nodig hebben. Hij haalde het uit zijn borstzak en wist het met veel moeite helemaal in de middengang te zetten zodat de beesten er niet bij konden en zich zouden verwonden.

'Mijn Siri.'

Ze rustte met haar kop op de grond, haar ogen glansden, ze lag hem aan te kijken. Het was niet echt comfortabel met die metalen buizen in zijn rug, hij ging op zijn rechterelleboog liggen, zijn gezicht en bovenlichaam dicht bij haar kop. Ze rook sterk en lekker. Hij deed zijn ogen dicht, alles tolde, hij deed ze snel weer open.

'Moeder.'

Hij deed zijn ogen weer dicht. Haar hoofddoek. Hij zag haar hoofddoek, strak om haar haar gebonden, vastgeknoopt in haar nek, het was die bruine met de rode strepen, ze boog zich ergens overheen, hij kon haar gezicht niet zien, het was afgewend.

'Moeder!'

Daar was ze, ze kwam recht op hem af, glimlachend, ze praatte over haar jeugd, toen de buren elkaar hielpen met de oogst en daarna zelfgebrouwen bier uit kannen dronken, ze had het over de oorlog, over die arme krijgsgevangenen op Øysand, over de Berlijnse populieren die maar bleven groeien, met wortels die alle kanten op schoten, en die elk voorjaar met lange katjes bloeiden, ze zaten aan de keukentafel, hij zag het formica dat op marmer leek, hij proefde de smaak van haverkoekjes en koffie, het was zo fijn. Ze aaide hem over zijn wang, hij was klein en hij was de erfzoon, ze aaide hem en stopte hem een aardbei in zijn mond, lachte luid over iets, ook de stem van grootvader Tallak was te horen, zwaar en galmend, ze stonden allebei bij hem, allebei, lachten naar hem, het was warm, het was zomer, was het nooit winter? Nee, het was nooit winter, de winter kwam pas later, met zwarte takken en bevroren aarde en wollen handschoenen vol harde sneeuwklompjes die aan ragfijne haartjes hingen, hij beet de klompjes er altijd af en spuugde ze op de grond.

Hij ging languit op de grond liggen. Het was toch helemaal geen winter, het was hier warm, dierlijk warm, hier waren ze bij elkaar, hier waren ze bij elkaar en verder was er niets dan rood licht tegen zwart. Lange zwarte schaduwen in het rood, en Siri die ademhaalde. Wat fijn om hier weer te zijn. Wat fijn.

Erlend zat roerloos op een van de empirestoelen in de hal, zijn handen samengeknepen in zijn schoot. Hij luisterde. Na een eeuwigheid hoorde hij de lift, hij sprong op, deed de huisdeur open en daar stond hij toen Krummes hoofd zichtbaar werd in de smalle spleet glas die langzaam omhoogkwam tot hij stil bleef staan. Erlend rukte de deur van de lift open.

'Waarom heb je je mobieltje niet aan, Krumme?! Het is vrijdagavond en al na negenen, ik dacht dat je weer was overreden!'

'Zat in een bespreking met de politie tot nu net, ben vergeten het weer aan te zetten. We zijn aangeklaagd, een paar foto's die we niet goed genoeg hadden geretoucheerd, van dat gijzeldrama in de bank in Rødovre, je herinnert je vast wel dat ...'

'*Forget it.* Je bent er. Ze zijn zwanger!'

'Wat?'

'Allebei!'

'Goeie god.'

'Nee, hij is niet de vader. En ik heb ze van de silo's verteld! Ze waren er weg van! Ze zijn gek van Noorwegen! Wist jij dat, Krumme? Dat ze gewoonweg gek zijn van Noorwegen?'

'Ik moet gaan zitten', zei Krumme. Hij liet zich op een van de stoelen zakken, Erlend op de andere. Doodstil zaten ze daar, ettelijke lange seconden lang.

'Hoe gaat het met je?' vroeg Krumme.

'Ik ben doodsbang', fluisterde Erlend.

'Ik ook. Allebei, dus ...?'

'Ja. Allebei.'

'Is dat eigenlijk geen medische sensatie?'

'Dat zei ik ook al. Maar Jytte was van mening dat het liefde was', zei Erlend.

'Leg dat maar eens uit aan stellen die al jarenlang hun best doen.'

'Ze willen dat we komen.'

'Natuurlijk gaan we erheen. Zijn ze net zo doodsbang als wij?' vroeg Krumme, hij had nog steeds zijn Matrix-jas aan.

'Nee. Ze zijn dolblij. En ze eisen dat ik champagne voor hen allebei drink, ze hebben echt goed spul gekocht. Maar weet je, Krumme, op dit moment heb ik eigenlijk helemaal geen trek in champagne ...'

'Ben je ziek?'

'Ik heb meer trek in warme chocolademelk met slagroom.'

'Je bent ziek. Kom, we gaan.'

In de taxi zaten ze hand in hand. Erlend probeerde intensief aan de champagne te denken die hem wachtte. De lichten van de Amagerbrogade schoten langs. Eén kind. Twee kinderen. Dat van hem en dat van Krumme.

'We zijn nog nooit op de Chinese muur geweest', zei hij.

'Het duurt nog negen maanden, we hebben alle tijd, Erlend. En bovendien heb ik gehoord dat ze ook kinderen op die muur toelaten. Ben je bang dat de wereld vergaat?'

'Definitief.'

'Dus de gedachte aan een silo met drie verdiepingen trok hen wel aan', zei Krumme.

'Ze waren waarschijnlijk een beetje verrast, maar ze zijn gek van Noorwegen, weet je. Wist jij dat?'

'Word nu niet hysterisch, ik ben net zo van slag als jij.'

'Ik heb zo'n zin om het Torunn te vertellen. Zowel dat van ...

ja, dat van de boerderij, maar in de eerste plaats dat we ... dat we ...'

'Vader worden', zei Krumme.

'Precies.'

'Niet via de telefoon', zei Krumme.

'Kunnen we er niet heen gaan? Morgen?'

'Morgen?! Ik geloof dat jij helemaal doordraait!'

'Je bent er toch in een paar uur tijd', zei Erlend. 'Dan gaan we maandag weer terug en bewijzen onszelf hoe gemakkelijk je in feite van en naar een silo op het platteland komt. We kunnen een taxi nemen vanaf het vliegveld. Dat zal wel zo'n zeven à achthonderd kronen kosten, maar Torunn brengt ons maandag vast wel weg. We kopen lekker eten en drinken, vrolijken ze wat op, wat zeg je ervan?'

'Dit schiet je niet nu net te binnen.'

'Nee,' zei Erlend, 'dit heb ik bedacht terwijl ik een heel uur jouw mobieltje probeerde te bellen nadat ze op de redactie hadden gezegd dat je bij de politie zat, maar toen ik de politie belde, wisten ze van geen aanrijding. Toen bedacht ik dat we er als jij nog in leven was heen konden gaan. Ik zag mezelf al als eenoudergezin. Stel je voor, zeg.'

Krumme kneep hem in zijn hand. Ze waren er.

'Dan doen we dat', zei hij. 'We gaan morgen een weekendje naar Noorwegen. En vrolijken ze wat op.'

'Ik vraag me af wat Margido zal zeggen', zei Erlend terwijl hij de bankbiljetten uit zijn portefeuille plukte. 'Of zijn hoge moraal zoiets toelaat.'

'De silo of de kinderen?'

'Ik geloof niet dat er in de Bijbel iets over silo's staat, Krumme.'

'Ik geloof dat hij blij zal zijn. Na wat jij hebt verteld, waar jullie het over hebben gehad. Als zelfs de dominee al vindt dat wij zo'n fijn stel lijken ...'

'Hou het wisselgeld maar', zei Erlend tegen de chauffeur en hij deed het portier open. 'Dan gaan we nu naar de moeders. En geloof maar dat ik champagne drink. Warme chocolademelk is iets voor kleine kinderen.'

Hij keek door de glazen deur in zijn badkamer. Ook de wasbak was nieuw en hij had tegels op de vloer gekregen. In verhouding tot de badkamer in Kopenhagen was het niks, maar het was een splinternieuw gerenoveerd niks en het was van hem. De stoomgenerator deed het perfect. Stoom was stoom, dacht hij, en als hij zijn ogen dichtdeed, was het geen probleem zich een kachel met roodgloeiende kolen erbovenop voor te stellen. De begrafenis die hij vandaag had gekregen, bedrukte hem als een loden jas. Nu kon hij het uitzweten en zich voorbereiden op het verdriet waar hij op een professionele manier mee om moest gaan. Gelukkig gebeurde het zelden dat hij zo'n heftige opdracht kreeg. Een man met zijn drie kleinkinderen in de auto. Frontaal, vanmiddag: alle drie de kinderen waren dood, zelf had hij het overleefd, bijna zonder een schrammetje. Of … overleefd. Wat was dat voor leven dat voor hem lag? Hoogstwaarschijnlijk zou hij het niet op kunnen brengen naar de kerk te komen.

Drie kinderkistjes. Het zou een zee van bloemen zijn. Ononderbroken gesnik en gehuil van het begin tot het eind tot aan de achterste bank. En de dominee die zou proberen te troosten: 'Laat de kinderen bij me komen, houd ze niet tegen … Ik geef ze eeuwig leven: ze zullen nooit verloren gaan en niemand zal ze uit mijn hand roven.' Hij was genoodzaakt een extra rouwauto te lenen van een van de grote bureaus. Hij moest morgenochtend bij de ouders langs, vanavond konden ze het niet aan en bovendien had de dokter de moeder in een diepe slaap gebracht. Hij zou zaterdagochtend samen met hen een overlijdensadvertentie, kisten en liederen uitzoeken. Een vader en een moeder die alles hadden verloren. De grootvader was eigenlijk met de kinderen op weg naar Burger King om op hamburgers te trakteren en daarna zouden ze bij hem blijven logeren, terwijl hun vader en moeder uit eten gingen om te vieren dat ze tien jaar getrouwd waren.

Hij keek op de klok. Hij zat hier al een uur. Hij zette de generator uit en de ventilator aan, klapte de houten bank op en maakte ruimte voor de douche. Hij voelde zich al beter, het was zijn werk, hij mocht zijn gevoelens niet te zeer de overhand laten krijgen, dan verloor hij het overzicht en zijn heldere kijk op de dingen. Hij dacht liever aan wat mevrouw Gabrielsen die ochtend bij de koffie had voorgesteld, toen hij eens een enkele keer iets over de situatie op Neshov vertelde en zei dat hij het moeilijk vond niet met geld te kunnen helpen zonder dat Torunn het als een belediging opvatte.

Hij trok zijn ochtendjas en zijn pantoffels aan en ging naar de keuken, waar hij een boterham met ham en een heleboel kaas klaarmaakte. Hij smeerde boter aan de onderkant en legde de boterham in de koekenpan met het deksel erop. In een flits zag hij zijn spiegelbeeld uit Kopenhagen voor zich, maar de gedachte om voortaan de boter weg te laten, wees hij meteen weer van de hand. Hij kon beter zorgen wat meer beweging te krijgen, hij had geen zin om zich dat beetje lekkere eten dat hij zichzelf gunde, te ontzeggen en lekkere boter die in een gebakken boterham was getrokken, was een traktatie.

Hoeveel betaal je per maand voor dat magazijn in Heimdal dat je huurt voor de kisten en ander materiaal? had mevrouw Gabrielsen gevraagd. Vijfduizend per maand, inclusief elektriciteit, had hij geantwoord. Kun je niet beter een magazijn op Neshov inrichten, in de hooischuur? had mevrouw Gabrielsen gevraagd.

Zoiets simpels. En hij had geen moment aan die mogelijkheid gedacht. Als hij het een beetje opknapte, dat zou niet zo veel kosten, de schuur was nog in goede staat. Natuurlijk zou hij hun geen vijfduizend kronen betalen, maar hij kon de premies voor verzekeringen op zich nemen en de vaste lasten en dat soort dingen, alleen dat zou al enorm oplopen, zo klein als de marges op Neshov waren.

Hij zette de tv aan en belandde midden in een oude Amerikaanse film. Hij zou morgen langsgaan, nadat hij bij de ouders was geweest en de advertentie bij de krant had afgeleverd. De kinderen lagen in het St. Olavs, hij hoefde ze niet voor maandag te verzorgen. Hij zou erheen gaan en het voorstellen, horen wat ze zeiden, het zo voorstellen alsof het voor hem de moeite waard was, en niet als een aalmoes. Want het zou werkelijk de moeite waard zijn. Voor hen allemaal. En vanaf het kantoor in het centrum was het net zo ver naar Neshov als naar het magazijn in Heimdal. Natuurlijk zou Tor protesteren, misschien zelfs ronduit nee zeggen. Daar moest hij op voorbereid zijn. Er kon ruzie van komen. Dan kon hij hem beter de tijd gunnen er een poosje over na te denken en nog eens met het voorstel komen als Tor weer de oude was, met een gezond been.

Zijn kaasboterham was klaar, gesmolten kaas had zich in de koekenpan met de boter vermengd. Samen met een glas melk droeg hij alles naar zijn stresslessstoel, hij nam het bord op schoot en zette het glas melk op het tafeltje naast zich. Met de afstandsbediening zette hij het geluid harder. Cary Grant en een filmster van wie hij zich de naam niet herinnerde, hij moest maar eens in de gids kijken als hij zijn eten ophad. Hij voelde zich warm en ontspannen en dorstig. Hij dronk het glas melk in één teug leeg.

Ze sloop op haar tenen naar binnen. Het was één uur, om half zeven moest ze weer op. Ze had dat laatste biertje niet moeten nemen. Kai Roger zou een stuk minder moeite hebben uit bed te komen, als de bob had hij alcoholvrij bier gedronken tot de tent dichtging. Hij had voorgesteld de stal morgenochtend alleen te doen, maar dat wilde ze niet. Natuurlijk sta ik op, had ze gezegd, dat moest er nog bij komen, ik kan later op de dag nog wel wat slapen.

Boven in de badkamer poetste ze haar tanden, het huis lag doodstil om haar heen, ze sliepen. Ze dronk water uit de kraan en verwijderde haar make-up, sloop naar haar slaapkamer en trok snel haar pyjama aan.

Ze bleef een hele tijd naar het gordijn voor het open raam liggen kijken. Eindelijk werd het dekbed warm. Kai Roger had niet geflirt, daar was ze blij om. Hij had ook niet gevraagd of ze een man had, ze hadden over honden gepraat, hij was benieuwd naar de pup, hij had al jarenlang een hond willen hebben, het beest zou Sofus heten

Het was zo heerlijk geweest daar aan die tafel te zitten als een gewoon mens die werd gezien en gewaardeerd omdat ze een heleboel wist waar hij niet zo veel van afwist. De pizza smaakte verrukkelijk en ze hadden warme appeltaart met slagroom als dessert gehad. Ze vertelde hem over oogcontact en dat je de pup moest leren te leren, over de voer- en de speeloefening en het deed haar zo goed toen hij moest toegeven hoe logisch en voor de hand liggend een dergelijke training was, er net zo verbluft over was hoe simpel het klonk als haar hondenbezitters van de cursussen in Oslo.

En toen hij haar thuisbracht en ze de oprijlaan op bogen, had ze zo sterk het gevoel dat Kai Roger haar thúísbracht. Vreemd was dat. Eigenlijk kwam ze hier vandaan. En hier was ze nu. Het verbaasde haar dat ze na één enkele avond weg van de boerderij te zijn geweest, aan oplossingen begon te denken en niet alleen maar in cirkels ronddraaide.

Toen de wekker om half zeven ging, kreeg ze met moeite haar ogen open. Als ze de hele stal nu in haar eentje had moeten doen, was ze alleen bij de gedachte al gestorven. Maar over een half uurtje zou Kai Roger er zijn, ze zouden het samen doen.

Het was ijskoud in de kamer, het moest in de loop van de nacht zijn gaan vriezen. Snel sprong ze uit bed, pakte haar kleren en ging naar de badkamer. Toen ze zich had aangekleed, deed ze een beetje mascara op, dat deed ze anders nooit voordat ze naar de stal ging. Ze glimlachte even naar haar eigen spiegelbeeld, terwijl ze langzaam het borsteltje langs haar wimpers haalde, boven en onder haar ogen.

De deur van de kamer was dicht zoals altijd op dit tijdstip, haar vader stond nooit op voordat zij naar de stal ging, en haar grootvader niet voordat ze terugkwam. Ze was blij alleen in de keuken te kunnen zitten en ze draaide de radio op zijn zachtst, zette de koffieketel op en stak het houtfornuis aan. Misschien zou deze dag beter worden. Ze zou proberen vandaag met hem te praten, zonder ruzie, proberen het wat ruimer te zien, luisteren naar wat hij vond, hoeveel jaar hij dacht zelf de boerderij nog te runnen. En de financiën, hoe het daar eigenlijk mee stond.

Ze moest de feiten wat de financiële situatie betrof echt op tafel zien te krijgen. Ze moest hem ook laten weten dat ze hem nodig had als zij het op den duur zou overnemen. En dan moest hij niet chagrijnig zijn en dwarsliggen, maar achter haar staan. De man zijn die ze had leren kennen en dingen achter zich kunnen laten.

Om tien voor zeven dronk ze bij het aanrecht staand een kop koffie, terwijl ze naar het natuurprogramma op de radio luisterde, over dieren in winterslaap, lichamelijke functies die op een laag pitje waren gezet, die verbazingwekkende innerlijke klok in hun lichaam die hun vertelde wanneer het lente werd.

Ze zette het lege kopje op het aanrecht en zette de radio uit. Kai Roger kon er elk moment zijn.

Toen ze over het erf liep, ontdekte ze dat de voederplank leeg was. Wat gek, ze had hem de avond ervoor toen het al donker was nog gevuld. Misschien waren er eekhoorns geweest. Dat zou leuk zijn, eekhoorns op het erf, die waren zo grappig.

Toen hoorde ze de varkens. Ze gilden. Dat deden ze anders nooit, niet voordat ze de staldeur open hoorden gaan. Ze zette het op een lopen. Toen ze bij de deur was, hoorde ze dat het een heel ander geluid was dan anders, er lag een heel ander soort paniek in, ze gilden als bezeten, een koor van varkenskelen.

Ze rukte de buitendeur open en rende door het washok zonder haar overall aan te trekken, deed de deur naar de beesten open en maakte licht.

Anne B. Ragde bij De Geus

Het leugenhuis

Het is de week voor Kerstmis, in het hoge Noorden van Noorwegen. De oude Anna Neshov ligt op sterven en haar zoons keren met tegenzin terug naar het ouderlijk huis. De oudste zoon Tor runt het familiebedrijf, een varkenshouderij. Margido is begrafenisondernemer, en de jongste zoon, Erlend, etaleur, woont met zijn partner in Kopenhagen. De broers hebben al jarenlang geen contact meer met elkaar, de twee jongste broers zijn ooit met ruzie vertrokken en hebben alle banden met hun ouders verbroken. Tor vraagt zijn dochter Torunn, die hij nog maar één keer heeft ontmoet, ook te komen.
Deze vier volkomen verschillende mensen moeten noodgedwongen onder één dak wonen en het Kerstfeest samen vieren; er komt veel oud zeer boven en ruzies laaien weer op, maar ze merken ook dat je je niet kunt losrukken van je wortels, hoe graag je dat ook zou willen.
En dan is hun oude vader er nog, een zwijgzame pantoffelheld, die door iedereen wordt genegeerd en geminacht. Uitgerekend hij komt met een onthulling die de familieverhoudingen – en hun levens – in een totaal ander daglicht stelt.